Roman Fantastique

幻想と怪奇

13

H・P・ラヴクラフトと友人たち

アーカムハウスの残照

新紀元社

アーカムハウス書影集

『幻想と怪奇』編集室

＊書影の下の数字は、「アーカムハウス刊行物一覧」（237ページ）に準じます。

《草創期》

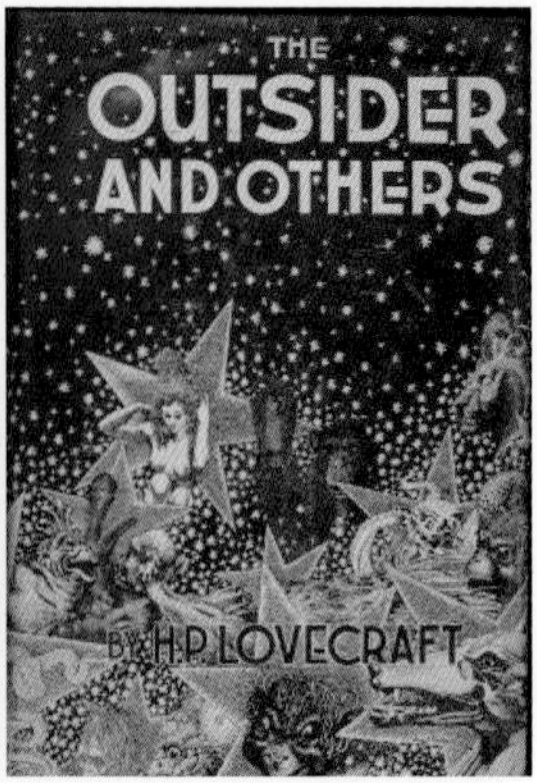

001 The Outsider (1939)
フィンレイ画

002 Someone in the Dark (1941) ユトパテル画

003 Out of Space and Time (1942) ボク画

004 Beyond the Wall of Sleep (1943) C･A･スミス彫刻

《ロナルド・クライン》

013 The Lurker at the Threshold (1945)

018 West India Lights (1946)

025 Revelations in Black (1947)

《ハネス・ボク》

017 Skull-Face (1946)

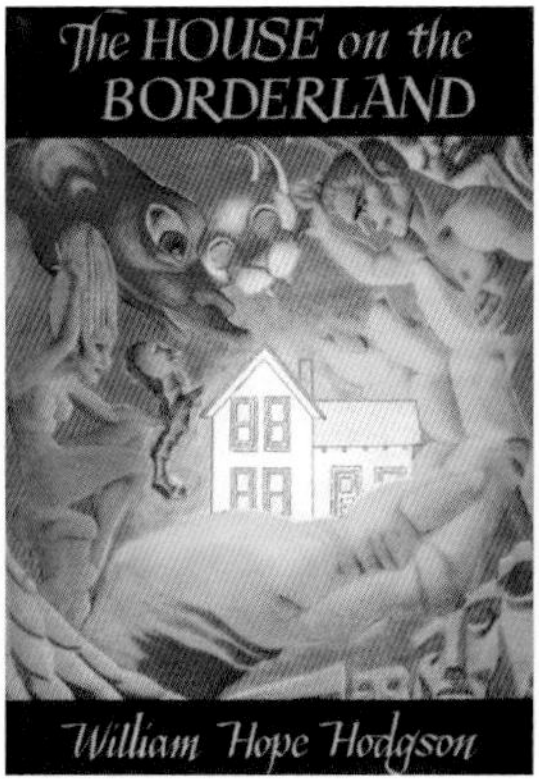

016 The House on the Borderland (1946)

014 The Hounds of Tindalos (1946)

《リー・ブラウン・コイ》

102 Tales of the Cthulhu Mythos (1969)

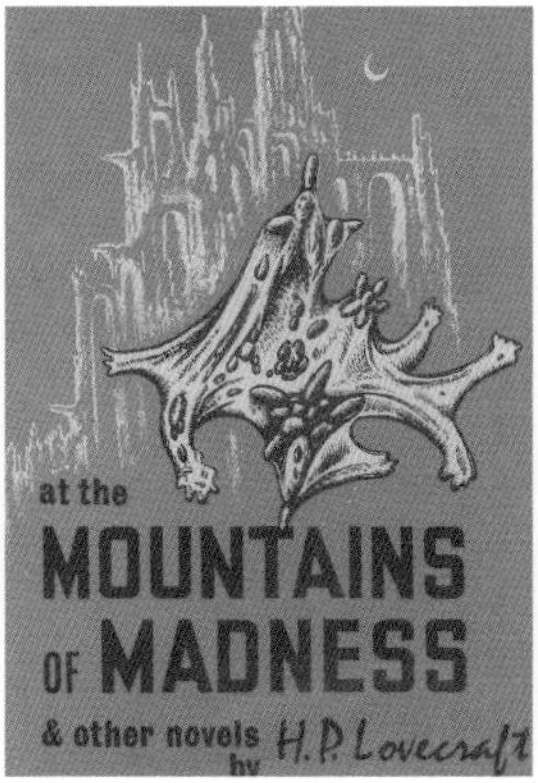

076 At the Mountains of Madness (1964)

069 Who Fears the Devil? (1963)

《フランク・ユトパテル》

125 From Evil's Pillow (1973)

092 The Mind Parasites (1967)

073 The Inhabitant of the Lake (1964)

《巨匠たち》

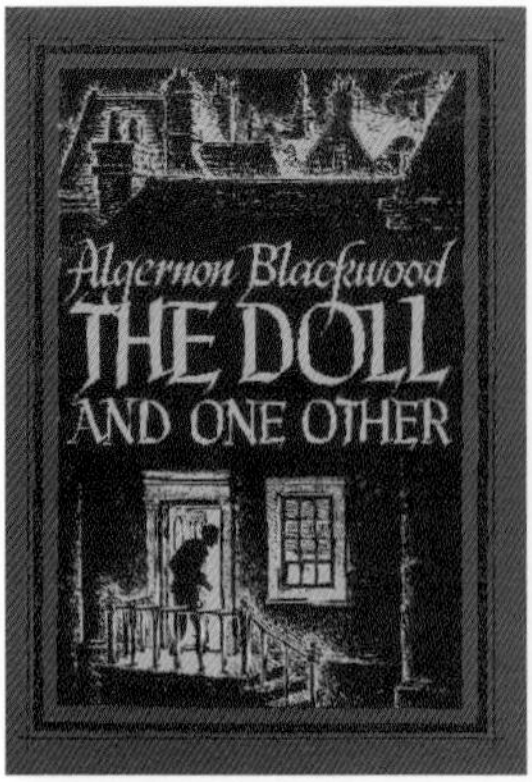

015 The Doll (1946)
クライン画

012 Green Tea (1945)
クライン画

010 The Opener of the Way
(1945) クライン画

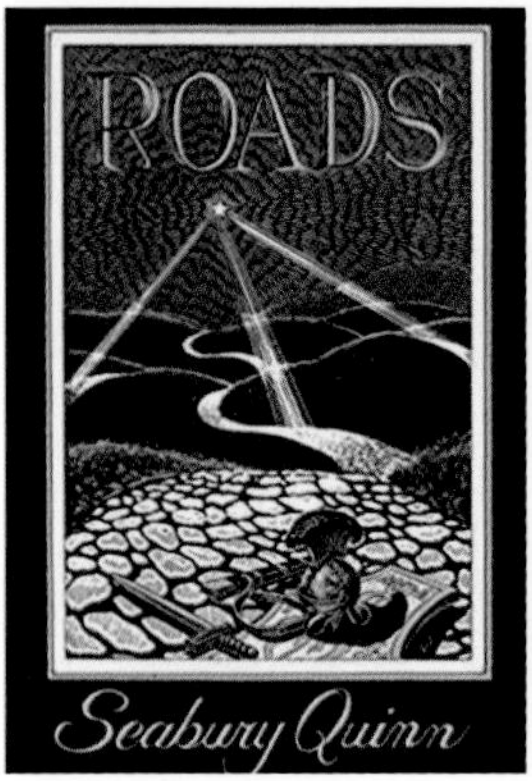

034 ... Roads (1948)
フィンレイ画

026 Night's Black Agents
(1947) クライン画

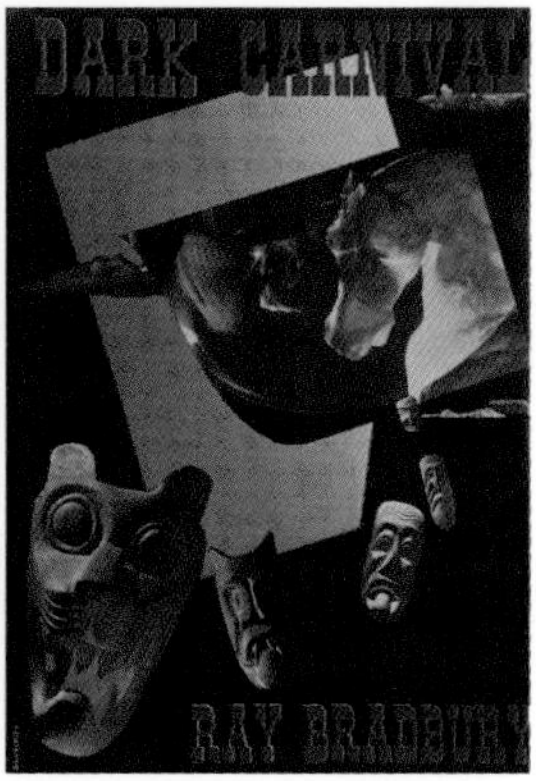

024 Dark Carnival (1947)
バロウズ写真

《ダーレス亡きあとも……》

162 Who Made Stevie Crye?
(1984) チューター画

150 New Tales of the Cthulhu
Mythos (1980)
ヴァン・ホランダー画

142 The Horror at Oakdeene
(1977) フェビアン画

アーカムハウスの残照

一九三九年、ウィスコンシンで二人の青年が立ち上げた小さな出版社が、最初の本を世に出した。青年たちの名は、オーガスト・ダーレスとドナルド・ワンドレイ。出版社はアーカムハウス。そしてその本は、H・P・ラヴクラフト著『アウトサイダー　その他の物語』。

ポーに続くアメリカ幻想文学史上の巨人ラヴクラフトも、もしアーカムハウスが本にまとめなかったら、どのような扱いを受けていたことだろうか。パルプマガジンのページのあいだに埋もれたままで、作品は紙と共に風化し、熱心な読者も年老いて記憶はおぼろになり、その存在は誰かが発掘するまで、長い眠りについていたのではないか――そんな気がしてならない。

ラヴクラフトのファンは世界中に数多く、彼が創造した《クトゥルー神話》は今や小説だけでなく、さまざまな媒体で目にするものになった。だが、彼自身についてはさておき、彼の活動を支えた友人たち、とりわけ彼の歿後に作品を埋もれさせまいと尽力したダーレスとワンドレイには、彼ほど目が向けられていないようだ。深遠なはずの《クトゥルー神話》をダーレスが軽い冒険活劇に変えてしまった、などと見られてはいないか。ワンドレイは作品さえ十分に知られていないのではないか。

『幻想と怪奇』ではこれまで、怪奇幻想文学の歴史の一端をテーマにし、読者がその大きな流れに乗るさいの案内としての企画をしてきた。今回は、ラヴクラフトを新たに読み直す一つの視点として、交友の深かった作家たち、アーカムハウスの設立者たち、そして深く影響を受けた作家たちの作品を集めた。さらに、日本作家陣の書き下ろし《クトゥルー神話》を収録。また、日本でのラヴクラフト論の起点と言うべき荒俣宏の評論を第一期『幻想と怪奇』から再録して歴史を顧みる一方、ダーレスの評伝を収め、いまだ知られざる彼の生涯を伝える。

二〇一一年にダーレスの孫たちが経営を引き継ぐと発表したが、その後のアーカムハウスの出版活動については、情報が得られていない。だが、二〇一〇年までに刊行した本の数々は、英語圏の怪奇幻想文学の大きな財産となっている。それらのもたらす光はたしかに残照だが、そう呼ぶには今も明るく未来を照らしている。

（M）

（追記：ラヴクラフトの友人として挙げられるべきロバート・E・ハワードが本書に未収録なのは、現在《愛蔵版　英雄コナン全集》が刊行中のため。ぜひ本書と御併読いただけますよう。）

幻想と怪奇13
H・P・ラヴクラフトと友人たち　アーカムハウスの残照

表紙：ひらいたかこ（Pen Studio）
装丁：YOUCHAN（トゴルアートワークス）
『幻想と怪奇』題字：原田治

H・P・ラヴクラフトと友人たち

断章二題

Fragments

H・P・ラヴクラフト H. P. Lavecraft

平戸懐古訳

オーガスト・ダーレスがアーカムハウスを設立する動機となった人物である以上、いかに有名でひととおり邦訳されているとはいえ、H・P・ラヴクラフトの作品を収録しないわけにはいかない。そこで、補遺的に扱われ目に留まることの少ない断章から、二編を選んだ。断章とはいえ、完結した作品として発表されなかった、というだけで、ラヴクラフトの作風を十分に味わうことができる。

タイトルどおり魔書の物語である「魔の書」"The Book"は、ラヴクラフト死後の一九三八年、ロバート・H・バーロウのファンジン *Leaves* の冬号に「アザトート」「闇の一族」と共に掲載された。なお、同誌にはC・L・ムーア「幻の狼女」も掲載されているほか、ドナルド・ワンドレイ、フランク・ベルナップ・ロング、フリッツ・ライバーらも寄稿している。書籍への初収録は、アーカムハウス刊の *Marginalia* (1944)。

続く「月下に佇むもの」"The Thing in the Moonlight"の原形は、一九二七年一一月二四日付のドナルド・ワンドレイに宛てた手紙に、ラヴクラフトが書いた夢のエピソードである。それをファンジン *Bizarre* の編集者の一人**J・チャップマン・ミスケ**が、同誌の一九四一年一月号に掲載するさい、前後を補綴して小説らしい体裁にした、いわば「死後合作」である。補綴部分は本書では冒頭の「目覚めることが出来ずにいる」までと、終盤の「夢だと判ってはいた」以降となる。本作も *Marginalia* に収録され、しばらくラヴクラフトの作として扱われていたが、S・T・ヨシが校訂した八七年の *Dagon and Other Macabre Tales* 以降は、アーカムハウスのラヴクラフト作品集からは外されている。だからといって埋もれさせておくには惜しいので、本書に収録した。なお、ブライアン・ラムレイが *The Arkham Collector* 一九六九年冬号でさらに「合作」し、悪夢の続きを書いている。

魔の書

The Book

記憶は酷《ひど》く混乱している。その出発点を思い出すこともままならない。悍《おぞ》ましいほどに茫漠とした年月が背後に広がっているように感じることがあれば、現在という瞬間がかたちなき灰色の無限の只中に、ぽつりと孤立した点でしかないように思うこともある。いまこの言葉をどうやって伝えているのかも判然としない。口を動かして喋《しゃべ》っていることは判る。だが漠然と感じるのは、私の言葉はなにか普通でない、それも厭《いと》うべき媒体を介して、届いてほしいと願う地点にまで運ばれているのではないかということだ。この「私」の連続性もまた、戸惑うほどに朦朧《もうろう》としている。なにか酷い衝撃を受けたようなのだ——比類なき信じがたい出来事を潜り抜けた末に逢着《ほうちゃく》した、途方もなく恐るべき帰結によって。

その出来事というのが、そうだ、総《すべ》てあの虫喰いだらけの本から生じたのだった。見つけたときのことはよく覚えている——仄暗《ほのぐら》い場所だった。黒く油じみた河のほど近くで、いつも霧で淀んでいた。年季の入った建物のなか、天井まで伸びた書棚が腐ったような書物をぎっちりと詰め込んで、窓のない部屋や廊下の壁龕《へきがん》じゅうに立ち並んでいた。書物はまた、床の上といわず粗末な箱のなかといわず、雑然と堆積していた。そうした堆積物のうちに、あの本を見つけたのだった。題名は判らずじまいだったが、それは冒頭の数葉が欠けていたからだ。だが後ろのほうの頁《ページ》を開いてみると、なにか眩暈《めまい》を催すようなものが、ちらりと垣間見えたのだった。

なにか手順が書かれていた——呪文や作業の一覧だ——それで禁じられた黒魔術だと判った。以前、秘匿された文書で読んだことがあったのだ。宇宙の秘密を探究する奇矯な古代人たちが書き残したもので、忌避を覚えながらも抗《あらが》いがたい魅力を感じ、私は彼らの古文書を耽読してきたのだった。これはある門を開くための鍵だった——つまり、ある状態への変容に通じている道標《みちしるべ》だった。神秘主義者たちは人類の幼年期から、この鍵のことを幻視しながら囁《ささや》き交わしてきた。それは三次元世界や我々の知る生命や物質の領域を、遙《はる》かに越え出た自由と発見とに至るための道標であるはずなのだった。数世紀のあいだ、その記述の核心を思い起こす者はおろか、その在処を把握している者すら存在しなかったのだが、事実その書物はあまりに古いものだった。印刷機ではなく、なかば発狂した修道士の手によって、その不吉なラテン語文は、恐ろしく古風なアンシャル書体で写し取られたのだった。

　老人がこちらを横目で見つめて忍び笑いを漏らし、手で奇怪な印《いん》を結んだことを覚えている。その本を買い取ろうとしたのだが、この男は代金を受け取ろうとせず、その理由に思い当たったのは、ずっと後になってからだった。家路を急ぎ、霧深く曲がりくねった河沿いの隘路《あいろ》を進んでゆくと、なにか恐ろしい感覚に襲われた。ひたひたと柔らかい足音が、背中を追ってくるような気がするのだ。数百年もの月日を風雨に晒《さら》され、いまにも倒壊しそうになった家々が両側に立ち並んでいたが、それらがまるで生命をもち、病的な悪意を発しているかのようだった――それまでは塞がれていた悪しき知性の経路が、突如として開かれたかと思われた。黴《かび》に汚れた煉瓦の壁や張り出し破風《はふ》、菌類に覆われた漆喰《しっくい》に梁材、ぎろりとねめつける眼のような菱形の硝子窓、それらがぐぐと迫ってくるようで、まるで私を押し潰すことを堪えかねているように感じた……だが書店のなかで、私はあの冒瀆的なルーン文字をほんの断片しか眼に入れなかったはずだ。

　あの本を読んだときの記憶はある。顔面蒼白になり、長らく奇妙な探究に用いてきた屋根裏部屋に閉じこもって、その頁を捲《く》ったのだった。真夜中を過ぎてから読みはじめたので、屋敷は静まりかえっていた。思うに、当時は私にも家族というものが居たはずだが――どんな者たちだったか、まったく曖昧模糊としている――使用人も大勢雇っていたはずだ。あれがいつのことだったのかも判らないが、以来、幾多の時代と次元を知ることになった代わりに、それまでの時間という概念は解体され、すっかり再構築されてしまった。蠟燭の灯りで読み進めたのだった――蠟涙《ろうるい》が絶え間なく滴《したた》っていたことを覚えている――すると時おり鐘の音が、遠くの鐘楼から響いてきた。妙な関心で耳を澄ませていたように思うのだが、まるで鐘の音の隙間に、彼方からの別の音が滑り込んでくることを恐れているかのようだった。

　原初の詩の第九連をぶつぶつと声に出して読んでいると、あの引っ掻いたり探ったりするような音が、街じゅうの屋並みを見通せる屋根窓のほうから聞こえてきて、私はその意味を悟って身震いした。門を潜《くぐ》る者には影が伴い、もはや独りになることは叶わない。私は召喚してしまったのだ――その本こそが、探し求めていた一冊だったのである。その夜、私は門を潜って時間と視界の捻じれた渦の只中に入ってゆき、そして朝になると屋根裏部屋の壁や棚、家具といったものたちに、それまでは見たことのないものを認めたのだった。

自分の知っていた世界を見ることも出来なくなってしまった。現在の様子に過去と未来がまばらに混ざり込んでしまい、かつて見慣れていたものたちはどれもこれも、視野の拡張された新たな視界のなかで、異様なものに変貌してしまった。それ以来、私は見知らぬものや、どこかで見たようなかたちをしたもので織り成された夢幻の只中を歩み続けてきた。新しい門を潜るたびに、それまで縛り付けられていた狭い領域に属する事物のことを、しっかりと認識できなくなっていった。私が身の周りに見ているものが、他人には見えないものとなっていった。私はどんどん寡黙に、他人行儀になっていった。もちろん狂人と思われぬためである。犬が私を怖がるようになった。私にとり憑いて離れることない世界の外側からの影の存在を感じ取るのである。だが、それでも本を読み進めた——新たな視界に導かれるまま、秘匿され、忘却された書物や巻物を漁り——空間や存在や生命の形式の新たな門を潜り抜け、未知の宇宙の核心へと進んでいった。

思い出せるのは、ある夜、床に火でもって五重の同心円を描いたことだ。その最内に立ち、韃靼《だったん》の使者がもたらした悍ましい祈禱文を唱えると、四方の壁が溶けるように消えてゆき、私は黒風に運ばれて、底知れぬ灰色の深淵の何マイルも上空を越えていったが、そこには山々の針のように鋭い嶺峰が連なっていた。しばらくすると周囲は暗闇に呑まれ、そのなかに幾千もの星光が不可思議な、見知らぬ星座を成しているのが見えた。最後になると、下方には緑色に輝く草原が広がり、ねじくれた塔の群れが都市をかたちづくっていることが認められた。見も知らず、書に読んだこともなく、夢に見たこともない建築様式で建てられていた。この都市のほうに漂ってゆくと、石造りの巨大な四角い建物が開けた場所に聳《そび》えているのが見え、忌まわしい恐怖に鷲摑みにされた。絶叫して身悶えし、空白があり、屋根裏部屋の床でぼんやりと光っている五重円の上に、覆いかぶさるように寝そべっていた。あの夜の彷徨は、それまでに経験した幾夜の彷徨と比べ、特別に奇怪なものではなかったのだが、感じた恐怖は比べものにならなかった。だんだんと、自分があの向こう側の深淵に、向こう側の世界のほうに、近づいていることが判ったからだった。以来、呪文を唱えることには慎重になった。己の肉体やこの大地から切り離され、未知の深淵に取り残されたくはなかったのである。

月下に佇むもの

The Thing in the Moonlight

　モーガンは文学的な人物ではない。それどころか整然と話すことさえなかなか出来ない男なのだ。だから彼が書いたという文書について、他人なら笑い飛ばして済ませるとしても、わたしは気になって仕方がない。

　件の夜、彼はひとりで居たのだという。すると突然、書かねばならぬという抑えがたい衝動に突き動かされた。彼はペンを握ると、以下のように書いたのだった……


　私の名はハワード・フィリップス。ロードアイランド州プロビデンス市、カレッジ・ストリートの六十六番地に住んでいる。一九二七年十一月二十四日――と書いておくのは、今年がいつなのか判らないからだ。私は眠りに落ちて夢を見たまま、目覚めることが出来ずにいる。

　夢のはじまりは、葦の茂った暗い湿地が灰色の秋空の下に広がっている光景だった。地衣にまみれた無骨な岩台が、北に聳《そび》えていた。なにか茫洋とした欲求に突き動かされ、私はこの岩壁に走った裂け目に入り込むと、上を目指して登っていった。裂け目の両壁には黒々とした穴がいくつも口を開けており、この岩の高台の内奥の底まで通じているようだった。

　ところどころ、この狭苦しい裂け目の通路は上部が塞がれて屋根のようになっており、そうした部分はとても暗く、壁に空いていたかもしれぬ穴を認めることも出来なかった。こうした暗所のひとつで、異様な恐怖の高まりを感じた。まるでなにか名状しがたく、かたちないものが深淵から放たれて、私の魂を呑んでしまおうとしているかのようだった。ただ闇があまりに濃いため、そうした警戒を引き起こすものを見出すことも出来ないのだった。

　そのうち、私は苔に覆われた岩ばかりで土の乏しい台地に辿《たど》り着いた。沈みゆく夕陽の代わりに、ぼんやりとした月光に照らされている。周囲を見やるが、生き物の姿はない。だが遙か下方、さきほど私の突っ立っていた毒々しい沼地に蔓延《はびこ》って、かさかさと囁き声を立てている藺草《いぐさ》の合間から、蠢《うごめ》きのようなものが感じられた。

　いくらか歩いてゆくと、路面電車の錆びついた線路に行きあった。虫に食われて穴だらけになった電柱は、だらしなく垂れた架線をまだ支えている。この線路に沿って進むと、すぐに黄色の連廊付き列車が現れた。一八五二と番号が振られている。一九〇〇年頃から十年ほど普及していた、車体ひとつが台車ふたつに載せられた車両だった。誰も乗っていなかったが、すぐにでも発車できる準備が整っていた。集電器は架線に接していたし、車体の下では時折ブレーキががたがたと振動していた。私は車両に乗り込むと、照明を点けようとしたが叶わなかった。それからハンドルが運転台から取り外されていることに気付いた。運転手は席を外しているというわけだ。客席に座ると、左手にある疎《まば》らな草地からがさがさと掻き分けてくる音が聞こえ、男がふたり、背後から月光に照らされて、黒く影になった姿を見せた。鉄道会社の制帽を被っていたので、運転手と車掌に違いない。すると、うちひとりが鋭く一度だけ鼻を鳴らし、顔をもちあげて月に向かって遠く吠えた。もうひとりは四つん這いになると、電車に向かって駆けはじめた。

　私は跳ね起き、猛然と車両から飛び出すと、果てなく続く高台を走ったが、そのうち息が上がって立ち止まらざるを得なくなった。逃げたのは車掌が四つん這いになったからではなく、運転手の顔のあるべきところが白い円錐になっており、その細くなった先端部から、血色に赤い触手が一本、伸びていたからである。

　夢だと判っていた。だが判っているからこそ、安堵することが出来なかった。

あの悍《おぞ》ましい夜からこちら、私はただただ目覚めの到来を祈っている――そう、いまだ覚醒の気配はない。

　それどころか、どうやら私はこの恐ろしい夢の世界の住人となってしまったようだった。最初の夜が明けると、私は途方に暮れたまま、沼地をただひとり彷徨《さまよ》いはじめた。それからふたたび夜がやって来たが、私はまだ歩き続けていた。目覚めの到来だけを祈っていた。すると突然、草を掻き分けた先、古びた路面電車の車両が姿を現し――その傍らで、あの円錐の顔の生き物が頭をもちあげ、月明かりの只中で、奇怪に遠吠えしているのだった。

　毎日が同じだった。夜が来ると、あの悍ましい場所に連れ戻されてしまう。日暮れとともに歩くのを止めてみたが、きっと眠りながら歩いているのだ。気付けば眼前には恐ろしい遠吠えをするあの生き物が月光に照らされており、死に物狂いで逃げることになるのである。

　神よ、私は眼を覚ますことが出来るのだろうか。

……以上がモーガンの文書である。プロビデンス市のカレッジ・ストリート六十六番地を訪ねようと思っているが、そこでなにを目撃することになるのか、恐ろしい限りである。

成らず神

Passing of a God

ヘンリー・S・ホワイトヘッド　Henry S. Whitehead

野村芳夫 訳

ヘンリー・S・ホワイトヘッドはラヴクラフトと親しく、合作「わな」で知られている。彼はヴァージン諸島で聖公会の助祭を務めつつ、かの地の土着信仰や民間伝承を題材とした創作を数多く雑誌に発表した。この呪術と医学が絡んだ奇談の初出は『ウィアード・テールズ』一九三一年一月号。「黒いけだもの」（『新編怪奇幻想の文学1』所収）や「影」（『幻想と怪奇6』所収）などと共に、歿後にアーカムハウスが刊行した第一短編集 *Jumbee and Other Uncanny Tales* (1944) に収録された。現代人に向ける目や、病気や障碍への意識に現代との差異を感じる箇所もあるが、時代を反映したものとしてお読みいただけますよう。

「カーズウェルがポルトー・プランス（西インド諸島、ハイチの首都）のきみの病院にやってきたとき、まるで指が紐でこすって傷つけられたみたいだったといったな」わたしは水を向けた。

「実に忌まわしい話なんだ、キャナヴィン」相変わらず気が進まないようすで、ペルチエ医師は応じた。

「話してくれるという約束だった」わたしは言葉をはさんだ。

「仰せのとおりだ、キャナヴィン」いま、このヴァージン諸島（プエルト・リコ島の東側にある、セント・トマス島などを含む島々）に駐屯するアメリカ海軍衛生隊に所属するペルチエ医師は認めた。「しかし」彼は続けた「どのみちこの話は使えないだろう。編集上のタブーってものがあるだろうし。こいつも、それだ——なんというか？——あまりに法外で信じがたい」

「確かに」今度はわたしが認めた。「タブーは存在する、少なからず。それでも、紐で傷だらけにされたような指の話はしてくれたのに――なぜ、口をつぐむんだ、ペルチエ。使うかどうか、わたしに判断はまかせてくれ。そのすべてが聞きたいんだ。ぜひ！」

「きみの関心事らしいな」わたしの客はいった。「あまりにも不愉快になったら、そういってくれ。いつでもやめるから」

　わたしはいま一度奮い立った。いささかの断片を耳にしただけで興味をそそられ、数週間前から話を聞きたくてうずうずしていた。

「はじめたまえ」わたしは思い切っていい、密封箱《ヒュミドール》のタバコを選んでいるペルチエに、スウィズル（ラム酒にライム果汁、砂糖、砕氷を加えたカクテル）の入った銀の水差しを、とりなすように押しやった。ペルチエはしかめっ面で、スウィズルを手酌で飲んだ。明らかに彼はアーサー・カーズウェルの話をぶちまけたい欲求、それを思いとどまらせる複雑な感情とのあいだで立ち往生していた。わたしは柳枝製のラウンジチェアーに背をあずけて待った。

　椅子のなかでペルチエの巨体がもぞもぞ動いた。どこから話を切り出そうか、もう熟慮しているのは明らかだ。彼は考えながら口を開いた。

「医学界以外で、人体の悪性腫瘍《しゅよう》について公的な議論が行われたのを、これまでわたしは耳にしたことがない。医学にとって未知の領域だ。とはいえ、この疾病の存在は、保険会社による予防キャンペーンと基金の呼びかけのおかげで、多くの人の知るところになっている――。まあ、カーズウェルの症例はそれらの筆頭ともいえる」

　彼は口をつぐみタバコの燃える穂先を見つめた。

「〝筆頭〟？」わたしは励ますように言葉をはさんだ。

「ああ。外科医としていわせてもらえば、それがこの問題の発端だ」

　わたしはなお待った。

「きみはシーブルックの『魔法の島　ハイチ』（一九二九年、逸早くヴードゥー教を本格的に紹介した名著。邦訳は林剛至訳　大陸書房　一九六九年刊）は読んだかね、キャナヴィン？」ペルチエは突然たずねた。

「もちろん」わたしは答えた。「それがなにか？」

「だったら西インド諸島のあちこちを巡り歩いた経験ときみの研究からして、シーブルックの記述はあらかた承知だろう？――とくにハイチのヴードゥー教や山間の習慣やその他もろもろ――きみにはシーブルックのような作家の手の内がおおむね読めるんじゃないか？」

「確かに」とわたし。「事実上、題材の多くは、わたしには既知のものだった――とはいえ、見事な作品で、とことん成功している――誠実、周到な報告だ」

「目新しいものはなかったのか?」

「あった――いけにえのヤギと黒人娘の人格の交換が〝洗礼〟によってなされることが、シーブルックの『山羊と少女の変容』という章に記されていた。少なくともそれはわたしにとって初見だったのを認める」

「もし注意深く読んだのなら、その現象を彼独自の〝観点〟からのまとめであるとしているのを、きみは思い出すだろう。そうじゃないかね、キャナヴィン?」

「そのとおり」わたしは同意した。「彼はそんな言い方をしていた」

「では」ペルチエ医師はふたたび話をはじめた。「彼の紹介したすべての材料――著書の用語を多くの物語作家が逸早く流用しているのに、わたしは気がついた!――は、アフリカ起源のハイチの偽神、つまり、信者の身体を一時的な憑代《よりしろ》とするオグン・バダグリスやダンバラなどへの信仰を明確に把握しているきみにとっては、ひどく身近なものだろう?」

「その信仰はとてもよく理解できる」とわたし。「多岐にわたる当地の現象のなかで、シーブルック氏はそれについても言及している。食事中の著者のもとに老いた黒人がひとりやってきて、汚れた手を料理の皿に突っこんで彼をひどく驚かせた――やがて老人は信者たちに囲まれ、最寄りのウンフォー、いわゆるヴードゥー教の根城に連れこまれて祭壇に坐らせられたばかりか、食事が供えられ、ありったけの宝石類で飾り立てられて当座は崇拝された。やがて、特徴的なことに〝神〟の〝憑依〟が終わってしまうと、老いた黒人は完全に無視され、以前同様、取るに足らない老いぼれ道化師に逆戻りしてしまった」

「正確な要約だ」ペルチエ医師は同意した。「それだ、キャナヴィン、そんなたぐいのことだ。つまり、そいつはアーサー・カーズウェルの忌まわしい事件にふさわしい出発点でもある」

「ということは――?」わたしはいたく興味を惹かれ、ペルチエの話に口をはさんだ。この一件にヴードゥー教が関係しているとは、まったく予測していなかった。

「つまり、アーサー・カーズウェルの最初の兆候、切迫した不調とは、きみが述べたのとおりの〝憑依〟だった」

「しかし――だが」わたしは抗議した。「わたしはてっきり――外科的な話だとばかり思っていた! それなのに、医学的な線から話すのにきみが異をとなえるなんて――」

「狭義の意味では」ペルチエ医師は静かにいった。「外科的症例だったのだが、わたしがいったとおり、その〃発端〃は、老黒人の肉体に、きみが述べたとおり、そうした信仰に興味を持つきみのような人々がよく知っているオグン・バダグリスなどといった悪魔的な神がたまたま〃憑依〃したのとまるで同様だったのだ。ちょうど、シーブルックの記述と同じように」

「うむ」とわたし。「きみの思うとおりに話を進めてくれ、ペルチエ。もっぱら、聞き役に徹する。たまの質問はいいかね?」

「少しもかまわん」ペルチエ医師は思いやりを見せていい、わが家の中国製の籐のラウンジチェアーにより深く身を沈め、新しいタバコに火をつけて話をはじめた。

「カーズウェルはハイチ奥地の蛇信仰を大いに研究し、熟知していた。きみにはおなじみの、たぶんシーブルックが少なくともはじめて英語で紹介したたぐいのことだ。あれこれの集会と〃洗礼〃、鶏や雄牛やヤギのいけにえ、ラタ太鼓を乱打する信者たちの大騒ぎ——昔のイスパニヨーラ島、いまハイチとドミニカ共和国に占められている島に、アフリカのベナンから連れてこられた奴隷たちがそのまま持ちこんだのが、まったく奇妙で理解しがたい、ばかげて見えるが深く根強い〃蛇〃信仰だ。

すでに聞いているだろうが、彼は当地に何年間も滞在していた。というのも、そもそも彼が移って来たのは、母国で失敗したためだと人々はみなしていた。ところがどうして、彼のような奇抜な思考の持ち主にしか考えつかない方法——レオゲヌ（ポルトー・プランスの西三十キロほどの海沿いの地）の沼地でカモを撃ち、それを干し肉に加工してアメリカ合衆国のニューヨークやサンフランシスコにある二大チャイナタウンに輸出し、多大な収益を得ていた！

〃失敗〃にもかかわらず、カーズウェルは、ことに垢抜けした、つまりその英語的な意味でスマートな男だった。塩湿地のレオゲヌあたりで暮らして、そのうえカモを殺して乾燥させる生業《なりわい》にあるというむしろ不都合な条件のもとにあっても、いつもきちんとひげを当たり、清潔でこまめに身だしなみを整えるタイプだった。〃母国〃から離れ、また上品なポルトー・プランスのような都会からも離れていると、人はひどく自堕落になりがちだ。

実際、ポルトー・プランスの病院で最初に会ったとき、彼は誰かのヨットからいま下船してきたばかりといった風情だった。それは、人を惑わせ落ち着かない気分にさせる、かなり珍しいその体験を聞かされた直後でも同じだった。

しかし、カーズウェル兄は染まらない。そう、ほんとうに。わたしは彼を〝カーズウェル兄〟と呼ぶが、それはいわば、親愛なる関係にあるからだ、キャナヴィン。当時、彼は四十五歳くらいだった。それが二年前だ。付け加えれば、仕立て下ろしを着ていて身だしなみがよく、なぜか驚くほど若く見えたよ。豊富な経験、人生観を感じさせるたぐいの顔だった。顔のしわは〝よい感じ〟で、いわせてもらえば——ユーモアと勇気を表し、放蕩や失望から刻まれたものでなく、若年の波止場ゴロにありがちな呆けた表情はまったくなかった。それどころか、病院のわたしの診察室になかば意気揚々、つかつかと入ってきた彼は、成功をおさめたアメリカ人、いっぱしの専門家といった風体で、どちらかといえば、前述のとおり、誰かのヨットから上陸してきたばかりに見えた。

ところが、キャナヴィン——悲しいかな、話はこれからだ——！」

ペルチエはハイチで勤務していた海軍軍医だが、その名誉のためにいっておくと、ニカラグアの海上勤務やイギリス中国艦隊でも働いたことがある。ペルチエ医師はここで立ち上がり、興奮したようにわが家のベランダを行きつもどりつした。やがて坐ると、新しいタバコに火をつけた。

「実は」彼は思索的に、なおかつ言葉の重みをはかるようにいった。「実はキャナヴィン、悪性腫瘍の発端について諸説あるなかで、いささか〝乱暴な〟理論を何年もまえに唱えた者がいる。医学界においてそれはほとんど支持されなかったが、少なくともその独創性には価値がある新理論だった。なぜなら、そうした見解はある程度受け入れられていて、医学の内外を問わず、なお信じている人たちがいるからだ。いわば体内物質からなるある種の細胞核、小さなかたまりが存在し——むろん、つねにではないが、特殊な症例で——特定の人たち、この恐ろしい疾病に〝感受性が強い〟種類の人のなかで、出生前の状態では充分に発現せずに、あるいは普通に——肉体組織の微小な部分に——わかってもらえるかな？——未発達なまま残っている。

この仮定にしたがえば、不意の衝撃、あるいは傷、ひと蹴り、拳の一撃、転倒の結果、あるいはその他もろもろの原因によって外傷性の障害——身体的損傷——つまり、身体のある一カ所に病巣が生じると、その未発達だった小部分が物質的に成長をはじめ、その周囲の健全な組織と交代してしまう。

この理論の難点のひとつは少なくとも二種類の異説があることが、よく知られているし、医学的にも認められていることだ。つまり癌腫は、硬質と軟質の二種類に下位分類され、柔らかな肉腫は一般に〝腫瘍〟として理解されている。もちろん、すべて〝腫瘍〟であるが、特定のものは悪性腫瘍とされている。わたしがいま述べた理論に一定の信憑性をあたえるのは、悪性の場合の成長要素だ。というのも、根本にひそむ理由がなんであれ、広く認められているようにそいつは成長するんだ、キャナヴィン。そして、わたしが語ってきたこの説明はその成長に理由をあたえてくれる。〝悪性〟の場合は、まったく、まるでそれ自身に、いわば生命が宿っているかのように見えるんだ。たぶん、きみはわかってくれるだろう？」

わたしはうなずいた。話の腰を折りたくはなかった。この医学的な回り道、副次的な説明が、カーズウェルの話に関係してくるにちがいなかった。

「さて」ペルチエはふたたび口を開いた。「この事実を銘記してくれ、キャナヴィン。では、それについてきみにたずねたい。ヴードゥー教信者はどんなたぐいの、もしくはタイプの者に彼らの神を〝憑依〟させるか――きみ自身の知識に照らせばどうなるかな？」

「欠落のある者、病的な高齢男女」わたしは考えながらゆっくりといった。「もしくは――子供、または、おそらく知的障碍者。知的障碍者や、年老いた巫女、知恵遅れの子供、〝町の道化師〟といったたぐいの者だ。広くヨーロッパでも、ある謎めいた方法で神と――もしくはサタンと、共鳴する者がいるとされる！　農民には蔓延《まんえん》している信仰だ。イスラム教徒のあいだですら、ばかや知的障碍者は〝神の苦悩〟とされる。そうした定説以外の考察は存在しない」

「まさしく！」ペルチエは叫んだ。「その上で、キャナヴィン、われわれが話題にしたシーブルックの例にいま一度もどってくれ。〝憑依〟されるのはどんなたぐいの人間だ？」

「くたびれた年寄りだ」とわたし。「明らかにもうろくした人間」

「ふたたび正解！　さて、二点銘記してもらおう。まず第一に、キャナヴィン、わたしが詳しく説明したばかりの理論は、わたしにはピンとこなかったのを認めよう。正しいかもしれないが――医学界の第一人者たちのあいだではほとんど受け入れられていない。だからわたしはその否定的な評価に追従して深く考えることはしなかった。もしくはまったく考えなかった。そいつは最初に思いついて発表した理論家のはったりだとして、それ以上の検討は加えなかった。しかし、いまとなっては、キャナヴィン、そこに真相があるとわたしは確信している！

そして、第二に、カーズウェルがポルトー・プランスの病院のわたしの診察室にやってきたときの第一印象――むろん、このときが初対面だった――は、風変りでほとんど曰く言い難い矛盾を感じさせた。それは風雨にさらされながらもきれい好きな風采と、全体的な健康状態、彼の〝りゅうとした〟着こなし――すべてがあいまって、身だしなみのよい開放的な性格をかもしていた。だから、富裕な人物としか見えなかった。体調が悪そうではなかったが、それでいて――どういうわけか、その挙動にはどことなく締まりのないところがあった。明確に指摘することはできないが――いざというときに頼れる高潔な人物でありながら、欠落したところがある――そんなたぐいの人間だった。

次に気がついた点は、わたしの机の脇に坐ったすぐあとで、親指をふくめた全部の指だった。腫れあがっていたんだよ、キャナヴィン。紐でも巻かれていたように、傷ついて痛そうだった。紐で傷ついたとまず思った。わたしが見ているのを察した彼は、いきなり両手を並べて面前に、つまり机に指を置いてにやりとした。

『気づかれたようですね、先生』彼はむしろ嬉しそうにいった。『おかげで、ここに来た理由がいささか喋りやすくなりました。こいつは――まあ、〝しるし〟といえるかもしれません』

わたしは彼の指を見た。どれも同じような傷があった。最後には拡大鏡を使った。

みな擦りむけて赤らみ、ところによっては皮膚が環状に裂け――きわめて珍しい指の状態になっていた。わたしの新しい患者はふたたび話しかけた。

『わたしは謎かけするために来たわけじゃありません、先生』今度は重々しい調子でいった。『ですが――この指はどうしてこうなったと思いますか?』

『うーむ』わたしは言い返した。『思いつきだけでいうと、どうやらあんたはまるでサイズが合わない指輪ばかり、百個もいちどきにはめようとしたみたいだ!』

カーズウェルはわたしにうなずいた。『当たりだよ、先生』彼はいって笑った。『数まで近い。正確な数字は百六個だった!』

白状すると、そのときわたしは彼をまじまじと見つめた。だが、彼はからかったわけではなかった。その口ぶりは冷静でしらふ、生まじめそのものだった。ただ、ユーモラスなものは人を惹きつけるので、彼はユーモラスな側面からこれをとらえていただけだった。当時より、だいぶカーズウェルのことを知ったいまはそれがわかる」

「質問してもかまわないといったね、ペルチエ」わたしは口をはさんだ。

「いくらでもどうぞ」とペルチエ。「ここまでで、なにかわかったかね？」

「わたしは素直にきみの語るとおりをなぞってきた」とわたし。「正確にいうと、カーズウェルはレオゲヌに暮らして――何年になる――四、五年くらいか――？」

「きっちりいえば七年だ」ペルチエは答えた。

「――つまり、当地の慣習に精通するようになったカーズウェルは、付き合いを通じてその辺りの黒人から信頼されており、それなりの〝達人〟としてウンフォーつまりヴードゥー教の根城の責任者となって、いうなれば――あなたのロウソク《ヴォールブジー・ムッシュー》です、とかいって――お祭りの場などで占いをし、そして――黒人の神のひとつに〝乗り移られ〟た？　もしわたしが話の行く末を判断するとすれば、明らかにそれがきみの話の結論になりそうだ。その指の傷――百六個の指輪かい――お手上げだ、そんなことがほんとにあり得たのだろうか？」

「カーズウェルはすぐあとで、その顚末《てんまつ》を話してくれた――そう、まさしく、そのとおりのことが起こった――驚くべき、信じがたい出来事に思えるが、全体から見ればこちらは些細な事件なのだ。まあ、待ちたまえ――」

「話を進めてくれ」とわたし。「もっぱら耳をかたむけるから！」

「ところで、わたしが拡大鏡での診察を終えると、カーズウェルは両手を机から降ろし、非難するかのように片手を振った。

『聞きたいのなら、それについてはすっかり説明しましよう、先生』彼は請け合ってくれた。『でも、わたしが診てもらいに来たのは指のためではありません』その表情は急に真剣になった。『お時間はだいじょうぶですか？』彼はたずねた。『わたしは話の腰を折られたくないんです』

『はじめたまえ』わたしはいい、彼は椅子から身を乗り出した。

『先生』と彼。『わたしの噂をお聞きおよびかどうか知りませんが。わたしはカーズウェルといって、レオゲヌのほうに住んでいます。見ておわかりのように、あなたと同じアメリカ人で、当地に住んで七年、あちらでたいがいカモ狩りをしています。事実上、長いあいだ白人の仕事とはみなされませんでしたが、わたしは〝土地っ子に成り下がった〟とか、そんなたぐいの生活はしていません。わたしをあの辺のやくざ者のひとりと思わないでください』彼はわたしの評価を求めるように顔を上げた。

彼は自己を頼みとする人間だった。たぶん過剰なくらいに。わたしはうなずいた。彼は真正面からわたしの目を見て、うなずき返した。『おたがい、理解しあえたと思います』彼はいい、話を進めた。

『七年前のこと、わたしはハイチにやってきました。以来、当地で暮らしてきました。あえていいますが、わたしが一種の失敗者であることを知る人物はほとんどいません。しかし――先生、実は理由が、きわめて明確な理由があるんです。あなたの専門――つまり、医学的な側面を外れたことまで話すつもりはありません。病気があるので、来たんです』

すると彼は立ち上がり、わたしがまえに述べた〝矛盾〟、この男の病的な〝締まりのなさ〟を見せた。彼は綾織の白いジャケットの裾をめくり胃の中心から少し左に片手を当てた。『ここをちょっと診てください』彼はいい、わたしに一歩近づいた。

その辺りの左の中央やや上、脾臓に向けた左の脇腹になんと、こぶがあった。間近かで観察すると、内部の腫瘍が明らかに認められた。それが彼を締まりなく、どこか神経質に見せていたのだ。

『ニューヨークで、わたしはすでに診察を受けています』カーズウェルは説明した。『七年と少しまえに。そのとき医者は、手術不能だといいました。それから七年たち、どうやら悪化してきたようです。簡単にいうと、先生、わたしは当時〝放置〟しておくしかありませんでした。前途を嘱望された仕事を辞め、婚約を破棄してわたしはこちらに来ました。詳しい説明は省きますが――とても辛い経験でした。とても苦しいものでした、先生。これまで体調的には、大過なく過ごしてきました。面倒も起きずに――つい、最近までは。今日の午後、運転して診てもらいに来たのは、必要な処置をお願いするためです』

『痛みが出てきたのかね?』わたしはたずねた。

『ええ』カーズウェルは単刀直入に答えた。『腫れが大きくなると、たぶん一年かそこらで死ぬはめになるだろうと、医者からいわれていました。ですが、心配になるほど――大きくはなりませんでした。わたしはもう、七年以上こいつをかかえているんです』

『手術室に入ってくれ』わたしは彼に求めた。『そして、服を脱いだら、詳しく診察させてもらう』

『指示どおりにします』カーズウェルは答え、ただちにわたしの後に続いて手術室に入った。

わたしはまず、カーズウエルの外見から検査した。その予備検査では腫瘍はきわめて典型的で、独立し、〝織維質〟タイプではなく、大きさは普通の人の頭部ほどあり、位置はすでに述べたとおりだった。とても深く埋もれていた。いわゆる〝被包性〟のものだった。当然、そのおかげでカーズウェルは生きのびられていた。

そこでわれわれは、X線による検査を上下左右から行った。通常、X線によるレントゲン写真の検査では反応が弱いのだが、この場合にはきわめて鮮明だった。上方に小さな突起のある黒っぽい三角形のかたまりのようなものが、内部に写っていた。スミッソン医師とわたしで、徹底的に調べてから、わたしはカーズウエルにこのまま留まり、入院して手術を受ける気があるかどうかたずねた。

『すべて先生におまかせします』と彼はいった。『わたしは入院し、どんな指示にもしたがいます。ですが、まずは』彼ははじめて少し当惑した表情になった。『わたしが来院した顚末をお話ししておいたほうがよいと思います！ ところで、率直にいって、助かる可能性はありますか?』

『うーむ』とわたし。『そう、率直にいえばあなたの助かる確率は〝五分五分〟か、もう少し低いかもしれません。なにせ、一方、腫瘍は最初の診察から七年そのまま経過してしまっている。あなたがニューヨークにいたときより、おそらく手術としての難易度は上がっている。とはいえ、他方、腫瘍に関する知見は差しおくとして、カーズウエルさん、七年前より手術の技術のほうはぐんと向上しています。総合すれば、ここに留まり、手術に備えることをお勧めします。およそ、そしてまあ〝四分六〟であなたはレオゲヌなりニューヨークなり、お好きなところに、数ポンド体重が軽くなった新たな自分となってもどるのです。もし、手術台に乗れば、まあ、ニューヨークの医師たちがあなたにあたえるよりも多くの時間を、レオゲヌでのカモ撃ちに費やせるでしょう』

『お願いします』とカーズウェルはいい、われわれは彼の病室を手配し、〝カルテ〟をつけ、手術の準備を開始した。

われわれは二日後の朝十時半から手術を行ったが、それまでに彼は自分の〝物語〟をわたしに語った。

どうやらレオゲヌでの彼は黒人とカモに囲まれて、たいした地位を築いていたらしい。カーズウエルのような精神と素質を持つ人物は、七年という時間があればかなり目覚ましい成功が期待できる。カモの干し肉業はとてもうまくいき、到着直後にただ同然で確保した豪勢な家を建て直し、小規模な木造〝工場〟に五、六人の〝作業員〃を雇って、彼が持参した家具に加えて当地の骨董品を集めて独身生活を謳歌し、なかんずく周囲の黒人たちことごとくから気に入られていた。たまたま運よく、わたしは彼の話が聞けた――整然と語る能力は劣っていて、わたしは山ほど質問しなければならなかった――彼はヴードゥー教に精通していた。わたしの知りえたかぎり、あらゆる体験をしていたのだが、承知のとおり盛儀の際に行われる人間のいけにえ、いわゆる〃角のないヤギ《ラ・シェフル・サン・コルン》〃だけは別だった。実際、彼はヴードゥー教徒がこれを催すことは頑強に否定した。そんなことは信徒に対するデマだといった。彼らはそんな行為をしたことがない、唯一の例外を求めれば、それはアフリカのギニアにおける先史時代にさかのぼらなければならないと。

とはいえ、彼は直接自ら体験していないものはなかった。この男は当地の信仰、習慣、風習についての生き字引だった。また、黒人たちの会話の裏の意味まで読み取れた。最初に自分でいったように〃土地っ子に成り下がる〃ことはいささかもなく、おまけに白人の威厳を少しも失わず、すべてを心得ていた。

そんなこんなで、彼が述べた〃物語〃、ポルトー・プランスの病院のわれわれのもとにやってきたゆえんとなる特別な出来事が起きるのだ。

どうやら、彼の肉腫はこれまで、事実上、厄介を引き起こさずに済んでいた。気づかないくらいに少しずつ何年もかけてゆっくり大きくなっていたが、彼は〃肉腫を意識していなかった〃そうだ。言葉を換えれば、いかにも彼らしく、痛みや直接的な不快感を覚えたことがなく、厄介なものが大きくなりながら存在しているとの感覚と、ニューヨークの医者たちから警告された人生の終わりにゆっくり引き寄せられているという事実のみだった。

そして、彼が病院に来るわずか三日前の午後に、貝殻敷きの道を門に向かって歩いていたとき、突如、意識を失くすという小事件が起きた。〃門まであと四歩〃のところで、彼の記憶は途切れていた。目が覚めると、あたりは暗くなっていた。彼は家の柱廊玄関の大きな椅子に坐っていて、最初に意識したのは親指からなにからすべての指がひりひりしてひどく痛むという現実だった。次に気づいたのは柱廊玄関の角々に炎が燃え、それが前庭へ、さらに屋敷を仕切る柵の外の道まで続いて、その炎のゆらめきのもとに文字通り何百人もの黒人がひしめき、その大部分がひざまずいていたのだ。柱廊玄関にもその下の地面にも並んで、身を伏せ、言葉を唱え、頭で砂交じりの土を叩いていた。そして、彼が椅子の背に身体をもたせかけると、首がなにかの重みで痛み、息が苦しいほどネックレス、ビーズの首飾り、金、銀のコインなどなどが首に掛けられているのに気づいた。彼の指には親指もふくめた全部の指に金や銀の指輪がはまり、その多くは血流が止まるほど押しこんであった。

　黒人たちの信仰に詳しい彼は、なにが起きたかを悟った。門前の道で、まったく珍しくも、おそらく気を失ってしまい、黒人たちは彼が〝憑依〟されたと思ったのだ。彼自身、黒人の子供、老人、女性、知的障碍者などが、同じように〝憑依〟されたのを目撃していた。だから、意識を取りもどした以上、〝崇拝行為〟はやめるべきだし、そして、もし彼が静かに坐って憑依が解け、〝自分〟をいま一度取りもどしたのがわかれば、彼をひとりにしてこの落ち着かない境遇からすぐに解放してくれるだろう。ネックレスや指輪を外し、ささやかなプライバシーを取りもどさせてくれるはずだった。

　ところが――まったくおかしなことに、彼らは立ち去ろうとしない。それどころか、得体の知れない群衆は家を囲み、減ってゆくどころかさらに増して柱廊玄関にあふれた。ひどく不快になった彼は、ついに窮して――もう、これ以上、一刻もがまんできないといった――たまらず声を上げ、人々に自分をそっとしておいてくれと頼んだ。

　彼らは、それを受けて即座に、文句もいわず、ひとりにしてくれたという。しかし――そこでひどく困惑させられたのは――連中がネックレスや指輪を外して行かなかったことだった。そう――彼らは彼に掛けた金属のアクセサリー類、押しこんだ指輪をおしつけたまま、まるごと残したという。望みどおりひとりになった彼は家に入り、ネックレスを外し、指輪を抜いた。次に起きた事態は、当地のまじない師《パパロイ》の老パプ・ジョーゼフが三、四名の近隣のパパロイを村々から呼び、この辺り全体のまじない師の頭《かしら》、フーンガンとしてカーズウェルも知っている非常に高齢の男にしたがい、列をなして彼のもとにやってきた。リビングルームの彼の周囲の床にひざまずくと、クリーム入りスープの入ったヒョウタン、レッド・ラムの酒瓶、鶏料理、さらには――決まって石鹸水のような味がするので、彼の大嫌いな大どんぶり一杯のアメリカサトイモのスープまで運んで来た！　やがて一同はそれらの料理を残して引き下がった。

　このようなもてなしは、レオゲヌの自宅に彼がいた三日間にわたって続き、病院への出発によって終わったというが、もしもポルトー・プランスのわれわれのもとにやってこなければ、明らかにまだ続けられただろうという。

しかし、彼が病院にやってきたのは少なくとも、このためではなかった。彼を大いに困惑させたのは、これまでこのような体験はなかったからだし、黒人たちの態度から察するかぎり、パパロイや、ましてフーンガンが自ら出向いたりする経験もこの辺りではなかったからだ。言葉を換えれば、彼らはまさに彼の体内に〝神〟が居続けているかのようにふるまった。このような前例はなかったと思われたにもかかわらず、当人が自覚するかぎりにおいても、まるでこれまでとなんら変わらず、すなわち完全に覚醒していて、異常はどこにもなく、まして気絶などしそうになかった！

つまり、彼はいつもどおりと変わらず、ただ例外として——門への小道を歩いていて、地面に倒れたにちがいない、それはありそうな出来事（彼は通りすがりの黒人に見つけられて柱廊玄関まで運ばれ、そこで覚醒したが、そのときこれらの善きサマリア人たちは、〝神〟のひとつが彼の体内にいるのを発見したのだと、聞かされた）で——ほとんど耐えがたい痛みが下腹部のあたりに再発しなかったら、彼は相変わらず放っておいたろう。

この新しい痛みの激発は、彼にとって意外ではなかった。それが死期のはじまりであるとの警告を受けていたからだ。なんらかの処置が可能かもしれないと、一縷の望みをいだいて、彼は病院を訪ねた。上機嫌で病院を訪れ、おとなしくわれわれの指示にしたがうのは、彼の性格の強さと忍耐力の明白な証明だ。われわれのもとに留まる決意をするのは、相対的にわずかなチャンスに進んで直面するのを意味する。

というのも——われわれはカーズウェルをあざむくわけにはいかなかった——チャンスはやや薄い。『四分六』とわたしはいったが、死亡表に照らすと、有望な見通しはそれよりだいぶ少ないと、その後彼には伝えた。

彼はいつもとまったく変わらない上機嫌さで手術台に上がった。彼は〝万一に備え〟、スミッソン医師とわたし、それに麻酔を担当したジャクソン医師に手を振って別れを告げた。

意識が遠のくまで、カーズウェルは大量の麻酔薬を必要とした。おそらく、わたしが覚えている手術患者のなかで、誰よりも長く意識を失わなかった。とはいえ、ついにジャクソン医師からそれとなく合図があり、開創用の鉗子《かんし》を持つスミッソン医師が脇に控えるなか、わたしは最初に切開した。X線画像を慎重に調べた結果、前面から開創して垂直方向に入れ、排膿をじかに確保することになっていた。正面を開いて健全な組織に残った傷は、腫瘍を切除したあとで、手当するつもりだった。それが手術を成功にみちびく要点だった。

腫瘍の外壁を露出させるのは、比較的単純だった。それが済むと、同僚と簡単な打合せをして、きわめて慎重に切開した。われわれはX線画像に写ったものを思い起こした。わたしが述べたとおり、三角形のかたまりがあった。はっきり見える内容物は、化学作用により黒ずんだ色彩を呈している。わたしはむろん、細心の注意を払って正確に切開した。手術の最大の山場であり、もっとも精密な処置が必要とされた。

ついに表側の膜が切断されて、腫瘍が奥に後退したので、わたしは新たな注意を払って、もっとも裏側の組織の切除にかかった。スミッソン医師もわたしも驚いたことに、裏側は比較的乾いていた。メスの切除のあとから看護師がガーゼを当てがったが、ほとんど濡れなかった。わたしは腫瘍の下へとメスを入れ、次にその先端から上方に切り、きみに興味があるなら、総体としてかなりの長さの切開を行った。

やがてこの長く垂直な切断面の内側へと、わたしは手袋をはめた手を伸ばした。手探りしてみるとわたしの指は、腫瘍の壁に沿ってすぐ簡単に入った。わたしはそのまま指を奥へ奥へと入れて行き、背後というか背面の壁でついに両手が触れたのを感じた。さらに急いでわたしは内部に沿って手を走らせ、きわめて容易にその〝内容物〟を持ち上げた。この、小塊は数ポンドの重さがあり、いくぶん硬めの質感で、手術台の脇にある小テーブルの上へ取りのけられた。そして、いったん手を休めてスミッソン医師と打合せたが――そのまま手術は続行され、二人が予期したよりずっと順調に進み――彼の力づけもあってできるとは思えなかった急進的な処置をこなし、わたしは周囲の健全な組織を残し、崩れた壁を切除しはじめた。これは長く困難な悩ましい作業だったが、たぶん十分から十二分間のへとへとに疲れる仕事の末についになしとげることができた。そして、長期にわたって体内に入っていた袋状の物体は、もはや体組織から完全に切断されて、脇のテーブルに置かれていたのだった。

ジョンソン医師から麻酔中の患者の状態が順調だと報告され、わたしは大きく切開された腹部の手当てを進め、傷を縫合しはじめた。これは通常の手順でなされ、やがてわれわれは二人でカーズウェルに包帯を巻き、彼は自分の病室にもどされて、麻酔薬からの目覚めを待つことになった。

カーズウェルが運び出されると、手術室にはジョンソン医師とスミッソン医師が残り、看護師が術後の片づけをはじめた。煮沸器に器具を投入したりなど――通常の手順で行われた。わたしはといえば、鉗子のさやを取り上げ、強力な手術灯の明かりで点検し、またもとにもどした。実験室に運びたくなるような、興味を惹かれるものはなにもなかった。

次にわたしは最前置いておいたやや硬い腫瘍を急いで取り上げ、そしてろくに目もくれずに――なあ、わたしが体内から出した際には、大部分暗い腹部から、手探りで取り上げたのを覚えているだろう――なお感染症予防のためにはめていた手術用手袋をしたまま持ち上げてその標本を見たものの、いまだ詳しく観察もせずに実験室に運びこんだ。

キャナヴィン」――ペルチエ医師は、夕ぐれから突如暗くなる熱帯の午後遅く、しだいにたそがれてくるなかで、陰気にわたしを見た。「キャナヴィン」彼は繰り返した。「正直いってどう話せばよいかわからない！　なあ、きみ、頼みごとを聞いてくれないか？」

「ああ、もちろん――ただ」わたしは狐につままれたようにいった。「どうしろというのかね、ペルチエ？」

「わたしの車はきみの家の前にある。これからわが家まで一緒に行ってもらえないだろうか？　きみにカクテルでもふるまいたいんだ！　いずれにせよ、家に来てくれればもっとわかってもらえるだろう。わたしはここではなく、続きはわが家で話したい。来てくれるかな、キャナヴィン？」

わたしは彼をしげしげと見つめた。わたしにとってはきわめて意外で、唐突な頼みだった。それでも、そのような突然の気まぐれをペルチエが起こしたところで、わたしがとやかくいうことではなかった。

「ああ、いいとも、同行しよう、ペルチエ。きみが望むなら」

「では、来てくれ」ペルチエはいい、われわれは彼の車で出発した。先生自らの運転でわが家から、きわめて広々した高台のデンマーク・ヒルの家に向かうやや複雑な道の最初の曲がり角をすぎたあと、彼は静かな声でいった。

「さて、キャナヴィン、よかったらこの話の要点をまとめてみてくれ。カーズウェルの話に出てきたレオゲヌでの黒人たちのふるまいをどうか銘記してほしい。また、わたしの話した説も銘記してもらいたい。わたしの説ははっきり覚えているかね？」

「ああ」わたしはさらに狐につままれた気分でいった。

「では、それら二つの点を心に留めておいてほしい」ペルチエ医師は付け加え、鋭いカーブをたどり、二個所の急坂をゆっくり登る運転に集中し、彼の家に到着した。

　われわれが家に入ると、下働きの若者がディナーの支度をしていた。ペルチエ医師は未婚だったが、快適なもてなしぶりの一人所帯を保っていた。彼がカクテルを頼むと、下働きの若者が用意しに行った。すると彼は医療器具や手術道具でとり散らかった診療室のようなところへと招いた。椅子から書類をどけると、わたしに坐るよううながし、近くの別の椅子に掛けた。「さて、聞いてくれたまえ！」彼はわたしを指差していった。

「先にいったとおり、わたしはそいつを実験室に持ちこんだ」と彼。「前述のとおり、手袋をしたまま、わたしは手で運んだ。テーブルに置くと、スイッチを入れて強力な照明を当てた。そのときはじめて、丹念に見た。少なくとも数ポンドの重量があり、そのかさも目方もおおむね熟したココヤシの実くらいで、色彩もココヤシの外皮に似ていて、つまり、中間彩度の褐色のようなものだった。観察してみると、そいつはX線画像にあったとおり、おおむね三角錐の形状をしていた。強力な照明下で、側面のひとつを下にしたそいつは――キャナヴィン、神かけて」――ペルチエ医師はわたしに身を乗り出し、真剣そのものの目つきで、頬を痙攣《けいれん》させた。「動いたんだ、キャナヴィン」彼は低い声でいった。「おまけに、見ているそばから、そいつは息をついた！　わたしはただただ仰天した。ああした生物学的標本は――動いたりしないんだ、キャナヴィン！　わたしの全身が突然震えた。頭髪が根元から逆立った。背筋が凍った。そしてわたしは手術のあとで、自分の実験室にいるのを思い出した。そいつに近寄って、必然的に底と思われるほうを下にして立てた。わたしのいう意味がわかるだろうか。つまり三角錐にふさわしく、ほぼ直立するように置いた。

　そして、褐色のなかにかすかな黄色味を帯びた斑点があるのを認め、おまけにその皮膚にあたるところは動いていた――そいつを見ていると、キャナヴィン――二つの小さな上肢のようなものがうごめきだして、頂点に痙攣するような震えが生じ、キャナヴィン、そこが開いて二つの目がわたしを真っ直ぐ見つめたのだ。

　その目――ああ、キャナヴィン、その目ときたら！どこか人間を超える目だった、キャナヴィン。途方もない邪悪、果て知れず古く、理智的かつ冷ややかで、純粋な悪以外はなにもない、崇拝の的となってきた目だった。キャナヴィン、人間にははかり知れない悠久の昔からその時代時代で崇拝され、世に存在し、行われてきた邪悪なたくらみのありったけを示す目だった。キャナヴィン、目が閉じると、そいつは横にかしぎ、上下に動いて痙攣的に身震いした。

　不快きわまりなかった、キャナヴィン。そして自らを励まし、手術後の〝神経〟のせいで妙な震音が聞こえているのだと気を引き締め、無理に顔を近づけると、かすかに麻酔薬の臭いがしてきた。固く閉ざされた口の上の猿めいた二つの小さな鼻腔が息を吸ったり吐いたりしている。清浄な空気を吸おうとしている一方で、麻酔薬の臭いを吐き出していた。わたしはカーズウェルが意識を失うまでに驚くべき量の麻酔薬が使われた成り行きにぴんと来た。ジャクソン医師はそれをとくに指摘していた。わたしは事実を考え合わせて結論に達した。キャナヴィン、われわれはニューヨーク、あるいはボストン、もしくはボルティモアとはちがう世界、ハイチにいるのを思い出すべきだ！　当地の黒人たちはカーズウェルのなかに〝神〟がいると信じていた、わかるかね？　そのことがわたしの心の片隅に引っかかっていた。そいつは落ち着かなげに身動きし、その〝上肢〟の片手を伸ばし、手探りしたあと動きを止めた。

　キャナヴィン、わたしはほとんどなにも考えずに近くの標本瓶に手を伸ばした。もしも麻酔薬がそいつに効くなら、アルコールでも同じだろう――そう、まだわたしの手には手袋がはまっている――そして、震えが来て、ほとんど身動きができずにいたので、ありったけの力を振り絞り――手を伸ばしてそいつをかかえると――湿っぽい皮革のような感じがした――そして、瓶のなかへと落とした。次いで防腐用アルコールの入った大型ガラス瓶をテーブルまで運び、恐ろしいそいつが完全に沈むまで、瓶の口近くまでアルコールをそそいだ。そいつは一度身もだえしたのち、〝背〟を下にして引っくり返り、口を開いたまま動かなくなった。信じてもらえるか、キャナヴィン？」

「きちんとした証拠があれば、なんでも信じると常々いっているじゃないか」わたしはゆっくりいった。「その上で、わたしはきみの話に最後の質問をしたい、ペルチエ。とはいえ、そう聞かされても、きみが見たそうしたたぐいのものは、たぶん、おそらく――」

　ペルチエ医師はなにもいわなかった。やがて、ゆっくり椅子から立ち上がった。作り付けの戸棚に歩み、広口の標本瓶を手にかかえてもどってきた。彼は黙って瓶をわたしの前に置いた。

　瓶はゴムテープと封蠟できっちり密封され、ほぼへりまで入った、やや変色したアルコールをすかしてわたしは覗きこんだ。ペルチエが述べたとおりのものが、瓶の底に横たわっていた（もし上向きに〝鎮座〟していたなら、そいつは、幸せを呼ぶ小神、卓上飾りとして二十年前にはやった〝ビリケン〟そっくりだったろう）。萎《しな》びた姿になっても、そいつにはこの世のものとは思われないまがまがしさがあった。わたしはじっとそいつを眺めた。

「ためらいは、もっともだった、ペルチエ」わたしは思いにふけっていった。

「きみを責めるわけにもいかない」温情ある言葉が返ってきた。「ところで、他人に話したのは、今回がはじめてだ」

「で、カーズウェルの予後はどうだった？」わたしはたずねた。「あの好人物、その苦難には興味がわく。彼は立ち直れたのか？」

「手術から、目覚ましい回復ぶりを示した」とペルチエ。「その後、レオゲヌに帰ったが、黒人たちは彼を見ていつもどおり喜んでくれたものの、〝神〟の玉座代行としての関心はまったく消失したそうだ」

「うーむ」わたしは述べた。「そいつは傍証となるかもしれない――」

「そうだ」とペルチエ。「わたしは絶対に確かな事実とみなしている。実際、これに――それ以外のどんな解釈ができるというんだ？」彼は標本瓶の中身を指差した。

わたしは彼に同意してうなずいた。「これだけはいえる――侮辱と思われては困るが、ペルチエ――きみは科学者として、珍しく偏見のない人だ！ ところで、いまカーズウェルはどうしている？」

下働きの若者がトレーをかかえてもどってきたので、ペルチエとわたしは、健康を祝して乾杯した。

「彼はポルトー・プランスに移ってきた」ペルチエはお代わりをついでもらってから答えた。「アメリカには帰りたくないという。婚約者だった女性はすでに、二年前に亡くなったそうで、アメリカの事業とも疎遠になるだろうと感じていた。実際、彼はレオゲヌに長く住みすぎた。あまりにもべったりと。なので、彼はハイチの島民事情に精通する〝権威者〟として残り、高等弁務官の相談にあずかっている。文字通り、ハイチ島民以上にハイチを知っている。彼に会ってはどうかね。きみとは話がよく合いそうだ」

「そいつは願ってもないね」わたしはいい、辞去しようと立ち上がった。下働きの若者が戸口に現われ、笑顔で立ちふさがった。

「お二人分のテーブルが用意できています」と彼。

ペルチエ医師はわたしが残って食事を共にするのを当

然のことと思っていて、ダイニングルームへと招いた。セント・トマス島のもてなしはざっくばらんだ。わたしはわが家に電話し、彼とともに席についた。

ペルチエは突如笑った――そのとき、彼はスープを半分飲んだところだった。彼はスープスプーンを置き、テーブル越しにわたしを見つめた。

「こいつはちょっと驚きだ」彼は述べた。「きみは忘れていないか！　さしものカーズウエルもハイチについて、知らないことがたったひとつあるのを！」

「そいつはなんだ？」わたしはたずねた。

「つまり――神が――ここにあることだ」芸術家や外科医がするように、親指でペルチエは診療室を指し示した。「ただでさえ悩みごとをかかえていたうえに、彼はあれにも悩まされていたんだと、わたしは思った」

わたしは同意してうなずき、ふたたびスープをすすりはじめた。ペルチエは千人にひとりの優れたコックをかかえている……。

H・P・ラヴクラフトと友人たち

死者たちの惑星

The Planet of the Dead

クラーク・アシュトン・スミス Clark Ashton Smith

田村美佐子 訳

クラーク・アシュトン・スミスもまた、ラヴクラフトと親交の深かった作家の一人である。ロバート・E・ハワードを加え三人で『ウィアード・テールズ』に一時代を成した彼は、独自の幻想世界を極彩色で物語った。作品はアーカムハウスから刊行され、多くは邦訳されている。だが、多作なだけに未訳作品も少なくない。滅亡を目前にした惑星ファンディオムを舞台に、詩人とその恋人の運命を耽美的に描いた本作は、スミスならではの幻夢の詩情を湛えている。本作の初出は『ウィアード・テールズ』一九三二年三月号。のちにアーカムハウス刊の *Lost Worlds*（1944）に収録された。

1

フランシス・メルキオル、生業《なりわい》は骨董商、もっぱらの趣味は天文学だった。かくして、彼はこの、複雑かつ熱意のあり余るふたつの欲求を、心ゆくまでとはいかずとも、それなりに満たしつつ暮らしていた。朽ちた時代の失われし影や、沈んで久しい太陽の仄暗《ほのぐら》い琥珀《こはく》色の炎に包まれたありとあらゆるものに対する渇望は、生業を通じて多少は満たされていた。それらはいずれも、過ぎ去りし時の不可解な謎をまとっていた。さらに趣味を通じては、遙かな宇宙にある異国情緒あふれる王国や、空想を自由にはたらかせ、夢に描いた惑星へひと飛びで行ける方法を探り当てていた。なにしろメルキオルは生来、目の前のものや手の届くところにあるものになど反吐《へど》が出るという種類の人間で、忘却をけっして容易には受け入れず、何十億年もの昔の、時を超越した輝かしき栄華や、漂流の末に人が人類として生を享《う》けたいくつもの世界のことを、けっして記憶の彼方に追いやることのない者たちのひとりだったからだ。そうすることにより、彼らが内に秘めたさざめく思考や、消えることのないおぼろな憧れは、失われた遺産という消えゆく岸辺に戻っていくのだ。彼らにとって地球はあまりに狭く、人の寿命はあまりに短かった。欠乏と味気なさだけが目につき、与えられた場所にあるものといえば、尽きることのないもどかしさばかりだった。

メルキオルの収集欲は常日頃から度を超していたので、彼が商売ではそこそこ成功していたというのはじつに驚くべきことだった。彼は珍しい壺や絵画、調度品、宝石、偶像、彫像といった骨董品にひたすら愛情を注いでいたため、売るよりもむしろ買うほうに熱が入りがちで、ひとつ売りに出すたびに、ひそかに胸は痛み後悔が襲ってくることもしばしばだった。だがどういうわけか、こうしたさまざまな難点にもかかわらず、彼はそれなりの経済的安定を手に入れていた。もとから多少の孤独癖があり、変わり者とみなされることも多かった。結婚願望もなければ、親しい友人もつくらず、周囲から見れば、人間らしい興味をほぼ欠いた人物だった。

メルキオルの骨董品に対する情熱と星々への愛着は、どちらも幼少期から培《つちか》われたものだった。齢《よわい》三十一となった彼は、暇と金に飽かせて、郊外の高台に建つ自宅の最上階のバルコニーを、自分専用の天文台に改造した。そこに最新式かつ高性能の大型望遠鏡を据え、夜な夜な夏の天空に目を凝らした。もともとそれほど素質があるわけではなく、まっとうな天文学の大部分において必要とされる難解な数字の計算は不得手だったが、果てしない天空のひろがりは直感でとらえられたし、遙かな宇宙にたゆたうすべてのものに対する、霊的とすらいってよい感覚も持ち合わせていた。彼の想像力は恒星や星雲の間を駆け巡り、挑みつづけた。そして彼にとって、望遠鏡の奥に見えるひとつひとつのちいさな煌《きら》めきは、まるでそれぞれがみずからの物語を彼に語りかけ、地球から離れた、そこにしかない幻想の王国に招いているように思えた。天文学者たちが星々や星座に与えた名前はさほど意識していなかった。とはいえ彼には星々や星座のひとつひとつが違った個性を持って見えたので、見間違うなどということはけっしてなかった。

とりわけ、メルキオルは、天の川の南側に大きくひろがった星座の内側に光る極小の星に心惹かれていた。それは裸眼ではほぼ捕らえられないほどちいさな星で、彼の望遠鏡をもってしても、ほかの天体とはどこかひと味違う、遙か遠い宇宙にぽつんとひとつ浮かんだ孤独さをひしひしと感じさせた。衛星を従えた惑星や、七色に輝く一等星よりも、彼はその星に心惹かれ、幾度となくその星に照準を戻しては、幾重にもなった土星の輪や、金星の雲状の帯や、巨大なアンドロメダ星雲の入り組んだ螺旋には目もくれず、その寄る辺なき光の点を探し求めた。

彼を魅了しつづけるその星への思いにふけりながらいくつもの夜を過ごすうち、メルキオルはこう考えるようになった。あの星のかすかな光は、恒星とその星系からの光を反射したものであり、そこに物語を読み取ろうとする者には、異世界の秘密やその歴史の一部までもが、あの光の中から無言のうちに語りかけられるのだ、と。そして彼は、その唯一無二の星にみずからを絶えず惹きつける、親近感とでもいうべき、遙か彼方で織りあげられた糸を理解し、知りたいと渇望した。その星を眺めるたびに、彼の最も大胆な妄想や、最もたわいのない夢のあとわずか向こう側にある、可憐であり不思議なものがおぼろに浮かんでいるような感覚をおぼえ、脳がひりひりと焼けるような気がした。そしてそう感じるたびに、それらがほんのすこしずつ近づいてきて、前よりもいくらか手が届きそうに思えた。そして彼を夜毎バルコニーへと駆り立てる熱い想いに、奇妙で漠然とした期待がじわじわと交ざりはじめるのだった。

ある夜更けのこと、望遠鏡を覗きこんでいると、例の星が常よりも若干大きく、明るく見えたような気がした。不思議に思い、湧きあがる興奮をおぼえて彼はこれまで以上に目を凝らした。するとふいに、天空を見あげているというよりも、眩暈《めまい》を感じるほどの広漠とした深淵を覗きこんでいるような異様な感覚が襲ってきた。足もとからバルコニーの感覚が消え、天と地が入れ替わり、とたんに、彼の身体は無数の轟きと炎をまとい、まばゆい尾をなびかせながら、真っ逆さまに天空へ落下していった。ほんの短い間だったが、先ほどまで凝視していた星はまだ、遙か下方の、吸いこまれんばかりの暗黒の虚空に浮かんでいるようだった。やがてそれすらも見失った。弄ばれるがごとく落下していき、激しさを増す耐えがたく凄まじい眩暈に気分が悪くなった。そして一瞬の、あるいは永劫とも思える時間が過ぎたあと（どちらだったのか彼にはわからなかった）、轟きと炎は暗黒の闇と無音の静寂の中に溶けて消え、もはや彼は、みずからが落下していることも自覚せず、あらゆる知覚も感覚も手放していた。

2

意識を取り戻したとき、メルキオルがとっさにおこなったのは、自分が座っている、望遠鏡の傍らの椅子の肘掛けを摑むという行為だった。夢の内に沈んでいる人間は、無意識にそのようなことをすることがままある。それがいかに馬鹿げた反応か、彼は一瞬にして悟った。もはや彼は椅子になど座っていなかった。周囲の景色は、先ほど奇妙な眩暈に襲われた、あのいつもの夜のバルコニーとはまるで様相が違っていた。どうやら自分はバルコニーから転落し、気を失っていたようだ。

彼が立っているのは、まるでミケーネ文明の遺跡のごとく、巨大な灰色の石を敷き詰めた道の上だった——果てしなく続くその道の先には、想像を絶するような世界の、茫漠たる風景がひろがっていた。道沿いには、陰鬱な色の葉や饐《す》えた紫色の実をつけた寒々しい低木の木立が黒々と枝を垂れている。木立の向こう側には方尖塔《オベリスク》が何本も聳《そび》え立ち、テラスや円屋根や、多種多様な巨大建築物がずらりと並んでおり、無限にひろがる数多《あまた》の景色が、ぼんやりと霞んだ地平線まで続いていた。そして血のごとく赤い太陽の発する豊潤で鈍い光が、紫を帯びた黒檀色の天頂から、それらすべての上に降りそそいでいた。迷路のような建造物群の形状や規模は、地球上のどの建築物の意匠とも似ていなかった。ほんの束の間、メルキオルはその数と大きさに、またその異様さと奇怪さに圧倒された。だがふたたび眺めたとき、もはやそれらは異様でもなければ奇怪でもなかった。それらがなんのために建てられたものなのか、彼は知っていた。足もとのこの道に続く世界がいったいどういう世界なのか、探し求めるべき目的地がどこなのか、みずからの果たすべき役割がなんなのか、といったあらゆるものごとがまざまざと脳裏に蘇ってきた。あたかも、本来の自己とはまったく異なる役割を突然担うことになった者が、現実での行動や生命衝動を自然と思いだすかのように。フランシス・メルキオルという存在が経験したさまざまなできごとを思いだすことは不可能ではなかった。だが、それ以上に完全なる存在が彼の中でふたたび目覚め、記憶が次々とほどけて過去の感情や感覚が戻ってきたことによって、メルキオルとしての記憶はいつしか漠然とした、意味を持たぬ、奇妙に歪んだものとなっていた。心許なさを感じることはなく、あるのは故郷へ戻ってきたという安堵の思いのみだった。いま彼は、別個の存在という領域に足を踏み入れ、その存在を取り巻く環境と、その存在の過去、現在、未来のすべてを手にしていたからだ。それらはいずれもみな、宇宙空間に浮かぶちっぽけな遠い星をほんの数秒覗きこんでいただけの素人天文学者には認識することすらできぬ異邦のものだった。

「そうだ、わたしはアンタリオンだ」彼はしみじみと口にした。「それ以外の誰だというのだ?」巡らせた思考の言語は英語どころか、地球上のどの言語でもなかったが、自分がその言語を会得していることにさほど驚きはなかった。自身を見おろし、まとっているのが人類のいかなる民族のものともいかなる時代のものとも異なる深緋《こき》色の服であることも、とりわけ意外には思わなかった。この装いも、身体つきの微妙な違いも、初めのうちは多少の違和感をおぼえたものの、至極当然に受け止めていた。彼はそれらをひととおりざっと眺めると、心の内で、取り戻した人生を振り返った。

彼、アンタリオンは、そこに住まう者たちからファンディオムの名で呼ばれる歴史ある惑星のチャーマロス国の誉れ高き詩人であり、隣国への短い旅からの帰途にあった。この旅のさなかに、ひどく憂鬱な夢を見た——夢の中で、彼は宇宙の遥か向こう端にある、息の詰まるようなどこかの風変わりな惑星で、フランシス・メルキオルとして散漫で退屈な人生を送っていた。いつ、どこでこの夢に落ちたのか、はっきりとした記憶はなかったし、どれほどの長さの夢だったのかも定かではなかった。だがともかく、ありがたくもその夢から逃れることができたうえ、故郷の街サッドスが、彼の愛しき女《ひと》、美しきテミーラの住まう壮麗なる暗き古城がしだいに近づきつつあるのも喜ばしかった。夢はふたたびぼんやりと薄くなり、いま、彼の頭の中にはサッドスに関する知識が満ちあふれていた。胸の内でテミーラとの数多の思い出が鮮やかに輝いては、彼女を想うたびに襲ってくる不安がそこに翳《かげ》りを落とした。

当然ながら、メルキオルは歴史ある品々や遠い世界のものごとに夢中になった。アンタリオンとなって足を踏み入れた世界はまさに古代のもので、もはや誰も思いだせぬほどの長い歴史を経てきたものだったからだ。舗装された道沿いに高く聳え立つ方尖塔《オベリスク》や建築物は霊廟で、そのみごとな墓碑に祀られた太古の死者たちの数は、とうに生者の数を越えていた。地球上の王たちの華やかさですら、このファンディオムの死者を祀る建造物群の壮麗さには敵《かな》わなかった。ファンディオムのいたるところにある、類を見ないほど巨大な街では、果てしなく続く街道と巨大な尖塔群が、まるで生者の暮らす場所を圧迫しているかのようだった。ファンディオム全土において、過ぎ去りし歳月とは手を伸ばせば触れられるものであり、この惑星全体を包む空気そのものだった。そこに暮らす民にもその仄暗い空気は染みついており、これまで語り継がれてきたすべての伝承について誰もが造詣が深く、みながそれぞれに創意工夫を凝らして、風変わりで緻密な思考を巡らせ、意固地なまでに学識に固執して、あらゆる手を尽くし、かつて命あったものの亡骸《なきがら》を、豊かな技巧と気品と多様性で包みこみ、横目で睨《ね》めつける死の髑髏をけっして人目には晒《さら》すまいとしていた。そして、このサッドスなる巨大な死の街《ネクロポリス》の、円屋根とテラスと柱のその奥には、まるで忘れ去られた百合の花が黒魔術で息を吹き返し花ひらいたかのごとく、麗しき哀しみのテミーラなる花が咲きほこっていた。

3

　詩人アンタリオンとしての意識を持ったメルキオルは、自分がテミーラを愛していなかった時間が、たとえ片時でもあったとはまったく思えなかった。彼女は情熱的な恋人であり、美の極致であり、神秘的な喜びであり、謎めいた哀しみだった。彼はテミーラのすべてに対して絶対的な崇敬を捧げていた。強酸のごとき不機嫌にも、子どもじみた癇癪《かんしゃく》にも、ときに情熱的でときに母性あふれる優しさにも、どこか神々しい沈黙にも、ときに陽気でときに不気味な移り気にも、なかでもとりわけ、ときおり彼女を打ちのめしているとおぼしき、秘めた悲嘆や恐怖にも。

　ふたりは太古の貴人の末裔だったが、彼らの家系図は記されることもなく、ファンディオムのめくるめく歳月の間に失われてしまった。この星の民がみなそうであるように、ふたりもまた、複雑で頽廃《たいはい》的な文化の伝統に染まりきっており、生まれ落ちたその瞬間から、彼らの魂には死の街が常に影を落としていた。悠久の時と、長い歳月に培われた芸術と、極限の域に達し、もはや病的とすらいえるほどの快楽主義をたたえたファンディオムでの生活において、アンタリオンは、自己という存在が持つすべての本能が、あり余るほどに満たされているのを感じていた。彼の人生は悠々自適の知識人のそれであり、人が太古より持つ活力を持ち合わせていたおかげで、いまのところ、同胞たちの多くが囚われてきた精神的枯渇や惨めさ、種としての老化という世にも恐ろしい無慈悲なる憂鬱に対する怯えといったものは、いっさい感じていなかった。

　テミーラはさらに感受性が強く、生まれながらにして思弁的だった。秋の朽葉にも似た、究極の優雅さだった。過去がもたらす力は、アンタリオンにとっては詩の成就のための源だったが、神経の細やかな彼女にとっては苦痛と倦怠感を、恐怖と圧迫感をもたらすものだった。自身の住まう城や、サッドスの通りという通りそのものが、彼女にとっては、墓所という死の蓄積からあふれ出たものが充満する世界であり、いたるところに無数の死者たちの倦《う》んだ念が漂う場所だった。邪悪な存在や、阿片《アヘン》のごとき痺れをもたらす存在が霊廟の丸天井からあらわれ、形を持たぬ不気味な翼で彼女を抱きすくめ、窒息させようとしていた。彼女がそれらのものから逃れられるのはアンタリオンの腕の中にいるときだけだった。彼に口づけされているときだけは、そのことを忘れていられた。

　いま旅を終え（旅の理由はまったく思いだせなかった）、フランシス・メルキオルとなった奇妙な夢のあとで、アンタリオンは、舌を抜かれた常に従順たる奴隷たちにより、ふたたびテミーラのもとに招き入れられた。緑柱石《ベリル》と黄玉《トパーズ》を嵌《は》めこんだ窓から差す斜《はす》の光と、古代の円環模様をモザイクでみごとに描きあげた床に敷かれた、分厚いタペストリーの藤色《モーヴ》と深紅が滲む薄闇の中、彼女がもの憂げに進み出て彼を迎えた。その姿は記憶よりもさらに美しく、地下墓地の花よりも白かった。彼女はじつに儚《はかな》げで、気高き色香にあふれていた。月光のごとき金色の髪が輝き、夜のごとき褐色の瞳には揺れる星々が瞬いて、そのまわりを、眠れぬ夜を過ごしたことを示す黒真珠の輪が飾っていた。美しさと愛おしさと哀しみとが、まるでいくつもの香りを重ねた香水のように彼女から放たれていた。

「ようやくおいでくださったのですね、アンタリオン、お会いしとうございました」花盛りの木々を包む空気のように優しく、懐かしい音楽のようにもの悲しい声だった。

　アンタリオンは跪《ひざまず》こうとしたが、テミーラが彼の手を取り、複雑な模様のカーテンの陰にある長椅子へ連れていった。恋人たちはそこに腰をおろし、愛に満ちた沈黙の中、見つめ合った。

「お変わりありませんでしたか、テミーラ?」愛する者の不安を感じ取り、その質問が口を突いて出た。

「異変ばかりですわ。なぜ旅になど行ってしまわれたのです?　死と闇の翼があらわれ、これまでになくあたりをうろついています。物陰がこれほどまでに恐ろしかったことは、これまでのサッドスの歴史上でもありませんでしたでしょう。星の位置が奇妙に摂動《ずれ》ているのです。天文学者たちが研究と計算を重ねたところによれば、太陽がまもなく死すべき運命にあるといいます。わたくしどもに残された時間はたったのひと月、それが過ぎれば光と温もりにあふれた日々は終わりを告げ、やがて天頂に昇った太陽は、まるでランプが消えるようにふっと消え、永遠の夜がやってきて、外宇宙の冷気がじわじわとファンディオムを包むのだそうです。民はこの恐ろしい予言に半狂乱となっています。絶望のあまり気力を失ってしまった者たちもいますが、多くはみな、錯乱して乱痴気騒ぎに興じておりますわ……いったいどこにいらしたのです、アンタリオン？　これほど長いことわたくしを置き去りにして、いったいどのような夢に浸っていらしたの？」

　アンタリオンは彼女を力づけるべく、いった。「わたしたちの愛は不変です。たとえ天文学者たちの星読みが正しかったとて、わたしたちにはまだひと月あります。それで充分ではありませんか」

「ええ、けれど危険はそれだけではないのです、アンタリオン。老王ハスパが欲望にまみれた視線をわたくしに向け、贈りものや情熱的な言葉や脅しでもって、しつこくわたくしを口説こうとしています。退屈を持て余した年寄りの衝動的な気まぐれなのでしょうし、自棄《やけ》になってむら気を起こしているのかもしれません。冷酷で無慈悲なあの王は、力づくですべてを思いどおりにしようとしているのです」

「わたしがあなたを連れ出しましょう」アンタリオンはいった。「わたしとともに逃げ、誰の目も届かぬ霊廟や遺跡の陰で暮らせばよい。その陰の中で、愛と快楽は深紅の花のごとく咲きほこり、わたしたちはたがいの腕の中で永久《とこしえ》の夜を迎え、この世の最上の喜びを知ることとなりましょう」

4

　動かぬ巨大な翼のごとく覆い被さる漆黒の夜のもと、サッドスの街道は、無数の黄色や朱色や暗青色《コバルト》や紫色の光にけばけばしく照らし出されていた。広い大通りでも、谷底のような路地でも、巨大な城や神殿や屋敷の内と外でも、ところかまわず浮かれ騒ぎが起こり、仮面舞踏会のごとき狂乱の宴が夜どおし繰りひろげられていた。ハスパ王と小綺麗な身なりの放蕩な廷臣たちばかりか、最下層の物乞いや宿なしまでもが通りへ繰り出していた。派手に飾り立てた珍妙ないでたちの群衆や、阿片が見せる幻覚よりも雑多な夢想の坩堝《るつぼ》がいたるところで波立ち、渦を巻いていた。テミーラが話していたとおり、人々は天文学者たちが予言した恐ろしい脅威に半狂乱となっていた。誰もがおのれの感覚という感覚を、みるみる激しさを増す狂乱の内にわれ先にと委ね、迫り来る夜への恐怖を必死に頭から追いやろうとしていた。

夕闇迫る頃、アンタリオンは先祖代々から続く、見あげんばかりの薄暗い大屋敷の裏口を出て、狂乱に渦巻く群衆の波をかき分け、テミーラの城へ向かった。ファンディオムの民が二千年前にまとっていた古代ふうの衣装に身を包み、顔を含む頭全体は、とうに死に絶えた民の特徴的な相貌を模した、彩色を施した仮面ですっぽりと覆われていた。彼がアンタリオンであることに気づく者はおそらくいなかったであろうし、彼のほうでも、道々すれ違う馬鹿騒ぎの連中のほとんどは、いかに見知った相手であろうと見わけがつかなかった。なにしろ、彼らもまた奇妙な衣装を身にまとい、風変わりな仮面をつけていたからだ。奇抜なものや滑稽なもの、あるいは背筋が寒くなるような不気味なものや、思わず笑ってしまうようなものもあった。悪魔たちに女王たちに神々に、ファンディオムの古今東西の王たちに黒魔術師たち。中世や先史時代の怪物たちもいれば、自然界で起こる異常をも超越するような、病んだデカダン派の芸術家たちの頭の中にのみ生を享け、彼らだけに見えていたものたちまでいた。霊廟までもが発想の種となり、屍衣をまとったミイラや蛆《うじ》のわいた死体が、生者たちの間をそぞろ歩いていた。いずれの仮面も、似かよったものすらこれまでに存在したことのない、乱痴気騒ぎを起こすための免罪符のようなものだった。

サッドス脱出のための必要な準備はすべて整っていた。いくつかの重要なことがらに関しては、あらかじめ使用人たちに、微細にわたり入念な指示を出してあった。ハスパの無慈悲で暴虐な気性はかねてより知っていたので、たとえほんのいっときであろうと、王が自身のむら気や激情を満たすことに対するいかなる異論も受け入れぬであろうことは承知していた。一刻も早く、テミーラとともにこの街を離れねばならなかった。

彼は、テミーラの城の裏手の庭園に続いている、曲がりくねった道を進んでいった。やがて、濃灰色や淡灰色に仄暗く浮かびあがる背の高い百合や、眠りを誘うようなかすかな香りを放つ実をつけた、黒々と枝垂《しだ》れた木々の狭間で、彼女が待っていた。彼と同じような古代ふうの衣装に身を包み、やはり彼女とはわからないようないでたちだった。ふたりは低く言葉を交わしたあと、ともに庭園を抜け、彼らを気にも留めない人々の間に紛れた。ハスパの手の者がテミーラを監視しているのではないかとアンタリオンは危惧していたが、それらしきようすはなく、物陰に潜む者や不自然な動きをしている者は見当たらなかった。目に映るものといえば、ただただ快楽を追求しながら、ひたすら流れ流れていく群衆の目まぐるしい動きのみだった。この雑踏に紛れていれば安全だ、と彼は感じた。

それでもふたりは、門へ続く大通りをめざしながらも、細心の注意を払いつつ、浮かれ騒ぐ街の流れにしばし身を委ねた。卑猥な歌に声を合わせ、酔いどれたちが通りすがりにぶつけてくる冗談にやり返し、酒を振る舞う壺持ちから差し出されたワインを口にし、群衆が立ち止まればともに足を止め、動きだすと自分たちも歩きだした。

いたるところで激しく明かりが燃えあがり、淫らな言葉が大声で飛び交い、楽器が耳障りな嘆きや、熱に浮かされたようなリズムを奏でていた。巨大な広場は宴の場となり、古くからある家々では、訪れた者は誰もがもてなしを受け、それぞれの戸口から明かりの洪水と騒々しい笑い声や旋律があふれていた。遙かいにしえより存在する神殿では、石と金属からなる不変のまなざしで望みなき天空を見据えている神々に捧ぐ狂乱の儀式がおこなわれ、神官たちと信奉者たちは阿片に悪酔いし、いっときの狂躁に身を任せ、肉体においても信仰心においても、痺れるような恍惚をひたすら追い求めていた。

ついに、アンタリオンとテミーラは、じりじりと、幾度も回り道をしたり引き返したりしながら、サッドスの門に近づいてきた。このとき、この街の歴史において初めて、門が無防備な状態となっていた。街からはあらゆる秩序が失われ、門衛たちまでもが、恥も外聞もなく民とともに乱痴気騒ぎに興じていたからだ。街の中心から離れたこのあたりには人は少なく、お祭り騒ぎの輪から外れた者たちがまばらにいるだけだった。端に建つ家と防御壁との間のひらけた場所はまったくの無人だった。不気味に口をひらいた門を、恋人たちが消えゆく影さながらにすり抜け、灰色の道へ歩み出て、霊廟や墓碑が仄暗く並び建つ門外の暗闇に溶けていくさまを見ていた者は誰ひとりいなかった。

門の外では、サッドスの爛々たる明かりにかき消されていた星々が、燃えつきた空にくっきりと浮かんでいた。恋人たちが歩きつづけていると、やがて、ファンディオムを照らすふたつのちいさな青白い月が死の街の向こう側から昇ってきて、数えきれないほどの円屋根や死者を祀《まつ》った尖塔に、失意に満ちた仄暗い光を投げかけた。かくして、死にゆく太陽の定まらぬ光を映した双子の月のもと、アンタリオンとテミーラは仮面を外し、言葉ではとても足りないほどの愛にあふれるまなざしで、黙って見つめ合い、至高の喜びに満ちるであろうひと月の最初の口づけを交わした。

5

二日二晩にわたり、恋人たちはサッドスからの逃避行を続けた。日中は霊廟の間に身を隠し、あたりが闇に包まれ、ふたつの月のおぼつかぬ明かりが、ほぼ通る者もない道に降りそそぐ頃に歩みを進めた。というのもふたりは、チャーマロスの辺境の、打ち棄てられて久しい街ばかりを通っていたからだ。それらの土地はとうに涸れ果て、じりじりと迫る砂漠に呑みこまれようとしていた。ここがふたりの旅の終わりの場所だった。木々の生えぬ低い峰の上から見おろすと、千年以上にわたり人も住まぬまま廃墟と化し、とうに忘れ去られたアービゾーンの屋根が見え、さらにその奥に、黒々と濁《にご》った湖が見えたからだ。波に削られた岩が剝き出しの低い山々に囲まれたその湖は、かつては大海の入り江だった。

オルタノーマン皇帝の誉れ高き荒ぶる栄光がもはや消えゆく伝説と化した、この崩れかけた宮殿内では、ひと足先に到着したアンタリオンの奴隷たちが、忘却の彼方にすべてが消えるまでの束の間、ふたりが必要とするであろう食物や、生活のための品々や贅を尽くした数々のものを持ちこみ、設《しつら》えていた。ここまで来れば、もはや誰からも追われる心配はなかった。最後の日々を目の前にして追い詰められ、焦って熱意を失ったハスパは、もっと簡単に手に入る別の女で欲望を満たしているにちがいなく、すでにテミーラのことなど頭にないであろう。

かくして、恋人たちに起こりうるすべての喜びと絶望の、束の間の集大成となる生活が幕を開けた。するとじつに奇妙にも、テミーラを苛《さいな》んでいた漠然とした恐怖や、彼女につきまとっていたおぼろげな哀しみは消え去り、彼女はアンタリオンの腕の中で紛うことなき幸福に浸った。愛を表現し、想いを、情を、夢想を分かち合う時間はあまりにも短く、どれだけ言葉を尽くそうと、どれだけたがいに触れようと足ることを知らぬとばかりに、ふたりは心ゆくまで無上の喜びを味わった。

だが無慈悲にも、日々は瞬く間に過ぎていき、ファンディオムの上空にかかる赤い太陽は、迫り来る影を帯びて日に日に暗くなり、静謐な空気をじわじわと冷気が浸食していった。雲も、風も、鳥の翼も横切ることがなくなり滞《とどこお》った天空には、来《きた》るべき日を予兆するかのような不吉さが漂っていた。アンタリオンとテミーラは、澱《よど》んだ湖の上にかかる廃墟のテラスから日ごと黄昏を望み、夜には不気味に青白く光るふたつの月を見つめた。ふたりの愛は耐えがたいほど甘美で、人間の心や肉体のみではとうてい支えきれぬほど、深く愛おしいものとなっていった。

幸いなことに、ふたりは正確な時間感覚を失っており、あれから幾日が過ぎたのかをまったく知らず、喜びに満ちた夜明けと正午と夕べが、まだ何回か残されていると思っていた。ふたりが古い宮殿内の長椅子に寄り添って横たわり――大理石の長椅子には、奴隷たちの手で豪華な織物がかけられていた――愛の言葉を幾度も幾度も交わし合っていたそのとき、太陽が天頂に届き、天文学者たちの予言した、死すべきときがついに訪れた。いかなる雲のつくる影よりも翳りの濃い、仄暗い明かりが緩やかに宮殿を満たしたかと思うと、突如として、黒檀のごとき暗黒の波がすべてを呑みこみ、外宇宙の冷気がしのび寄ってきた。アンタリオンの奴隷たちが暗闇の中で呻き声をあげた。終焉がすぐそこまで迫っているのを恋人たちは悟った。ふたりは絶望が襲い来る中、かたく抱き合い、数えきれぬほどの激しい口づけを交わして、たがいの肌と欲望に身を委ね、無上の快楽に声を漏らし合った。やがて無限の闇から降りそそぐ冷気が凄まじい苦悶を呼び、そのすべてを無にする感覚の麻痺が訪れたのち、ついにあらゆるものが忘却に包まれた。

6

フランシス・メルキオルは望遠鏡の下の椅子で目を覚ました。冷えこんだ空気に彼は身震いをした。動こうとすると、まるで晩夏の夜の冷気よりも凄まじい冷気に晒されたかのように、手足が妙にこわばっていた。彼の見た長く奇妙な夢は、言葉ではいいあらわせぬほど現実味を帯びていた。アンタリオンの想いも、欲望も、恐怖も絶望も、まさにおのれで感じたものだった。彼の地球における自己がとっさにおこなったというよりも、なにかに惹きつけられるように、メルキオルは望遠鏡に目を当て、あの予兆じみた眩暈を感じたときに覗いていた、例の星を探した。天球の位置はさほど変わっておらず、周囲の星座もいまだ南東の空に高くかかっていた。だが、衝撃的な事実に彼は茫然自失となった。例の星が、跡形もなく消え失せていたのだ。

巡り来るいくつもの季節にわたり、彼は来る日も来る日も夜ごと天空を探したが、なぜか彼をたまらなく惹きつけた、あの遙か遠いちいさな星をいまだ見つけられずにいる。彼はふたりぶんの哀しみに苛まれていた。骨董品を売買し、星々に目を凝らすもとの生活に戻り、やがてすっかり年老いて髪も半白になったが、フランシス・メルキオルは、ほんとうはどちらが夢だったのだろうか、といまだに思っていた。夢だったのは、はたして地球での生活のほうなのか、それとも死にゆく太陽に照らされたファンディオムで、詩人アンタリオンとして、至高なる哀しく美しき女性、テミーラを愛したひと月のほうだったのか。オルタノーマンの宮殿でテミーラを腕に抱き、唇にテミーラの口づけを受けながら迎えた死から目覚めたことは（あれを目覚めと呼ぶのならば、だが）はたして正しかったのだろうか、という漠然とした後悔に、彼はいまも苛まれている。

H・P・ラヴクラフトと友人たち

闇に潜むもの

The Creeper in Darkness

フランク・ベルナップ・ロング

Frank Belknap Long

植草昌実訳

フランク・ベルナップ・ロング（一九〇一―一九四）は、ラヴクラフトのもっとも古い友人の一人であり、「ティンダロスの猟犬」はじめクトゥルー神話系統の作品で日本でも知られている。また、コミック『スーパーマン』の原作者としても記憶されている。アーカムハウスからは三冊の作品集と一冊の詩集に加え、ラヴクラフトの伝記を上梓した。魔女の末裔たる青年と先代の使い魔のやりとりが軽妙な本作は、*Strange Stories* 一九三九年四月号に発表された。アーカムハウスの作品集には収録されず、センチピード・プレスの大冊 *Frank Belknap Long: Masters of the Weird Tale*（2010）で書籍初収録となった。

使い魔　魔女や魔道士に従う小さな魔物
――『クラブ英語辞典』より

かなり古い屋敷だった。デイル・エリオットはノートを手に、明るい青い目をあちこちに配りながら、そろそろと足を運んでは家具一つ一つの前で立ち止まり、大部分が十七世紀も末のものと見てとった。中にはもっと時代がついたものもある。

デイル・エリオットはまだ若いが、ボストンでは名の通ったひとかどの骨董商だ。その仕事ゆえにか、彼は自分のことを、遠い昔に生きていると思っていた。今の世の中にはまるでなじめないし、人づきあいも得意ではない。誰にも過去の思い出はあるものだが、エリオットにとっては過去こそが自分のいる時間だった。

なんとも浮世離れした青年だ。時の流れを泳ぐあいだに氷に閉じこめられ、何世紀も漂い続けて、ようやく氷が解けたら二十世紀に着いていた、といったところか。

だから、〈魔女の家〉と呼ばれるこの古い屋敷は、デイル・エリオットにはふさわしい居場所だった。

〈魔女の家〉は、夏場に来る観光客をあてこんだ博物館として運営されていた。セイレムでは三番目に古い建物で、港を見下ろす高い丘の上で風に吹きさらされていた。だが、その見た目はかの〈七破風《はふ》の家〉ほどには観光客を引き寄せられそうにない。切妻と呼ぶには張り出しのない屋根をいただいた、小ぶりな屋敷だ。港から見上げても、窓のない古ぼけた板壁ばかりの家が崖の上にうずくまっているようで、興味を向けるのは骨董屋くらいなものだろう。

　そんな屋敷に踏み込んだのも、その骨董屋の中でもことに浮世離れしたデイル・エリオットなればこそ。古い街並に惹かれて移り住んだこのセイレムの、長い歴史の中でもことに貴重な珍品に囲まれ、彼は今や有頂天だった。魔女と密告され火あぶりにされた女が愛用していた糸車がある。あちこちのページの角が折れた祈禱書に書きこまれた読みづらい癖字は、インクリース・マザー牧師（一六三九—一七二三　ニューイングランドの聖職者）の手によるものだ――かの厳格なる神学者リチャード・マザーの息子にして、ニューイングランドのもっとも暗い歴史を血で書き記したコットン・マザーの父の本なのだ。

　これらの貴重品の前にはロープが渡され、近づけないようになっていた。だが、エリオットは『お手を触れないでください』という札を気にとめもしなかった。ロープは眼中になく、気を惹くものには手を仲ばして触れてみた。古物の手触りが好きなのだ。

　彼は北向きに開いた小さな窓の下にある簞笥《たんす》に近づいた。ひととおり眺めてからさっと撫でると、薄暗がりに屈みこんで抽斗《ひきだし》を出し入れした。

「ひどいものだ」彼はぼやいた。「板が撓《たわ》んでしまっている」

　いちばん下の抽斗に手をかけ、あぶなっかしい姿勢で引き開けると、中になにやら小さなものがいた。

　そのものは手元近くで立ち上がり、まじまじと彼を見上げた。黄色い目が薄闇にぼうっと光った。

　身長は七、八センチほどで、干からび歪《ひず》んだ姿は人間に似ていなくもないが、耳は尖り、灰褐色の毛に覆われた細い尾がある。それは簞笥のてっぺんに跳びあがると、背を丸め顔を顰《しか》めて、咎《とが》めるような目を彼に向けた。

　エリオットは立ちすくんだ。歯を食いしばって悲鳴を堪《こら》え、目を見開いたまま後じさった。

「落ち着きなされ、デイル・エリオット殿」小さな怪物は甲高い声で言った。「それがし、御身《おんみ》の使い魔にござる。長《なが》の年月《としつき》をここで待っており申した」

「使い魔だって?」エリオットは血の気を失い、なんとか声を絞り出した。

「いかにも。御家代々に仕えてござる。御身のご先祖様は代々、たいへんに位の高い魔道士や魔女ばかりでござった。それがしは高祖父殿の御代《ごだい》から、久しく使い魔を務めており申す。御身はこの屋敷でお生まれになったのですぞ。デイル殿、お忘れか?」

エリオットは震える指先で額を押さえた。「たしかにぼくはセイレムで生まれた。だが、どこで生まれたのかは覚えていない。母とは幼い頃に死に別れた。それからはボストンの親戚に育てられたんだ」

使い魔は深くうなずいた。「デイル殿、ようやくまたお目にかかれましたな。それがし、御幼少の頃の御身を覚えており申す。赤い頬でにこにこ笑う可愛い坊ちゃまが、魔王に仕える者の血を引いておられるのは、その頃から見てとれたものでござった」

「ということは、ぼくの一族は代々、魔法使いだったということかい?」力ない声でエリオットは尋ねた。

使い魔はまたもうなずいた。「いかにも左様。御先祖様はみな立派な魔女と魔道士でござった。十七世紀から魔王に忠誠を誓っておられたのですからな」

そして、エリオットが避《よ》ける暇《いとま》もあればこそ、使い魔は飛びついてきた! 小さな爪をシャツにかけ、しがみつく。彼は悲鳴をあげて後じさり、胸にぶら下がる怪物を摑んだ。

警備員が怒りの形相で駆けこんできた、夏の制服も窮屈そうな、ポルトガル系の大男だ。だが、そのときにはもう、使い魔はシャツの下に潜りこんでいた。

「お静かに」警備員は大声で言った。「ここは歴史がお好きなお客様がたに開放していますが、個人の邸宅ですから」

エリオットは答えなかった。警備員に背を向け、胸元の使い魔を捉えようとしていたのだ。小さな怪物は体に直《じか》に張りつこうとして、シャツの下でじたばたしていた。

「酔ってるのか。あきれたもんだな」警備員は親指で出口を差した。「お帰りを。玄関までお送りしますよ」

エリオットは視界もおぼつかないまま部屋をあとにし、螺旋階段を駆け下りて通りに出た。強い日差しが港を見下ろす丘を照らしていた。
七、八百メートルほど離れたアパートに帰る頃には、日は西に傾き、切妻屋根や煉瓦積みの煙突や、セイレム港の水を真っ赤に染めていた。

エリオットの住むアパートは、港に面した通りを見下ろす木造の三階建てで、彼はその三階、といえば聞こえはいいが、屋根裏に間借りしていた。張り出し玄関の前ではタチアオイの花が海風に揺れていた。彼は体の震えが止まらず、玄関に足をかけると板がきしんだ。

青い目に驚きと怖れを浮かべたまま、彼は手探りで出した鍵で玄関を開けると、階段を上って自分の部屋に入った。

まずは扉に錠を下ろし、狭いベッドに腰を下ろした。上着をハンガーにかけ、黒いボウタイをほどき、麻のシャツとアンダーシャツを脱いだ。

使い魔はしがみついていた。ちっぽけな両手の指先を胸の肉に食いこませて。自分を囲むように爪で描いた円形の傷から、血が滲み出ていた。彼は黙ったまま、そのひねこびた姿を見下ろした。恐怖のあまり、部屋がぐらぐらと揺れだしたような気がした。

窓から射し部屋じゅうを赤く染める夕日の中、ちっぽけな怪物は邪悪な目を彼に向けた。幅の狭い、獣じみた頭からは、小さな黒い角が二本、突き出していた。あの薄暗い屋敷で見たときには、エリオットは角があるのには気づかなかった。

邪悪な視線を受けて、彼の身は竦《すく》んだ。

エリオットは使い魔に話しかけた。自分の声のようには思えなかった。墓石の下から響いてきそうな声だ。

「おまえの指はぼくの肉に食いこんでいるのか」

使い魔は言った。「三日もすればふさがる浅い傷でござる。御身とそれがしのつながりが確かになるまでのことゆえ」

使い魔は飛び離れて、夕日の射す狭い窓枠に危なげなく立つや、嘲笑《あざわら》うように彼を見た。爪が残した傷だけが胸に赤く残っていた。

「傷が治れば、御身はこれまでの徒人《ただびと》にはござらず、新たな肉は魔王陛下の忠臣のものとなり申す。ゆえにそれがし、この爪にて御身に傷を刻み申した。御心配召されるな、すぐふさがるものでござる」

言い終えるや、使い魔は彼の胸に飛んで戻り、胸の傷に両手の指先を引っかけると、「日が暮れ申す。それがし、ひと寝入りいたす」と言い、体を丸めて動かなくなった。そのさまに、デイルの顔から血が引いた。

「御身もおやすみなされ、デイル殿」とつぶやくや、やつは瞼《まぶた》を閉じた。「明日ならそれがしを追い返せる、などとはお思いにならぬよう。来月も、いや来年も、不肖この使い魔、お払い箱にはなりませんぞ」

夜明けまでどうしていたか、エリオット本人にも定かではない。暗澹たる思いが頭を占拠するなか。切れ切れに眠っては魘《うな》されていたか、窓から日の光が射すまで煩悶していたか。

気づくと、朝日が部屋じゅうを照らしていた。睡眠不足の頭はぼんやりとして、昨日のことも記憶から薄らいでいた。寝ぼけ眼《まなこ》で見慣れた部屋を見渡し、斜めの天井を見上げ、洋服箪笥、整理棚の上に置いた母親の写真、棚のブラシや櫛《くし》や手鏡へと視線を向けた。

だが、体にかけたシーツに目を戻したとき、昨日の恐怖がいちどきに戻ってきた。

白いシーツの上には、血の色の小さな足跡が連なっていた。

エリオットは悲鳴をあげてシーツを投げ出し、自分の胸を見下ろした。小さな怪物はしがみついたまま、落ち着かなさげに蠢《うごめ》いていた。それは目を開くと、彼をまっすぐ見た。

「お目覚めでござるか、デイル殿」

挨拶を返すどころか、払い落とす気も起きなかった。身震いしながら起き上がると、彼は服を着はじめた。そのうろたえた様子を見て、使い魔は笑った。

爪がつけた傷は深かったが、ふさがりはじめていた。血が固まり、傷のまわりは黒ずんで見えた。使い魔は彼の胸から離れると、窓枠に飛び移った。エリオットが身支度をしているあいだじゅう、やつはくすくす笑っていた。

エリオットが階段を下り、外に出るまでのあいだ、玄関広間の大時計の音がばかにゆっくりに聞こえた。使い魔はまたも彼の胸にしがみつき、シャツの下でごそごそ動いていた。

普段なら、エリオットは出かける前に新聞に目を通す。だが、今朝は届いた新聞を上着のポケットに突っこむと、そのまま張り出し玄関を下りて、酔いどれのような足取りで芝生を横切っていった。

普通の人たちのあいだにいて、我が身に爪を立てる怪物を一時でも忘れたい。なんでもない男たちや女たちの中にいれば、この恐怖から逃れられそうだ。いや、これは幻覚だ。正気を失いかけて、こんなものがいるように思いこんでいるだけだ。

居場所を探した。いつも朝食をとるレストランの前まで来て、肚《はら》を決めた。席に着いたら、シャツの下にいる怪物を引き剥がして摑み出す。客たちに見せてやるのだ。

この恐怖を自分だけのものにしてはおけない。堪えていたら本当に頭がおかしくなってしまう。毎朝この店に寄るから、だいたいの客は顔見知りだ。親切で思いやりのある人ばかりだ。きっと助けてくれるだろう。

レストランは普段よりは空いていた。彼はふらつく足で奥のテーブルにたどり着くと、メニューを見るふりをしてあたりをうかがった。

顔見知りはいなかった。二人の先客はどちらも、これまでに会ったことはない。だが、エリオットは彼らの目の前に怪物を出してみることにした。

なんと言われるかは想像もつかない。

「うわっ、なんと怖ろしい！」

「いったいそれは何なんだ？」

「小さな人間みたいに見えるぞ！」

二人がこんなふうに驚きの声をあげ、コーヒーカップをひっくり返し、皿を床に落とすさまを、エリオットは想像した。だが、人間であれば理解や共感というものがあるはずだ。それを信じよう。

シャツのボタンを手探りしたとき、先客の一人が話しだした。

「まったく、理解を超えているね。自分の店で、喉を切られて殺されたらしい。切られたというよりは、咬まれたようだったという。傷は鼠の咬み痕に似ていると検視官が言っていたそうだ」

もう一人が口を開いた。「店の中じゅうに、血染めの足跡があったとか。形は人間のものに似てはいるが、大きさは十分の一くらいだという。さらに理解を超えているな」

「まったくだ」先に語りだした男は、そう言うとコーヒーカップを口元に運んだ。喉仏が上下するのがエリオットの席からも見えた。よほど熱いだろうに、気づきもしないで飲んでいるのは、それほどまでに事件が怖ろしいのだろう。

「話を変えよう」あとから話しだした男が言った。

「そうだな。新聞にも詳しい記事が載っているだろう。あとで読めばいい」

エリオットは震える手でポケットから朝刊を取り、テーブルに広げた。

叫ぶような見出しが目に飛び込んだ。『骨董商惨殺さる』。記事はこんな書き出しだった。「市内エルム街十三番地で骨董商を営むジョゼフ・テイラー氏が、店舗裏手の自宅で殺害されているのが、本日午前二時に発見された。発見者は——」

エリオットは席を立った。声も出せず、顔は血の気を失い、店からまぶしい戸外へとよろめき出た。目が痛むほどの日差しに、何も見えなくなった。口を手で覆い、ふらつく足で通りを歩いた。

　その足取りのおぼつかなさに、使い魔はシャツの襟元まで這い上がってくると、エリオットを見上げた。

「どうなされた。大事ござらぬか、デイル殿?」

「おまえが殺したんだな」エリオットは声を絞り出した。「ジョゼフ・テイラーはぼくの仕事仲間だ。昨日も店に寄った。そのときジョゼフは元気だったのに」

　使い魔は甲高い声をあげた。「それがしに会う前のことながら、承知してござる。お帰りのさいにはたいそう御立腹でおられたことも。あの輩《やから》は御身を謀《たばか》ろうとしておった。偽物を売りつけられるところでしたからな、デイル殿。御身も彼奴《きゃつ》を悪しざまに罵《ののし》っておられたではござらぬか」

「本気なものか」エリオットは声を詰まらせた。「まさかこんなことに――」

「デイル殿、お耳をお貸しあれ。それがしは御身の仇敵《かたき》を手にかけたまで。それが使い魔の役目にござる。主《あるじ》の望むがままに働くのが使い魔というもの。そして、魔女や魔道士、魔術に関わる者みな、昏《くら》き望みを抱くは必《ひっ》定《じょう》」

　エリオットはわめいた。「この人殺しのちび悪魔め!」

胸に摑みかかったが、使い魔は素早く肩によじ登り、耳元で嘲《あざけ》るように言った。「それがし、悪魔でござる。まさにおっしゃるとおりのちび悪魔、正真正銘の魔物にござる」

　エリオットは呻《うめ》いた。「握りつぶしてやる。この手で引きちぎってくれる!」

　使い魔は高笑いした。「それがしを滅ぼしはできませんぞ、デイル殿。握りつぶそうとすれば滑り申す。引きちぎろうとすれば伸び申す」

「だったら、ぼくが死ぬまでだ」

「デイル殿、それはなりませぬ。御身あってこそのそれがし、慣れていただければ忠実無比にござる」

　子供が一人、脇を駆け抜けていくのを見て、日差しが影を落とすこの通りにいるのが自分と使い魔だけではなかったとエリオットは気づいた。その女の子は小学校に向かう途中で、独り言を言いながら通りをふらふらしているおじさんの様子に驚いて、目を丸くしていたことにまでは、気づきようもなかったが。

　女の子は、おじさんの襟首から小さな生き物が這い出すのを見て、悲鳴をあげながら走りだした。教科書をしっかり抱えたその肩に、お下げ髪がはねた。そのまま通りを横切ろうとした。

恐怖の只中にいるエリオットには、その姿は陽光の下を素早く駆け抜ける白い影のようにしか見えなかった。

　通りは坂になっていて、港を見下ろす丘に続いていた。子供が横切りかけたとき、自動車が一台、坂を下ってきた。運転手は急ブレーキをかけたが、子供が避けるにはすでに近すぎた。

　ブレーキの音に、エリオットは我に返った。目の前が晴れた。女の子も、止まらない車も、はっきり見えた。

　彼が声をあげて歩道から駆けだしたとき、子供と車のあいだは五メートルもなかった。

　エリオットに突き飛ばされ、子供は通りの反対側で転んだ。

　車は時速四十キロでエリオットに衝突した。彼は十メートル先に跳ね飛ばされた。車は勢いを失いながら坂道を下り、止まった。

　エリオットは舗道に叩きつけられた。自分の顔に血が流れるのがわかった。怖かったのだろう、子供が泣く声が聞こえる。

　歩道の縁石から少し離れたところに、使い魔がふらふらしながら立っていた。エリオットに摑まろうと、小さな手を差し伸べていたが、やがて苦しげな叫び声をあげた。声はその一度きりで、すぐにくずおれ、縮みながら側溝に落ちていった。

　青ざめた顔の子供が、震えながら自分を見下ろしているのが、エリオットの目に映った。だが、路上に倒れた彼には、側溝の中で動かなくなった使い魔は見えなかった。


　エリオットが気づくと、あたり一面が真っ白なところにいた。横になっている柔らかいベッドのシーツも、壁も天井も白い。動くと、白熱した金属の棒で突かれたように、体がひどく痛んだ。

　笑みを浮かべて見下ろしている、自分と同じくらいの年恰好の女性も、白い服に身を固めていた。

　その女性は白い指先で、彼の額にそっと触れた。「動いてはいけませんよ」彼女は言った。「意識が戻ったようですね。でも、もう少しお寝《やす》みなさい」

「きみは――誰なんだい?」エリオットはなんとか声を出した。「で、ここはいったい――」

「ここはセイラム総合病院です」と、その女性は言った。

「わたしは夜勤の看護師です」

「どうして、ここに?」

「あなたは今朝、車に撥《は》ねられたんですよ。女の子を助けたさいに」

思い出した。彼のまっすぐな視線に気づき、看護師は心配げに声をかけた。「考えるのはあとにしたほうがいいですよ。今は眠るのがいちばんです」

エリオットは呻いた。「眠れるものか。あのちびの怪物はどこに――」

看護師は言った。「お守りのことですか。やはり大事なものだったんですね。ちゃんとありますよ。あなたが倒れていたすぐそばの、側溝に落ちていました」

驚いて、エリオットは彼女をまじまじと見た。「どういうことだい、落ちていたというのは?」

看護師は笑いかけると、立ち去った。やがて、小さな平たいものを手に戻ってきた。

「これですよ。お近くに置いておきましょうか」

震える手で、彼は使い魔を取り上げた。今は冷たく、平たくなり、造りの粗い小さな青銅像のようになっていた。

看護師が言った。「ちょっと怖いお守りね。ずいぶん珍しいものでしょう――わたしの叔父もお守りを集めているんですが、さすがにここまでのものは持っていません。似たものを見たこともないでしょう」

そして、笑みを浮かべた。「懐中時計《とけい》の鎖につけるには大きすぎますね。きっと、ポケットに入れていらしたんでしょう。きっと、このお守りが今朝、あなたを助けてくれたんだわ」

骨董商なら魔術や魔法を少しはかじってみたくなるもので、エリオットもその類《たぐい》の古い本を読んだ頃があった。ふと、題名も思い出せない本の一節を思い出した。『魔道士、魔女、黒魔術師であれども、神の守護を得ることあり。身を捨てて善をなすとき、或いは勇気もて罪を償うとき、守護を得ん。主《あるじ》の善行や贖罪に遭いし使い魔はその身を縮ませ、死して銅の塊と化す』

エリオットの目に光が戻った。彼は小さな像を看護師に手渡した。

「叔父さんはこういうものを集めているんだね」

若い看護師はうなずいた。

「これをあげるといい」

看護師は声を高めた。「えっ、大事なものでしょう」

エリオットは今できる精一杯の笑みを浮かべた。「いや、もう見るのもごめんだ。ぼくはこれまで、こんな古物骨董ばかり扱ってきたが、もう飽き飽きなんだ。これからは、人を相手にしていきたいよ。言葉を交わし、ときには共に笑うことのある仕事がいい――骨董屋はもうたくさんだ」

ラヴクラフトとかれの昏い友愛団

――内面像としてのラヴクラフトが、なぜぼくたち日常世界の住人に開かれているのか――

荒俣 宏

はじめに

本文はぼくがまだ二十代のころ第一期『幻想と怪奇』に寄稿したエッセーの再録である。一九七〇年代に発生したアメリカ発カウンターカルチャーの熱気が日本にも届いた時期に執筆した。

当時、ラヴクラフト作品を取り巻く環境はまったく異なっていた。

最大の変化は、ラヴクラフトが当時は「会員制の読者」に限定されたカルト的作家だった点である。まず、まともな論議の対象ではなかった。しかし今はパブリック・ドメインであり、子どもでも知っている作家となった。作品のテキストも原稿の多くが再発見され、S・T・ヨシによるテキスト校訂までおこなわれている。しかもヨシ自身がインド出身者という観点から、人種差別問題との関連付けを重視した影響か、テレビドラマ『ラヴクラフトカントリー 恐怖の旅路』が製作された際も、なんと一九六四年まで南部諸州で適用されていたジム・クロウ法、人種差別時代を舞台にこの怪奇作家がシンボル的に活用されるとは、すごい時代になったと驚かされた。

いっぽう日本でも、戦前の一九三〇年代にラヴクラフトを、寄稿誌『ウイアード・テールズ』で読んでいた邦人愛読者の文章をつい最近、国会図書館デジタルコレクションの全文検索機能を活用して、藤元直樹氏が発見した。日本版全集が数種も出そろった現在とは比較にならぬ過去にも、ラヴクラフトに熱中する人は少数ながら連綿と存在したことを伝える意味で、本文は手を加えず再録する。

もうこのへんで、ラヴクラフトに対してぼくたちが抱いてきた理解のしかたを、はっきり変えてしまわなければいけないようだ。そして、たぶん新しい結論は、あくびが出るく

らい退屈にちがいない。クトゥルー神話についての総括的な紹介は、リン・カーターの研究[*1]でいいつくされているから、ここでは触れまい。それよりもぼくは、本気でラヴクラフトの内面像を探ってみたいのだ。幻想文学の原風景をつきつめていくにはカトリシズムを勉強しなければいけない、と考えだしたぼくにしてみれば、おそらく、もう当分のあいだは、この作家について何かを書きつづってみる機会にめぐりあえそうもないから、その分もふくめて。ぼくにそんな気をおこさせるのも、要するに理由は、この作家に関する総論の段階が、もうとっくに過ぎてしまっているからなのだ。そこで——

テーマ1　たとえばコリン・ウィルスンがいう〈想像力の使い方〉という観点だけからでもいい、ラヴクラフトという作家は、果たしてほんものだったのかそれともにせものだったのか？（ここでいう〈ほんもの〉は、自分の思想なり論理なりに対する忠誠度の問題を指している。それは、言い替えれば、自分の思想に対するロマンチシズムの問題ともなる。）

テーマ2　ほんものであるにせよ、あるいはにせものであるにせよ、ラヴクラフト自身が生涯かかわってきた〈幻想の場〉に、いま、どういう風景が展開しているだろうか？　そしてそれは、本質的な意味で、〈廃墟の大地〉だったのか、それとも〈異空間の眺め〉だったのか？

——そういう二つの根源的な問題について、ラヴクラフトの内面的な分析をすすめながら考えていったらどうだろう？　そうすれば、たぶん結果的に、ク・リトル・リトル神話がどうしてかれの精神の外側にいつも位置していて、最後の最後までかれの〈実存の場〉——あるいは、もっと低い次元まで意味をひきずりおろしてしまって、単に〈生きる場〉といい替えてもかまわないけれど——になりえなかったのか、その理由もはっきりしてくるはずだ。

　ところで、幻想小説作家としてのラヴクラフトには、おそらく、こういう評価をくだすのが妥当だと思う——かれは常識人だ、と。ラヴクラフトの場合、なるほど生活圏としてのアメリカ社会からは離脱していたけれど、その離脱は〈敵対者〉としてではなく、（こんなことばは使いたくないのだが）むしろ〈敗残者〉としての離脱だった。ポオのように不幸ではあったけれど、けっして呪われていなかった。あのポオでさえ、軍隊や大学の生活を味わったのに、ラヴクラフトは身体の虚弱さのために、そうしたものへの挑戦すら撥ねつけられた。

文学のブルジョアたちにとって、たとえばラヴクラフトは、二流、三流の怪奇小説作家としてかれらの社会に同化させてしまっても実害にはならない作家と見られるような一面をたしかに持っている。かれの作品が、ぼくたち日常世界の読者に与える戦慄は、仮説としての最終戦争や、キリスト教が説く〈審判日〉前夜の世界的な発狂状態に対する半分粉飾めかした戦慄と、それがまさに神話的な予言に拠っているという意味で、ほぼ同じ側にあるし、かれの博識は、パタフィジクス主義者[*2]がいう「ユビュ王とテスト氏との二重の心をもちあわせた」マルセル・シュオッブの博識に似て、それとは対立的に〈有害〉な知識の所有者であったジョゼファン・ペラダン[*3]やらマダム・ブラヴァツキーらの場合と、そのありようを異にしている。ラヴクラフトの博識は、かんたんにいえば、めったに人の訪れない地方大学の図書館であって、それ以上のものではない。索引の整理もできていないし、だいいちここには、秘伝書《マニュアル》——これ一冊あれば、なにか実践的な行動に直接むすびつけることができる——といった類《たぐい》の本が一冊だって置かれてはいない。それに反して、かれら有害な知識所有者の書斎は、ちょっと見ると紙くずも同然な古パンフレットを山と積んだ、秘伝書の宝庫なのだ。

「月光に長く曝された水は、有毒に変わる」と説いたパラケルススのことばを思い出した。有毒な知識とは、まさに「それに長く触れた人間を有害にする」知識にほかならない。そしてたぶん、有毒なものはどこかがホンモノなのだ。

運命的には不幸をかこって人物だけれど、その人生観はみごとなくらい凡庸で、しかも常識的で、かれのもっていた博識も、パラケルススのいう「月の光に長く曝された有毒な水」ではなかったとなれば、いったいラヴクラフトという作家は、どういう種類の衝撃を内に秘めた人物だったのだろう？　ここでぼくたちは、ラヴクラフトに向けられたいくつかの非難を、もういちど整理してみる必要があるかもしれない。

この作家に対して、だれもが一度は〈二流作家〉ということばを吐きかける。それもよせばいいのに「怪奇についてはホンモノであるが」と注釈をつけながら。それでは逆に訊こう、なぜ二流作家なのか、と。この場合、文章の未熟さ、構成力の甘さ、いわゆる文学ジャソルに対する偏見は、ほとんど問題にならない。なぜなら、ラヴクラフトの文章には新しさこそないけれど典雅で確実な老名文家の面影がはっきりと映しだされている。その証拠に、（もちろん、どこから読んでも煽情的な調子は否めないにしても）ク・リトル・リトル神話を大きなサイクルに乗せる原動力となった中編『クトゥルーの呼び声』の冒頭に目を通してみるがいい。これは名文以外のなにものでもない――「われら人類にとって、この世のそも大いなる救いは、人間の頭脳がそこに内包した知識のことごとくをひとつの体系に関連づける能力を持たない、ということだとわたしは思う」

The most merciful thing in the world, I think, is the inability of the human mind to co-relate all it's contents.

そればかりか、作品の構成力についていえば、『インスマスの影』や『ダニッチの怪』を参照するまでもなく、むしろ破綻《はたん》がなさすぎて物足りないほど計算されつくした巧さがあっちこっちに見うけられるのだ。

だとすると、かれが気違いみたいにしがみついた「幻想と怪奇」のテーマがいけなかったのか？　もちろん、時代の秩序と権威が衰退へと傾斜していく状況にあって、そんな偏見があいも変わらず生きているわけがない。

そうではなく、もしもラヴクラフトに劣悪な側面を見るとすれば、それは、大多数の評者が意識しているように、自分自身の作品に対するロマンチシズムの観点においてなのだ。はっきり言ってしまおう。ぼくたちを含めた大多数の読者は、今日まで、ラヴクラフトという作家を、本質的に幻想と恐怖の世界に住んだ病的で異様な世捨て人とみなし、かれのつづった恐怖物語は世界に類を見ない悪文で書かれてはいるが、力およばないながらも自分の本性に忠実に恐怖の世界を吐露しつづけたホンモノの怪奇小説作家だった、と思いこんできたはずだ。けれど現在その三巻めまでが刊行されているラヴクラフトの書簡集[*4]を読みかれの力作をいくつか再読してみたときに、まず気づいたのは、ラヴクラフトという人物は恐怖創造の作家としては一流だが、ホンモノの〈異常人〉でなかった、という点だった。

ぼくたちの日常意識とまったく対立する世界に住む人間たち――有毒な知識の所有者たちが、もしもほんとうに有毒なのならば、かれらはまず、かれらにふさわしい逆社会をつくり出して、やがてぼくたちの日常世界へ危険な侵寇を開始するにちがいない。マダム・ブラヴァッキーやラヴェイ[*5]やラスプーチンや、あるいはド・ガイタといった狂気の連中たちのように。そうでなければ、スエデンボリやストリンドベリやウィリアム・ブレイクのように、白日のなかで黙示録の啓示や『神々のたそがれ』の赤あかと燃える炎を、眼のあたりにしたことだろう。なのに、ラヴクラフトの実生活からは、そうした有害な行動者としての側面が何ひとつ浮かびあがってこない。素人作家たちが作りあげたラヴクラフト・サークルも、いってみれば人畜無害な小文学者の親睦サークルでしかなかったし、そこに集まったのは、どれも健全で血色のいいヤンキーや、つつましやかに日々を送るドイツ系、フランス系の中産階級作家だった。

　その意味で、ラヴクラフトは〈偽せものの一級恐怖小説作家〉だった。デ・ラ・メアやマッケンやＭ・Ｒ・ジェイムズと同じように、日常的人間であるからこそ一級になり得た恐怖小説作家だった。だからこそ、ラヴクラフトが自分の著作に対してとった態度というのは、ロマンチシズムというよりも、むしろデカダンスに近かった。この点について、マリオ・プラーツは『ロマン派の苦悩《ロマンチック・アゴニー》』のなかでこんなことをいう「画家としてのドラクロアは、情熱的でドラマチックだった。いっぽうギュスターブ・モローはといえば、冷たく静的であった。前者は動作で示すが、後者は態度で示す。芸術的功績の面から遠くはなれることにはなるが、二人とも、おのおのが最盛期を迎えた時代の倫理風潮を端的に代表していた――いっぽうはその激情を熱っぽい行動に表現したロマンチシズム、そしていまいっぽうは、不毛な沈思に身をまかせたデカダンス。なるほど、この両方の思潮は、官能的で血みどろな異国趣味《エキゾシズム》をほぼ共通の主題としていた。しかし、ドラクロアは自分の主題のなかに生きようとするが、モローはかれの主題を外側から崇拝しようとする。そして、この差異が、前者を画家に、後者を装飾家に分類させる結果を生む」

　たしかに、ラヴクラフトはモロー的であり、自分がつくりあげた異次元世界に対しては、その崇拝者でこそあれ、けっしてその世界の居住者ではなかった。その証拠に、ＨＰＬはいう――「ロマンチシズムとファンタジーについていえば――ぼくは、後者のパターンをとった場合をのぞくあらゆるロマンチシズムが気に染まない。ぼくにいわせれば、ほんとうの生命を生きるためにといった色彩過剰の表現――ディケンズのセンチメンタル風もそうだし、デュマの英雄的な行為、ヴィクトル・ユゴーのあのばかばかしい不器用さ――には、ぜんぶどことなく〝生きいきしない〟ところがある。そこへいくと、ファンタジーは、たしかにどこかが違っている。ここでは、芸術は、人間の精神の想像上の生活に基礎を置いている。かんたんにいえば、書く主体が、その題材の非現実性を認めている。それを現実めかそうとしないで、ファンタジーの世界として認めているからこそ、そこには地上的でセンチメンタルなロマンスにはない真実と尊厳と美学とが生まれてくるのだ」（一九二六年クラーク・アシュトン・スミスに宛てた書簡より）とはいえ、ラヴクラフトは、自分の作品にこうした〈神話的性格《ファンタジー》づけ〉をおこなってもなお、依然としてその世界に忠誠をつくしたりはしない。かれは、そこからも離脱している。だがしかし、ラヴクラフトには世紀末風デカダンスの名称を被せにくい理由がある。かれは、人工楽園の野望に燃えて『さかしま』のなかに生きたデ・ゼッサントではなかった。メデイウサ風の美学とナルシシズムにいろどられた「死と悪」のイメージを——したがって女と男、生と死、善と悪といった対立的な概念を——包括的なオブジェたる両性具有者《アンドロギュヌス》やスフィンクスに象徴させようとした世紀末風デカダンスのエキゾシズムは、奇妙なくらいラヴクラフトの作品のなかに見当たらない。ラヴクラフトの描く宇宙は、自己増殖もしなければ、善悪・生死といった対立的な概念をふくんでもいない（そもそも、あの神話に邪神・善神といった考えかたをもちこんだのは、ラヴクラフトの模倣者たちだったのだ！）。だいいち、ラヴクラフトが黒ミサやサバトの宴を主催する悪魔どもといっしょに、みだらな儀式をおこない魔女と交わったりする姿を、ぼくたちは想像できるだろうか？かれはまた、ドリアン・グレイやデ・ゼッサントのように気違いじみた宝石蒐集家でもなかった。薔薇十字の昏い翳りのなかでオカルトを実践したド・ガイタやペラダンのように、英雄的ではあったけれど、考えようによっては馬鹿ばかしいくらい滑稽だった連中にとって、最初からラヴクラフトはかれらの友愛団員ではなかった。かれのエキゾシズムの本質は、古いものへの憧れと、新しい思潮の不完全消化的な理解とから生まれる」（マリオ・プラーツ）有機的な要素にあふれた風景ではなく、むしろまったく無意味なくらい巨大な砂漠や氷原の光景のなかにあった。ぼくのいおうとしていることは、ガストン・バシュラールが名著『水と夢』のなかで実例をあげて説明してくれている——「同様に、初歩物理学の〈四元素入りのガラス壜《びん》〉も独特な玩具として扱われる。そこには比重の順に重なった、たがいに混和しがたい四種の液体がはいっており、だから、壜は灯明の輝きを倍加させるのだ。この〈四元素のガラス壜〉は、前科学的な精神と近代的な精神とを判別するための好例を提供することができ、また、空虚な哲学的夢想をその根源においてとらえるのを助けることができる。近代精神にとっては、合理化はすぐにおこなわれる。この精神は、水は数知れぬ液体のうちのひとつだということを知っている。また液体はそれぞれの比重によって特色づけられているということを知っている。かれには混和しがたい液体の比重の差だけで現象を説明するのに充分なのだ。

　それに反し、前科学的な精神は科学を避けて哲学へと向かう。たとえば、四元素のびんに関してファブリキウス[*6]の『水の神学』には、こう記されている。〝これは、比重も色も異なる四種の液体の、共通的な快い光景を見せてくれるものだ、それらの液体をいっしょにしてまぜても、まざりあっているのはしばらくの間だけであって、フラスコを置くやいなや……液体はそれぞれおのれの自然の位置を求め、そこに戻ってしまう。黒い液体は、これは土をあらわすもので、底のほうに沈み、灰色の液体はただちに上部に位置し、水を示す。三番目の液体は青で、そのあとに続き、空気を表わす。最後にいちばん軽い液体が、これは火のように赤く、その上部にくる〟と（小松俊郎・桜木泰行訳）――

　バシュラールが例示したように、ラヴクラフトはあまりにもデカダンな想像のはいりすぎた光景を扱わない。たとえば、もしもラヴクラフトが単なるデカダンの怪奇作家であったなら、かれはおそらく、前近代的科学精神の好みに調子をあわせて、ク・リトル・リトル神話の舞台を、エジプトやメソポタミアや中国の古都に設定していたろう。逆にいうと、南極の氷原やオーストラリアの大砂漠といった、およそデカダン好みの想像がはいりこむ余地のない風景は、したがって、ラヴクラフト精神の明白な合理化ということになる。しかし奇妙なことに、かれは〈哲学的に解釈しない〉自分の宇宙に対して、それとは別の秩序づけをしはじめる。クトゥルー神たちに階職をつけるのだ。ここにかれの〈逆神学〉が芽をふきだす。

　ラヴクラフトは、もうひとつの夜を創造した作家だ。ぼくたちは、その夜のなかで眠ることができない。なぜなら、ラヴクラフトの物語に展開する光景――ぼくがここまで長々と無駄口をたたいてきた理由は、つまりこの点を理解してほしかったからなのだけれど――は幻影《ヴィジョン》ではないのだ。幻影《ヴィジョン》は、眠りのなかに現われる。そしてラヴクラフトの住まう夜は、バシュラールが適格にいってのけたように、グロッタのあらゆるカラクリが仕組まれた眠りを許さない夜なのだ。

　夜のなかにあってもなお、眠るこ

とを許されない場合、そこには英雄的なものも、絢爛たるデ・ゼッサントの楽園も生まれ出る余地がない。ラヴクラフト以前の幻想小説家は、たとえばカソリックという巨大な夢想のシステムによって測り知れない救済を受けとっていた。たとえば、バルベー・ドォルヴィイの『魔性の女たち』に登場する女たちが、けだものじみた、まったく現世を超絶したセックスのシンボルであったかと思えば、バルザックの描く魂の書『セラフィタ』には、神聖な光を呼ぶ女があらわれたりするけれど、そこには、たとえ無意識的なものであるにもせよ、はっきりとした魂の浄化《カタルシス》がめざされていたし、ある意味で彼女たちは宿命の英雄たちだった。「ノスタルジア一色に塗りつぶされた十九世紀前半の作家たちは」と、あいかわらず苦悩《アゴニー》に狂ったプラーツはつづける、「サルダナパルスやセミラミスやクレオパトラやネロや、あるいはヘリオガバリスといった、とてつもない超人的な人物が支配したオリエントやローマの大いな宴を喚びもどそうとした。けれど、今世紀の入口に足がかかったところで、そうした剛健な個性は、なぜかはかなく消え去ろうとしているようだ」二十世紀に足を踏みいれた世代には、もう英雄的な要素は縁がない。そこには崩壊だけが待っている。

このようにしてラヴクラフトの原風景からは、ロマンチシズムとしての英雄的個性の香りや、人工楽園のエキゾシズムや、光輝にあふれた古代文明の都市が完全に抹殺される。氷原や砂漠に置かれたかれの舞台からは、どう見ても魔術的《マジカル》な要素は拾いだせない。その代わり、そこには破壊と暴力の、まさに『魔性の女たち』の魔力とは正反対のデカダンスが生まれ出る。ラヴクラフトの小説に登場する邪神に対しては、もはや十字架という万能の英雄も影がうすい。それは、ある意味で実存の不安に火をつける、あのキリスト教が説く〈悪魔〉の出現と同じ意味合いを帯びはじめる。クトゥルーの神々は、ラヴクラフトにとって強大なfetish――つまり盲目的崇拝物になる。かれの不安は宇宙が生成や発展に一切関係をもたない不変の混沌空間《ケイオス》であることに対する自分自身の実存に関する不安である。そして、かれのfetishは、崇拝されることにまったく興味を示さない冷酷なfetishである代わり、この混沌空間を破壊し得る唯一の存在となり、ラヴクラフトにとっては両刃の剣に変貌する（ラヴクラフトを現実否定の作家と見る考え方は、この両刃の剣の一方を指している場合がほとんどのようだ）。

しかし、ラヴクラフトはここでも、かれらクトゥルーの神々に、現実という名の呪詛の破壊者たる資格を完全に与えようとはしない。かれらの神々は、アンドロギュヌスや豊饒の神ではなく、自己の増殖発展というものにはまったく縁のない、永遠に単一な存在としてしか描かれないからだ。いったいラヴクラフトの小説は、どうしてこうまでマゾヒスティックにできあがっているのだろうか？　いま、ぼくたちの上に何か重い弾圧が降りかかっているとき、ぼくたちはなぜ黙っていなければならないのか？　ラヴクラフトの神話は、本質的に、宇宙の無目的性、不変性に反逆を加える暴挙になり得なかったダメな小説なのだろうか？

　それに対する答えが、ひとつある。かれは、その逆神学的宇宙に何らかの影響を与え得る力が、人間と邪神たちの結合によってもたらされる点に、注目したのだ。両者の結合のなかから、たとえば『ダニッチの怪』にみられるような増殖が開始され、もういっぽうでは、善悪・生死といった二元論の若々しい脈動が宇宙空間に響きはじめる。

　けれど、かれがそうした神話構成にはじめて足を向けようとしたとき、そもそもの錯乱が芽をふいた。なるほど、かれの描こうとした世界は神話構成のうえに築きあげられたが、それは崇拝のための一時的なシステムであり——けっして、体系化された教義ではなかった。この事実は、ぼくたちにジュラール・ド・ネルヴァルの場合を思い起こさせる。マリ＝ジャンヌ・デュリーは『ネルヴァルの神話』のなかで次のようにいう、「かずかずの断片が、彼にとって象形文字的な能力と啓示の力を持ってくる。彼の人生も夢も、そして作品もその影響をこうむる。しかし、断片としての教理は、いくら集まっても教義にはならない。それは宗教ではなく、迷信、または詩を形成する。彼には、真の体系を作ることができなかったばかりではない、非体系的な精神は、おそらく、哲学的な体系も完全には理解できなかった」（篠田知和基訳）と。しかも偶然なことに、ネルヴァルは読書家だった。ネルヴァルが「書物から着想を得ているとか、好きなように盗んでいる、あるいは、言っていることより読んだもののほうが多いとか少ないとか言って」、非難される傾向は、そのままラヴクラフトにも当てはまる。そしてネルヴァルの宇宙観は、デュリーの説にしたがえば、「摂理」の失われた世界に近かったという。「神的な統一が失われ、それ自身でしか動かされていない宇宙の姿を、彼は恐怖のうちに」垣間みる。ロマンチシズムは、正直に白状してしまうと、要するに人間の精神の虚勢であって、ちょっと前にも書いたとおり、その意味では英雄的《ヒロイック》だったはずなのだ。ところがどうだろう？　ネルヴァルも、そしてラヴクラフトも、かれらの作品には、なにかを否定し、同時になにかを肯定するための強引な方法論が欠けている。かれらは、恐怖のまん中にあって、いったいこの状況をどう理解すればいいか判断がつかずに、わけもなくオロオロと歩きまわっているふうに見える。そして、よくよく考えてみると、ラヴクラフトが生み出した無数の空想図書――「ネクロノミコン」や「ナコト写本」などは、結局のところどれも、かれのこうした当惑を象徴するものなのだ。クトゥルー世界に引っぱりこめる人間の数なんか、たかが知れている。かれには武装が必要だった。それも、どう見たってスマートではない古典籍の黴《かび》くさい紙が！

　ここでもういちど最初の設問にもどろう。ラヴクラフトはにせものの狂者だった。有害な知識を駆使して、逆社会の昏い暗黒に友愛団のきずなを索めようとした幾人かのほんものたちとは、本質的に違っていた。ラヴクラフトは、ぼくたちの存在する日常世界（たとえそれが夜の部分であったとしても同じことだが）に生きて、逆宇宙からやがて始まる侵寇を、虚構のうえで震えながら待っていたのだ。けれど、いったい人間は絵空ごとと分かっているものに恐怖したりできるだろうか？

　それはおそらく、恐怖世界の秘密を外部に暴露する密告者のポーズが、偏執的なまでにアングロサクソンにかぶれていた一人の不幸なアメリカ人の精神内部に、巣食っていたからだろう。たとえば、こういう例がある。アメリカの右翼にはカソリック教徒の新移民や貧しい白人《プア・ホワイト》がたくさんいるという。ほんとうなら、こういう連中こそが革新左翼の側に立つべきなのに、かれらはコチコチの愛国派なのだ。そんなかれらがアメリカ内部で真の市民権を獲得するためには、たとえポーズとしても、ウルトラ右翼の忠実な使徒にならなければいけなかった。だから、そうすることが、たぶんかれら〝右翼〟たちの生きかただったのかもしれない。そして、〝そうすること〟の最も効果的方法は、仲間たちのいる〝左翼〟グループの内幕を暴露することの外《ほか》にはない。ラヴクラフトが小説を書いたのは、自分の生きる場を創り出す努力だった、と今でも思う。しかしその生きる場は、実際には自分が創り出した恐怖世界を忠実に暴露することを通じて、日常世界の一偶に確保された〝あわれな安住地〟と引き替えるための、かりそめの場だったのだ。ラヴクラフトのような博識と小説作法を身につけた作家なら、たとえばク・リトル・リトル神話の基本的パターンに見られる、ある意味での〈アホらしさ〉に拘泥するようなへまは、やらなかったはずだ。それなのに、ラヴクラフトの小説は、幾人かの人間の決死的な努力によって（例えば『戸口の怪物』『ダニッチの怪』『インスマスの影』）、旧支配者たちの侵寇が「またまた阻まれる」ところでいつも終わる。かれの怪物たちは、けっきょくいつも、戸口の陰で低い唸り声をあげている。その意味で、ラヴクラフトの物語には発展がない。邪神が地上に復活するところから始まる小説も、いつか、邪神が再度地下に浅く身を沈めなおす結末へと、なだれこんでいく。この手法は、考えようによっては不安の暗示の効果的なテクニックかもしれないが、それよりはむしろ、一編に一人ずつ邪神が王座を奪回し、全邪神の復活が終わるときを待つようなかたちにしたほうが、その不安はもっと効果的になったはずだ。こう考えていくと、ラヴクラフト小説の本質は、けっきょく小説空間内のできごとを〝現実の事件の結果報告〟としてぼくたちに知らせる通牒員的な機能の上にのっかっているようにみえてくる。ラヴクラフトの結果報告は、あまりにもわざとらしいのだ。そこには、ニュースとしての発展性がない。二つの作品を較べて、こちらのほうがむこうの作品よりも一層発展的な事態になっているということは、ラヴクラフトの作品に関するかぎり、まったくいえない。一作ごとに発展のエネルギーを増していくのは、邪神と秘伝書の数だけでしかないし、しかもかれが伝える侵寇の事実は、けっきょくいつも過去形なのだ。

このことを幾人かの恐怖作家の場合に置きかえてみよう。ラヴクラフト自身の作と、その作品が影響を受けたとおぼしい作家の作品との比較をテーブル化した本稿末尾の図式を見ていただきたい。

これだけ例が出てくると、もう文句なんかつけられない。なのに、あのスゥインバーンを通じて、大陸の若い世代にデカダンスの衝撃がイニシエイトされたのと同じように、（マッケンやブラックウッドやウェルズではなく）ラヴクラフトを通じて、ひそかだが、自分で自分を恐怖させる玩具を作成する歓びに先触れされた〈日常世界に巣食う恐怖＝怪奇文芸〉の方向が、ぼくたちにはじめて示されたのは、どういうことなのか？　ラヴクラフトは、なぜこんな小説を書かなければならなかったのだろう？　その答えはどうしようもないほどはっきりしている。つまり、ラヴクラフトはかれ自身の反世界の内幕を暴露しようとしたのだ。発展も崩壊もない代わりに、たとえ足で蹴とばしても壊れないほど頑丈につくった、ひとつの固形物をつくって、それと引きかえに日常世界に受けいれてもらおうとしたのだ。けれど、同じ石ころを蹴とばす場合でも、それは、たとえばコリン・ウィルスンがラヴクラフト以上の吸収力と同化力とを駆使し、その貧弱ぶりをもっと露骨なかたちで表現してみせた、『賢者の石』を筆頭とする一連の小説の場合とは、おそらく違うものだったはずだし、あるいはまた、ラヴクラフトが五十編以上の作品を費して不器用に語りあげようとしたテーマを、わずか数十ページの短編『トレン・ウクバル・オルビス・テルティウス』で、いとも簡単に語りつくしてみせたホルへ・ルイス・ボルヘスの場合とも、きっと大きく違っていたにちがいない。コリン・ウイルスンなんかの場合は、もう完全にラヴクラフトをだしに使っているにすぎない。

だとしたら、コリン・ウィルスンやボルヘスではなくて、なぜラヴクラフトが、アンダーグラウンド版のジャーナルやコミックスに採りあげられたり、現代の魔術師ラヴェイの『悪魔的儀式』のなかでまことしやかにク・リトル・リトルの名を語ってもらったりできるのか、その理由を（ことばにできないけれども直感的に）ぼくたちは頷くことができる。

幻滅感、裏切り、雑学としての知識、内世界の文芸的な（技芸的な）表現——なぜといって、ラヴクラフトはぼくたち自身の昏い友愛団員だからではなかったろうか。ラヴクラフトの固形物の蹴とばし方は、ぼくたちのやり方とまったく同じなのだ。ラヴクラフトの恐怖小説には、新世代の大衆の最大公約数的な好奇心を刺激するオブジェがあった。この作家は、ウィルスンがやったような進歩拡大の信念の押し売りなど、神話のなかで何ひとつ口に出してはいない。かれの神も秘伝書も、すべては混沌とした抽象のなかにある。その抽象物の空虚なオブジェ性のために、ぼくたちは、かえってラヴクラフトの小説空間に吸いこまれてしまう。

そして、その安ピカのオブジェが、すこしずつ、摸倣のオブジェとしてのそれが目差していたはずの恐怖の未来に近づいていくにつれて——ラヴクラフトにとっては過去に属するこの〈恐怖の未来〉が、時間的に接近するのに比例して、ぼくたちはぼくたちの方法で、からっぽだった神話の中身にその分だけ余計にガラクタを詰めこんでいけるはずなのだ。

それでは、ラヴクラフトの作品に対して、どうしてそういう作業が可能なのだろうか？　その理由は、かれの原風景が、未来の方向に向かっては廃墟であり、過去の方向に向か

■例1

ラヴクラフト『インスマスの影』	
導　入	インスマス沖の暗礁爆破
経　過	インスマス市の住民以外のものとの闘い
結　末	魔宴への参加の拒絶→逃亡→日常世界への帰還→狂気
ヒーローの気質	知的好奇心に富む知識人
ブラックウッド『いにしえの魔術』	
導　入	ジョン・サイレンスへの告白
経　過	猫町の住民との闘い
結　末	魔宴への参加→逆社会への加入→恍惚と法悦
ヒーローの気質	感情に動かされやすい日常人

■例2

ラヴクラフト『ダニッチの怪』	
導　入	寒村ダニッチの情景描写
経　過	ウィルバーホイートリィーの異常な行動の追跡
結　末	ホイートリィーの双生児の破滅→日常世界は救済される
ヒーローの気質	科学を武器にして闘う教養人
マッケン『黒い石印の話』	
導　入	石印についての説明
経　過	白痴の少年の異常な行動についての追跡
結　末	主人公自身の破滅→日常世界は依然として危機にある
ヒーローの気質	罪を知る教養人

■例3

ラヴクラフト『超時間の影』	
導　入	一定期間にわたる記憶の喪失事件
経　過	失われた記憶への旅路
結　末	事実の認知→日常世界と超時間との橋わたし
ヒーローの気質	知的好奇心に富む知識人
ウェルズ『タイムマシン』	
導　入	決死行の前夜
経　過	時間のなかの旅
結　末	事実への不安→未帰還→未来はあいかわらず不確定
ヒーローの気質	知的好奇心に富むが、意思も強固な科学者

ってはの眺めとなり得るオーストラリアの砂漠や、大洋の海底や、南極の氷原や、あるいは解読をゆるさない書物などに、開いていたからにちがいない。そこには、知的な好奇心に富んでいるが、善悪の意識を逆さにもっている科学者の眼も、現在とのかかわりのうえで過去を見きわめようとする超時間への旅行者の眼も、おなじように向いてしまうはずだ。そして、たぶんぼくたちの眼も、やがて、いやおうなくかれの原風景に注がれるだろう。

　なぜなら、ぼくたちもまた、ラヴクラフトの小説に登場する主人公のように、もうひとつの世界と日常世界をつなぐ吊り橋のうえに生きる人間なのだから。ラヴクラフトが、とうとう吊り橋のうえでのたれ死んだように、ぼくたちもまた、安ピカのオブジェを抱いたまま行き倒れるだろうか？

初出：『幻想と怪奇４　ラヴクラフト＆ＣＴＨＵＬＨＵ神話特集』歳月社　一九七三
底本：『空想文学千一夜』工作舎　一九九五

註（編集室）

1　『クトゥルー神話全書』（原書一九七二　朝松健監修・竹岡啓訳　東京創元社二〇一二）にまとめられている。

2　アルフレッド・ジャリが提唱した、形而上学の領域を超えた対象を考察する哲学の徒。「ユビュ王」はジャリの、「テスト氏」はポール・ヴァレリーの作品の主人公。

3　フランスの小説家、神秘主義者（一八五八—一九一六）。邦訳に「パルジファルの復活祭」などがある。

4　*Selected Letters*（アーカムハウス全五巻　一九六五〜七六）本文初出当時、第三巻（一九七一）まで刊行されていた。

5　アントン・ラヴェイ（一九三〇—九七）。アメリカのオカルティスト、ミュージシャン。Ｃ・Ａ・スミスやフリッツ・ライバーと親交があった。悪魔主義者として、一九六六年「チャーチ・オブ・サタン」の開祖となった。

6　イタリアの解剖学者（一五三七—一六一九）。こちらはラテン語の別名で、本名はジローラモ・ファブリツィオ。

幻夢の館の創立者たち──代表作・本邦初訳

川風の吹くとき

The Wind from the River

オーガスト・ダーレス August W. Derleth
岩田佳代子訳

アーカムハウスの設立者オーガスト・ダーレスの多作にして多彩な創作活動については、竹岡啓氏の「オーガスト・ダーレス小伝」（本書所収）を御覧いただきたい。怪奇小説では『淋しい場所』と『ジョージおじさん』の二冊の短編集と、連作『クトゥルーII　永劫の探究』が邦訳されているが、まだ未訳作は多い。本書には、アーカムハウス刊の最初の短編集 *Someone in the Dark*（1941）から二編を収録した。うち本作は、『ウィアード・テールズ』一九三七年五月号に発表されたゴースト・ストーリー。やはり得意としたミステリの技法を駆使した、前期の代表作である。

うやうやしく控えるバーナビーに電話機をわたしてから、ミス・レオカディ・ヴァン・ブルーは窓へ目を向けた。黄昏の空に広がる残照が見える。視線を下げた先には川が流れていた。その手前、茂みや木々を抜けた先の庭のはずれで残照に浮かび上がるサフラン。一週間前、あの川でアーサー・グランディソンは溺れて命を落としたのだった。しばし無表情だったレオカディはやがて、口をきっと引き結んだ。ふいに窓辺を離れ、部屋を突っ切って廊下に出ると、階段を登っていく。長いサテンドレスの裾からこぼれ落ちる衣擦れの音。そして妹の部屋のドアを押し開け、中へ入った。

ラヴィニア・ヴァン・ブルーは化粧台に腰を下ろして夕刊を読んでいた。姉が部屋へ入ってきても振り返らなかったが、鏡に映ったその姿を上目遣いで見た。

「今ヘンリーから電話がありましたよ」レオカディが言った。「地方検事がもうすぐまた来るそうです」

「どういうつもりなの」ラヴィニアは声をあげた。「あれは事故か自殺――殺されたなんてこと絶対にないじゃない！」

レオカディの目には何の感情も表れてはいなかった。

「私にはそんなこと断言できませんよ。でも、検事の考えていることならわかります。アーサーの死について、私たちのうちの誰かが、まだ何か隠していると思っているのです。アーサーがこの家に馴染めていなかったことに気づいていますから。実際その通りでしたし。継母《ままはは》の妹ふたりに囲まれていたんですもの、さぞ居心地が悪かったでしょう。検事は、ウォルターがいろいろ知っていると見ているんじゃないかしらね」

「馬鹿馬鹿しい」ラヴィニアが語気を荒げた。「そりゃあ、あのふたりは異母兄弟だし、性格だって全然違うけど、だからってウォルターがアーサーに死んでほしいと思う理由なんか、これっぽっちもあるわけないじゃない」

レオカディは片手を挙げて妹を黙らせた。「誰もそんなこと言っていませんよ、ラヴィニア」

ラヴィニアは化粧台から離れると、何やら小声でつぶやきながら苛立たしげに歩き回った。端正な顔が朱に染まる。それからしばし立ち止まって両の指をせわしなく動かしていたが、やがて自分の黒髪をそっとなで始め、姉に向き直った。

レオカディはその黒い瞳で、妹の様子を細大漏らさず見つめていた。口元にうっすらとした笑みを張りつけ、やがて視線を冷たくする。「急にウォルターを庇《かば》い出すなんてどういう風の吹き回しかしら。あなた、昔からあの子を嫌ってたじゃないですか」

ラヴィニアは答えるかわりに刺すような目で睨んだが、レオカディはゆっくりと瞼《まぶた》を閉ざしただけだった。

「心づもりしておきなさい、ラヴィニア、地方検事はあなたに話を聞きたいかもしれないんですから」それだけ言うとレオカディは妹に背を向け、部屋を出ていった。


ドアが閉まり、ひとりきりになったとたん、ラヴィニアの瞳からは刺々しさも激しさも消えた。すぐに化粧台へ行き、鏡に顔を近づけて、そこに映る自分の顔をじっと見つめた。

レオカディは重々しい足取りで廊下を歩いて行き、ウォルター・グランディソンの部屋のドアをノックした。

「何か用？」ウォルターの声が応じる。

「私です」レオカディは部屋へ入っていった。座っていたのは、眉目秀麗にして黒髪の青年。ヴァン・ブルーの血だわ、との思いがレオカディの脳裏をよぎる。青年の眉がものといたげに上げられた。座ったままだったのは、片手でラジオの音質を調整していたからで、流れていたのはラフマニノフのピアノ協奏曲第二番ハ短調だった。

レオカディは、新聞を読まないウォルターにどう切り出すべきかをすでに考えていた。ドアはもう閉めてあり、彼女は歩を進めた。「地方検事が来ます。その前にあなたに会っておいたほうがいいと思ったのですよ」

驚いたようには見えなかった。そして、さしたる興味もなさそうに聞いてきた、「何で来るんですか」

「アーサーが亡くなった件で。検事は、自殺ではなかったかもしれないと考えているんです」ウォルターの様子をうかがうも、彼のほうが一枚上手だった。眉ひとつ動かさなかったので、レオカディはいささか戸惑い、視線を外した。

「ぼくもそのことをずっと考えていたんです。兄さんは泳ぎの達人だった。あんなふうに自ら命を絶つなんてどう考えても不自然です」

レオカディは返す言葉が見つからなかった。腰を下ろし、じっと甥を見つめる。やがて甥は顔を逸らした。「地方検事が来るのはおそらく、あなたと話すためですよ」

「でも、ぼくは何も知りません」

「私たち全員から話を聞きたいのだろうと、あなたの叔父様ヘンリーは電話で言っていました。私としては無意味だと思いますが、当局の意向には従わなければなりませんからね」

レオカディは立ち上がり、ドアへ向かったが、そこで向き直った。「心づもりはしておきなさい。あなたが話を聞かれないですむようやってはみますけど、うまくいくとは思えませんから」

そして部屋を後にした。甥の「ありがとうございます、レオカディ叔母様」という声はドア越しにかすかに聞こえただけだった。

ウォルターはすぐさま立ち上がると、ラジオを止め、窓辺へ行った。その場にじっと立ったまま、川を見下ろす。思い詰めた顔。眉間に皺が寄る。そして思った、やはり疑いだしたか！

地方検事が長い廊下へと案内されていったとき、ちょうど階段からレオカディが降りてきた。彼女の姿に圧倒された検事は、一筋縄ではいかなそうだが、とにかくやらないと、と思った。とびきり愛想よく挨拶をすると、レオカディは微笑み、書斎へと招じ入れてくれた。彼女曰《いわ》く、そこなら邪魔されずに話ができるという。腰を下ろすや検事は早口で切りだした。何度となく腕時計に視線を走らせる。明らかに急いでいるのがレオカディにも見てとれた。

「確かに彼は不満を口にしてはいました。でもそれ以外に確たる理由もないまま、夜中に屋敷を出て自ら身を投げたというのが――本当にそうだったとして、ですが――どうしても引っかかるものでして。こうしてお話をうかがってご不快な思いをさせているのは重々承知しておりますが、我々としても納得がいくまで捜査を続けなければならないものですから。ご存じのように、首の後ろにはくっきりとした痕が残っておりました。無理やり水に顔を押しつけたような痕です。そもそも彼は泳ぎが得意だったと聞いていますし」

こんなふうに検事の舌が回っている間、レオカディは微笑みを浮かべたまま、物思わしげに半ば目を閉じ、ときおり、ええ、とか、さあ、どうでしょうといった言葉を挟んでくるだけだった。結局彼女からは何も聞き出せず、ラヴィニアからはあからさまにさげすまれただけだった。だがウォルターは狼狽《うろた》えていた。おかげで地方検事は、露骨に満足そうな顔をした。この若者は何か大事なことを隠しているが、叔母たちのこれだけ執拗な視線を前にしては言うに言えないのだろう、しかしこれで少なくとも糸口はつかめた、と思ったのだった。

ウォルターとは後日、個人的に話をしよう、そう心に決めて、地方検事は帰っていった。だが、それは実現しなかった。それから何週間も、彼はとある恐ろしい犯罪にかかりきりになり、もう一度アーサー・グランディソンの死と向かい合おうと思ったときにはすでに、この件は解決していたのだった、それも奇怪な形で。

帰路に着く地方検事の姿を見ていたレオカディは心を翳《かげ》らせていた。検事の来訪と、探りを入れてくるような問いかけが、彼女の心に疑念を植えつけていった。この疑念は次第に大きくなっていき、ついに彼女は、自分の手で真実を明らかにしようと思いだした。そして、くだんの地方検事がこの問題をすぐに解明できなかったために、どういうわけか別のドアが開いた。いつもなら閉ざされている、誰も特に気にかけたことのない、誰も目を向けようとしなかったドアが。それは、正義が自らの目的のために設けるドアだった。

地方検事の来訪に心を乱されてから二日目の夜、最初の予兆が現れた。その夜は川風が吹いていた。ひたすら続いた七月の暑さを和らげてくれる最初の風で、その湿った涼しさに生き返った思いがした。夕食の時間の少し前にレオカディが食堂に入っていくと、エマが食器を並べているところだった。メイドはいつもと違って四人分の食器を用意していたが、レオカディは当初、そのことに気づかなかった。やがてふいに四枚目の皿が目に留まり、ラヴィニアかウォルターが誰かを招いたのだろうと思ったが、念のために聞いた。「どうして四人分の支度をしているのです、エマ」

エマは、執事のバーナビーさんからもうひとり分用意するよう言われましたので、と答えた。

レオカディはバーナビーを探しに行った。彼は書斎で本をきちんと並べ直しているところだった。

「今夜は食事をご一緒するお客様がいらっしゃるんですか、バーナビー」

バーナビーは、何を言われているのかわからないといった顔で見つめてきた。やがて、咎《とが》められているのではないとわかり、思いきって答えた。「あのお若い男性の方がご一緒されるのかと思ったものですから」

「ああ、ウォルターのお友だちですか」

バーナビーは困惑した。「先ほどレオカディ様とご一緒のところをお見かけしたのですが」

レオカディが心底驚いたのは誰の目にも明らかだった。

「私と、ですって」

「はい。確かにご一緒でした。レオカディ様のあとから階段を降りていらっしゃったお方です」

「そんなはずはありません。あなた、その人をこの屋敷に通してなどいないのでしょう」

「はい。ですが、この目ではっきりとお見受けいたしました」

「あなたがどうしてそんな見間違いをしたのかはわからないけれど、まあ、通していないなら別に構わないわ」

バーナビーの中で、漠然とした不安がうごめき出した。「お通ししてはおりませんが——お若い紳士は確かにいらっしゃったのではございませんか」

バーナビーの思い詰めた様子に、レオカディは聞いた。「どんな人だったんです」

バーナビーはしばし考えた。「しかとはわかりかねますが、黄色味の強い長髪で、背が高くていらっしゃいました。お顔は陰になっておりましたので……」

バーナビーはふいに言葉を切った。レオカディの顔色がさっと変わったのだった。

「バーナビー、こんなことはこれっきりになさい」きつく冷たい口調。「エマに余分な食器を片づけさせなさい。すべてあなたの間違った思いこみです」

それだけ言うと、あっという間に書斎をあとにした。レオカディらしからぬ慌てぶりだった。

バーナビーはエマにことの次第を説明していったが、その声には驚きがにじんでいた。だが、エマの顔色も変わっていた。

「何なんですか、それ」エマが急に言った。「背の高い男の人――それも黄色い髪の？」

バーナビーはうなずき、先を続けようとしたが、エマに止められた。「レオカディ様がきつい口調になったのも当然ですよ。バーナビーさんの言ってる人ってアーサーさんですから！」

レオカディはバーナビーの間違った思いこみが気にかかり、それとなくラヴィニアに伝えたが、一蹴された。「はっきり言って、アーサーが死んだことでお姉様は相当参ってるのよ。そんな気がしてきたわ」

ラヴィニアが言ったのはそれだけだった。ウォルターも当然のように聞かされたが、彼もまた叔母の柔らかな手を優しくなでながらこう言っただけだった、「バーナビーは超常現象の本をよく読んでいるじゃないですか。だから想像力が豊かなんですよ。いつだったかの夜も、庭で昔の幽霊同士が決闘しているのを見たって言い張ってたんですから」それは口から出まかせの嘘だった。しかしおかげでレオカディの心も軽くなった。もっとも端から信じてはいなかったが。

その夜、食事の席には張り詰めた空気が満ちていた。ラヴィニアは不自然なまでにはしゃいで、アーサーの痛ましい死にまつわる陰鬱な思いをどうにかして皆の心から追い払おうとしたが、かえって彼の死を意識させて終わった。

夕食後、ウォルターは街で行われる演奏会へ行き、ラヴィニアも用事があると言って出かけていった。ひとり残ったレオカディは書斎で本を読んでいたが、一時間ほどすると、バーナビーが使用人部屋から出てくる音が耳に届いた。それから廊下を歩いていく音。

どうやら一瞬ためらったようだったが、やがて声が聞こえてきた。「今夜はまだ何か御用はございますでしょうか、グランディソン様」

返事は聞こえず、しばらくしてから、バーナビーは何やら独りごちながら書斎へ入ってきた。

レオカディは石のように身を固くしたまま、バーナビーが話しかけてくるのを待った。が、何も言わない。口を開く任はレオカディに委《ゆだ》ねられた。

「あなた、今、誰に話しかけていたんです」

「ウォルター様でございます」

「そうみたいだったけど、あの子はどこ」

「階上へ行かれました。お気に触りましたら申し訳ございません」

　レオカディは勇気を奮い起こして先を続けた。「気には触っていません。でもウォルターは、今夜演奏会に行っていて、まだ帰ってきていないのですよ」

　バーナビーからは一言も返ってこない。そして何やら呟《つぶや》くと、そのまま後ずさるようにして書斎を出ていった。ドアの向こうから、毒づく声がはっきりと聞こえてきた。おかげで、恐ろしさに張り詰めていたレオカディの気持ちもいくらか緩《ゆる》んだ。耳を澄ましていると、バーナビーが慎重に階段を登っていく音が聞こえてきた。自分が間違いを犯したのかどうかを確かめに行ったのだろう。ウォルターが帰ってきていないのは明らかだった。書斎にいれば、帰ってきた彼の声なり物音なりが耳に入ってきただろうから。レオカディは思わず立ち上がると、バーナビーを追って階段を登っていった。二階の廊下に並んだドアのひとつ。そのかたわらに黒い人影がたたずんでいる。だがそこはウォルターの部屋ではなかった。ラヴィニアの部屋だ。

「私の言ったとおりだったでしょ、バーナビー」レオカディはそっと声をかけた。

　相手は振り返らなかった。しかしそのときレオカディは気づいた。あれはバーナビーの着ていた服じゃないわ。同時に、今の彼女の言葉に答えるバーナビーの声が背後から聞こえてきた。振り向くと、バーナビーがウォルターの部屋のほうからこちらへやってくるところだった。言い訳めいた言葉を呟いている。「ですが、本当に見たのです。間違いなくこの目で見ました、レオカディ様。確かでございます」

　レオカディは、くずおれないよう手を伸ばして自分を必死に支えると、向き直り、ラヴィニアの部屋の前に不安そうな視線を向けた。だが、**そこには誰もいなかった！**　バーナビーがすっとかたわらにやってきた。主人がこんなにもおびえているのは自分のせいなのかと気づかわしげな顔をしている。そんな執事を無視して、レオカディは自室に引きこもった。

　言葉もなく座っていたが、何が何だかわからなかった。しばらくして腰を上げると、ドアをほんの少しだけ開けて、ほの暗い廊下の様子をじっとうかがう。廊下に満ちた静けさを乱すのは、かすかな川風の音だけ。レオカディはやにわにドアを大きく開けると、廊下に出て、ラヴィニアの部屋まで歩いて行き、中に入った。ラヴィニアはまだ戻ってきていなかった。ベッド脇の明かりをつけ、ベッドに腰をおろす。妹が帰ってきたら、先刻のことを話そうと思った。

そうやって待っているうちに、マットレスの下に慌てて押しこんだと思しき封筒が目に入った。引っ張り出してみると、住所は書かれていない。かろうじて読みとれたのは、下の隅に殴り書きされた「ヴィニー」という文字だけ。直接手渡されたものなのはほぼ間違いない。ラヴィニアはまだ若く、人好きもするから、パーティーか何かの招待状だろう、そう思ってレオカディは、中の手紙を出して読んだ。

愛するヴィニー　君から、もう終わりにしようと言われた今となっては、こんなことを書くべきじゃないのかもしれない。でも、どうしようもないんだ。もう一度会いたい。会わなくちゃならないんだ。**頼む！**　おれは本気だ。君を脅すような真似はさせないでくれ。今夜、庭のライラックの植え込みで待ってる。

アーサー

レオカディは、まるで宇宙の彼方から眺めているかのように、しばしその署名を見つめていた。目の前に突きつけられた不快でたまらない現実に圧倒され、すべての機能が停止していた。やがてふいに両手が震え出し、唇がひきつる。そして、正面に配された化粧台の鏡に映る、すっかり取り乱した自分の顔を睨むように見つめた。それから手紙を戻し、明かりを消した。混乱したまま部屋をあとにする。心の中は葛藤の嵐だった。

自室に戻ったレオカディは、じっと座ったまま必死に心を落ち着けようとした。千々に乱れる思いをなんとかまとめようとした。しばらくするとラヴィニアが戻ってきたのが聞こえた。不安の中、息を潜めて待つ。部屋に戻ったあの子は、何かがおかしいって気づいたんじゃないかしら。私は手紙をちゃんと戻さなかったんじゃないかしら。だがラヴィニアの部屋からは物音ひとつ聞こえてこなかった。レオカディの思いも次第にまとまってくる。その中からある思いがくっきりと浮き上がってきた。自分は、知らなかったとはいえ、とんでもない秘密を見つけてしまった。しかもそれは、アーサーの自殺の動機を明らかにするであろうものだ。あの手紙を公表すれば、地方検事に捜査をやめさせるだけのじゅうぶんな証拠になる。だがそれはどう考えてもできない相談だった。

しばらくしてから、どうして自分は今まで何も気づかなかったのだろうと、改めて思い返してみた。確かに、ラヴィニアがあからさまにアーサーに肩入れしていると感じたことは一、二度あった。だがそれはラヴィニアがウォルターを毛嫌いしているからだと思っていた。それなのに、アーサーの亡くなる少し前からは、やけにそっけない態度に変わっていた。再び心乱されてきたレオカディは、ひとりで悶々と悩むのをやめ、ラヴィニアと話をしようと決めた。

翌朝も川風は吹いていた。空には雲が厚く垂れこめ、今にも雨が降り出しそうだ。アーサーの手紙のことが頭から離れなかったが、レオカディはラヴィニアに何も言わなかった。昨夜の決心は鈍る一方で、気後れもあり、話しかけるのがためらわれたのだった。このままずっと黙っているほうがいいのかもしれない、そんな気もしていた。捜査は進展しそうになかったし、したらしたで、ヘンリーに事情を話して、地方検事を思いとどまらせてもらえばいい。

日中は風も止んだ。生暖かい雨がさっと降ったあと、濃い川霧があがってきて、夕暮れには、古い屋敷は湿った真っ白な霧に覆われた。

夕食の席で、ラヴィニアは異様なほどにそわそわしていた。

「霧のせいよ」どうしたのかとレオカディに問われてラヴィニアは答えた。「たまらないの、あんまりじめじめしてるんですもの。それに嵐もくるでしょ」

レオカディはバーナビーに、屋敷中の窓を閉めてくるよう命じた。ただし、自分の部屋の窓だけは開けておけと。

「ついでにぼくの部屋の窓も閉めておいてくれ」ウォルターが言い添えた。

まだ夜も浅く、時間は遅々として進まなかった。ラヴィニアは、みんなで一緒に嵐が過ぎ去るのを待ちましょうよと言ったが、ウォルターはまるでとり合わず、本を読むからとさっさと自室に引き上げた。嵐はくる気がないらしく、レオカディはとうとう、ベッドへ行くよう妹を言い伏せた。ラヴィニアもうなずきはしたものの、嵐はまず間違いなく自分がベッドに入ったらすぐにくると言ってきかなかった。そして本当にそうなった。

嵐はいきなりやってきた。レオカディはまだベッドに入っていなかった。ネグリジェの上から丈の長いガウンを着て、暗闇の中、窓辺に座り、カーテンを半分ほど開けたまま、空を駆ける稲光をじっと見つめていた。滝のような雨があっという間に霧を払い、稲光が窓の向こうに広がる濡れそぼった庭を照らし出す。その激しさにもかかわらず、嵐はすぐに去った。ベッドへ行きかけ、部屋のドアが少し開いているのに気づいたレオカディは、閉めようとドアへ向かった。

そのときだった、妹の部屋からくぐもった悲鳴が聞こえた。レオカディはとっさに廊下へ飛び出し、妹の部屋へ走った。そのまま中へ飛びこむ。ラヴィニアはベッドのかたわらにうずくまり、目を見開いて化粧台のほうを見つめていた。ベッド脇の明かりはついていた。

レオカディは息をのんだ。「どうしたっていうんです、ラヴィニア」

しばらくの間、ラヴィニアは答えることができなかった。口は動かせたが、言葉が出てこなかったのだ。それでもやがて言った、「彼、もういなくなったわ」

「何を言っているんです」

「ウォルターよ、きっと。うとうとしてたの。そしたら、化粧台のそばに何かが見えた気がして――男の人だった――ウォルターだったの」

レオカディは閉口ぎみにまじまじと妹を見つめた。少ししてから歩を進め、紐を引いて天井の照明をつけた。室内が一気に明るくなる。

「どこに人がいたんですって」苛立ちと冷たさのあらわになった声だった。

「もうちょっと右」

レオカディは妹の告げた場所へ行った。足元の絨毯に大きな染みが広がっている。すぐに天井を見上げたが、雨が漏った形跡はどこにも見当たらなかった。絨毯の染みに目を戻す。姉の視線を追っていたラヴィニアもそれを見た。弾かれたようにベッドを離れ、姉のそばに飛んでくる。

「なんだってこんなところに染みができたんです」とレオカディ。

ラヴィニアはすぐには答えなかった。じっと染みを見つめていたが、やがておずおずと口を開いた。「それって――絶対――」だがすぐに黙りこんだ。ふいにその顔から血の気が引いた。姉をちらりと見る。「思い出したわ――寝る前に、化粧水の瓶を落としちゃったのよ。雷の音に驚いて」

レオカディは何も言わなかった。その場に立ったまま、しばし無言で妹の様子をうかがう。そのうちに、妹に対して何か説明のつかないもの、恐ろしい疑念のようなものが湧き上がってくるのを感じた。そのまま部屋をあとにしたが、妹の言葉があからさまな嘘なのはわかっていた。染みのにおいだ。あれは化粧水でも雨のにおいでもなかった。かすかだったが、間違いなく川のにおいがした。

その夜、レオカディはよく眠れなかった。妹の部屋からときおり漏れてくる物音が、彼女も寝つけないことを物語っていた。翌朝、ラヴィニアの目のくまを見て、妹がひどく心を痛めているのがわかった。やはりアーサーからの手紙について聞いてみるべきかと思ったが、またしてもその考えを退けた。なんだか怖かったからだ。

その日は一日中、姉妹揃ってずっと屋敷にいた。夕暮れどき、ラヴィニアは屋敷の空気が変わったとかなんとか言い、一、二度、遠く離れたミシシッピ川に臨む市ナチエズのことを口にして、わたしは旅行するべきじゃないかしら、と問いかけてみた。だが、おかしなことにレオカディは黙ったままで、何も言ってはくれなかった。

ふたりのいた書斎にバーナビーがやって来ると、ラヴィニアは彼に聞いた。

「天気はどう、バーナビー」

「ひんやりしております、ラヴィニア様。それに今夜はまた川風が吹いてまいりました。これでもう三日続けてとは、奇妙なこともあるものでございます」

ラヴィニアが再び口を開いたとき、その声は暗く沈んでいた。「また窓を閉めておいてちょうだい。具合がよくないの。それにあの風、嫌になるほど湿ってるんですもの。そう思わなくて、お姉様」

「いいえ、まったくそんなことはありませんね。むしろ私は川風が好きですよ、すがすがしいですからね」

「でもこの家の中はこのところ、ものすごく冷え冷えしていて湿っぽい気がするわ。わたしの気分が晴れないからかもしれないけど、とにかくこの湿気はやりきれないのよ」

「あなたの気分の問題ですよ、きっと。だいたい、私は別段屋敷の空気が変わったとは思っていませんから。いつもと同じように乾いていますよ。ヘンリーなら、あっという間に燃えるぞって言うでしょうね」

ラヴィニアは苛立たしげに書斎をあとにした。いささか心配になったレオカディが耳を澄ましていると、妹の足音は階段を登り、徐々に遠ざかっていった。しばらくしてから、彼女も自室へ引き上げた。風はあったが、その夜は静かで、聞こえてくるのは川辺で鳴くアマガエルたちの賑やかな合唱だけ。それを聞きながら、レオカディは眠りについた。

真夜中過ぎ、レオカディは、ラヴィニアの部屋から聞こえてくる激しくもがく音で目が覚めた。ガウンも羽織らず部屋を飛び出し、妹の部屋へ。妹はベッドの上でのたうち回っていた。きつく握りしめた拳をむやみに振り回していて、それがときおりベッドのフレームに当たっている。すぐにウォルターもやってきた。まだ寝るつもりはなかったのだろう、服は着たままだった。レオカディが廊下を走っていく音と、彼女がラヴィニアの部屋のドアを開けたために聞こえてきたラヴィニアのもがいている音が気になって、様子を見にきたのだった。

慌ててレオカディは妹の顔を覆っていた上掛けを引き剝がし、ウォルターもなんとか両腕をつかみ、しっかりと押さえた。ラヴィニアの顔に生気はなく、目もカッと見開かれていたため、心配でたまらなかったが、ふたりがかりでどうにか落ち着かせた。

「やれやれ！　どういうことなんですか、レオカディ叔母様」

「知りませんよ」ラヴィニアを見たままぶっきらぼうに答える。ラヴィニアの呼吸はだいぶ穏やかになってきた。

「こんな発作、前にもあったんですか」

レオカディは首を横に振った。

ラヴィニアの瞼《まぶた》が震えてきた。ふいに唇が苦しげに歪み、痙攣《けいれん》する。やがて開けた目を見張り、辺りを見回した。レオカディの顔に目をとめると、あえぎながら言った、「彼がまた来たの――あそこ――化粧台のそば」

「何があったんです」レオカディが問いただした。「上掛けで顔を覆って、喘いでいたんですよ」

「窒息なさったかと思いましたよ、ヴィニー叔母様」ウォルターもたたみかけた。

「彼がやったの」ラヴィニアは言葉少なに言った。異様に甲高い声だった。「彼が来て、口に上掛けを押し当ててきたの――わたし、息ができなかった――できなかったの！」

ウォルターがびっくりして見つめてきた。レオカディは甥と目を合わせると、声を出さずに口だけ動かして「うわごと」と伝え、部屋を出るよう手で示した。彼はしぶしぶ従った。

レオカディはすぐさま妹に向き直ると、肩をつかんで手荒く揺さぶった。「何を言っているんです、ラヴィニア！　ウォルターは今夜、ずっと自分の部屋にいたんですよ」

ラヴィニアが声も立てずに笑い出した。楽しさのかけらもない笑い方だった。だが何も答えない。それでも、不安を募らせていく姉の目を見て、弱々しく床を指差した。

「あそこを見て」その声はしゃがれて疲れ切っていた。

妹の指の先を辿って見ると、化粧台からベッドまで続く、ぐっしょりと濡れた跡が残っていた。照明を受けて光っている。

背後からラヴィニアの声がする。「ウォルターじゃないわ……もうひとりのほうよ」だが、しゃべりすぎたと不安になったのだろう、ふいに言い添えた、「わたしならもう大丈夫。用があったら呼ぶから」

レオカディは妹の部屋を出ると、そのまままっすぐウォルターの部屋へ行き、ドアをノックした。ウォルターは叔母が来るのを待っていたのだろう、ノックと同時にさっとドアが開いたので、中へ入った。

「あなたに聞きたいことがあります」ウォルターがドアを閉めたとたん、口を開いた。「本当のことを話してちょうだい。私に気を使ってくれなくて結構よ」

ウォルターは訝《いぶか》しげに叔母を見つめた。「何のことですか」

「アーサーとラヴィニアの間に何があったんです」

ウォルターは叔母の視線を避けるように急にくるりと背を向けると、窓辺に立ち、じっと外を見つめた。だが、叔母がずっと待っているので、とうとう告げた。「ふたりは愛し合ってたんです、叔母様」

「それだけではないでしょう」

「ええ――ラヴィニア叔母様の気持ちだけが冷めてしまったんです。でも兄さんは違った。兄さんは、叔母様のためとあらば自ら命を捨てたかもしれません」抑えた口調には、激しさが滲んでいた。「ただ、その前にまず叔母様の命を奪っていたはずです。兄さんはどうしようもなく身勝手でしたから」

「では、あの子は殺されたと思っているのですか」

ウォルターは長い間ためらっていたが、やがて、かろうじて聞こえる声で答えた。「はい」

「心当たりはあるんですか――アーサーを殺した人物に」よく考えてから答えろと言わんばかりの口調だった。

ウォルターは叔母に向き直り、少しでも叔母の心の内を知ろうと、じっと目を見つめた。そして悩んだ挙句、一言だけ返した。「はい」

「誰です」

今度はすぐに答えを返した。「言えません」

レオカディは問い詰めようとはしなかった。無駄だとわかっていたからだ。ただしばらくの間、何やら考えこみながらその場に立ち尽くしていた。やがて、背を向けながら「おやすみなさい」とだけ言うと、そのままそくさと出ていった。

しばしラヴィニアの部屋の前で耳を澄ませていたが、

聞こえてくるのは規則正しい呼吸の音だけ。眠ったようね。そう思い、ドアから離れようとしたとき、下の隙間から細い明かりが漏れているのに気づいた。あの子ったら、明かりをつけたまま寝てしまったんだわ。一瞬、ドアを開けて中に入り、明かりを消そうと思った。だがすぐにはっと気づいた。わざと明かりをつけたままにしているんだわ。

翌朝は、姉妹揃って顔色が悪かった。ふたりとも口には出さなかったが、夜がくるのが怖かった。ラヴィニアがまたしても旅行の話をした。だが今度はおざなりに。ところが思いがけなくレオカディが、行くべきだとすぐさま勧めてきた。そんなわけで、数時間後にはもう詳細な旅行の計画ができあがっていた。しかも姉は、翌朝早々に出かけるべきだとまで言い、妹も、ぜひそうさせてもらうと応じた。その晩、ふたりがそれぞれの部屋へ引き上げたのは遅くなってからだったが、気分はかなり晴れやかだった。

それでもレオカディはなかなか寝つけなかった。しかも悶々と悩んでいたせいで、奇怪な夢を見た。川風が夜になってその強さを増し、まるで暴力を振るっているみたいだ。屋敷に吹きつける風。その風に引っぱられるようにして川から何かが現れた。庭を通って屋敷に近づいてくるのは、影に包まれた影だ。影は、音もなく屋敷の壁をすり抜けてきた。背の高い人影のように見えるそれは今、裏階段にいた。そして、目指す場所が決まっているかのごとくすーっと階段を上がってきて、眠りの浅いレオカディが苦しげに寝返りを打っている部屋のすぐ先の廊下に立った。そのまま流れるように廊下を移動していき、ラヴィニアの部屋の前で止まる。そしてふっと消えた。夢の中で突然混乱に見舞われる。いつの間にか、場面はラヴィニアの部屋の中に変わっていた。妹が眠っている。だがそのかたわらには、先刻川風に引っぱられるようにして現れた人影が立っていた。不気味な黒い人影が妹を見下ろしている。やがて妹の上に身をかがめ、細長い指で妹に触れる。指からは水が滴っている。妹が気づく。恐怖にカッと見開かれる目。叫ぼうと口を開けるも、人影に口を塞がれ声が出せない。その上、人影の発する得体の知れない妖異な力のせいで、身動きもできなかった。やがて鈍色《にびいろ》の夢の中から声がした。「迎えにきたよ、ヴィニー」その声ははるかな高みから聞こえてきた。そしてレオカディの眠りがつくりあげた薄暗い空間の中に、繰り返し響きわたった。やがて妹が起き上がる。川から現れた人影に命じられるままの動きだ。人影はゆっくりと妹から離れると、部屋の外へ向かう。妹は、人影から目を逸らすことなく、機械よろしくよろよろとついていく。あまりの恐怖に心はすっかり麻痺している。

そこでレオカディは目が覚めた。そのまましばらく横になっているうちに、ゆっくりと意識が自室に引き戻された。いつもの温かい私の部屋だわ。やがてふいに体を起こし、さっとベッドから出る。わずかに開いた窓にかかる白いカーテンがちぎれんばかりにはためいていた。窓を下まで押し下げると、川風が不自然なほど吹き荒れている。また嵐がくるのかしら。不安を覚えながら目をあげ、空を見てほっとした。雲はどんどん流れていき、しばらくすると月も顔を出した。そして、庭の隅を見下ろしたときだった。窓から見えるぎりぎりのところ、ライラックの植え込みの向こう側で一瞬、ふたつの人影が視界を横切った。男女の人影が！

ほぼ同時に、誰かが廊下を走ってくる。すぐに窓辺を離れ、ドアに向かう。ドンドンというノックの音と、ウォルターのうわずった声。「レオカディ叔母様、起きてらっしゃいますか」

さっとドアを開けると、ウォルターが立っていた。

「ヴィニー叔母様がいません」

しばしレオカディは立ち尽くした。それから足早に廊下に出ると、妹の部屋のドアが開け放たれているのを見て、急いで中へ入っていった。

部屋はもぬけの殻だった。ウォルターの言った通りだ。ベッド脇の明かりはついていた。柔らかな明かりに浮かび上がるしわくちゃのシーツと、無造作によけられたままの上掛けから、ラヴィニアがここで寝ていたことは確かだった。

夢の記憶がまざまざと蘇り、レオカディは窓へ走った。この窓からなら、視界を遮られることなく庭全体とその向こうの川が見渡せた。

庭の小道のずっと先、川縁と言っていいようなところにふたつの人影が見えた。ひとつはラヴィニアだ。ぎこちなく歩いている。先んじて行く長身痩躯の人影はまるで、影のように黒々としたライラックの植え込みの一部のようだ。レオカディの体がぐらりとかしぐ。慌てて窓にかかる厚手のカーテンをつかんだ。

ウォルターがすぐさま駆け寄ってきた。

誰なの――あそこにいるのは。やっとの思いでもう一度視線を向けた。心ならずも眼下の人影ふたつをじっと見つめる。そのとき月が再び顔を出し、川縁のふたりを照らし出した。ラヴィニアと一緒にいるのは、黄色い髪の男性だった！

「アーサー！」ウォルターが思わず叫んだ。

　レオカディは拳を握りしめ、必死に自分を抑えた。

「ラヴィニアだった」ざらつく声でつぶやいた。今初めて、アーサーがどうやって死に至ったのかがわかった。自分たちの関係を知らしめるという脅しがどれだけラヴィニアを追い詰めていたのかも。「ラヴィニアだった！**あの子がアーサーを殺したのよ！**」いきなり向きを変えると、ウォルターに向かって、ついてくるよう金切り声を上げながら、猛然と部屋から駆け出していく。「急いで――川よ！」

　廊下を駆けていきながらウォルターは、ラヴィニアの部屋へ入っていく際レオカディが見落としていたものに気づいた。ラヴィニアの部屋の絨毯から裏階段へ延々と続く濡れた跡。廊下には、夜の川のにおいがこれでもかと立ちこめていた。

　屋敷を飛び出し、庭を突っ切り、川へと必死に走る。が、間に合わなかった。ラヴィニアは息絶えていた。川縁に横たわったまま、動くことのない真っ白な顔を、水になびく長い黒髪がひたひたとたたくに任せている。首を絞められていた。淡い月明かりの中、レオカディとウォルターが目にしたのは、彼女の首に次から次へと束になって巻きつく黄色い髪、アーサー・グランディソンがこの上なく自慢していたあの黄色い髪だった。

幻夢の館の創立者たち――代表作・新訳

赤い脳髄

The Red Brain

ドナルド・ワンドレイ　Donald Wandrei

安原和見 訳

ラヴクラフトの熱心なファンだったドナルド・ワンドレイ（一九〇八―八七）は、若い頃から詩人として評価が高く、ダーレスと共に設立したアーカムハウスでは編集者としてラヴクラフト書簡集の編纂に尽力した。主にパルプマガジンに発表した短編小説も、独自の詩的なイマジネーションに彩られている。本書では二編を収録するが、まずは遠未来、アンタレスに迫る危機を描いた代表作を新訳で。初出は『ウィアード・テールズ』一九二七年一〇月号だが、脱稿したのはその三年前、彼が十六歳のときだったという。のちにアーカムハウスから刊行された第一短篇集 *The Eye and the Finger*（1944）に収録された。

ひとつまたひとつと、頭上の空にまたたく色淡い星が薄れては消えていく。ひとつまたひとつと、揺らめく光が色褪せて暗くなっていく。ひとつまたひとつとこれを最後に消え失せ、その後にインクの染みが現われて、星々の輝いていた空の広大な領域を塗りつぶしていく。

長い年月が過ぎた。数百年はまたたく間に飛び過ぎ、数千年が積み重なって数百万年になり、それもまた永遠の忘却に呑まれて消えていく。地球はすでに消滅した。太陽は冷え固まり、崩れて塵となってみずからの墓と成り果てた。太陽系も、その他数えきれない星系も崩壊して消失し、粉々になった残骸は塵の雲を膨れあがらせ、それが宇宙全体を呑み込んでいく。過ぎ去った何十億年のうちに、避けがたい滅びに向かってすべてが押し流されていき、かつて空を点々と彩り、気の遠くなるほどの広大な宇宙を突き進んでいた無数の巨大な天体は、その数を減らし崩壊し、空は黒一色のとばりに覆い尽くされ、ごくまれにぼんやりした光点が見えるばかり——その光もいよいよ淡く暗くなっていく。

いつ塵が集まりだしたのか知る者はないが、はるか昔、忘れ去られた時の夜明け、記憶されることも悼まれることもなく星々は死んで消滅していった。

それがこの塵の核となった。その星々は、いまその完成に近づいている宇宙の終焉の先駆けだった。最初に燃え尽き、死に、崩壊して無数の原子と化し、それがキノコ雲のように膨れあがったのち、最初に無に帰してひと吹きの塵となったのだ。

そのわずかな塵が徐々に寄り集まって雲となり、その雲が集まって海になる。そしてその海がまた集まって化物じみた大海となり、塵の大海はゆっくりと波を打つ。塵は漂い出てくる——死んだ星や死にゆく星から、疾走する恒星と恒星の衝突から、飛び過ぎる流星から、尾を引きつつ虚空から炎をあげて飛び出し、奈落の底へまっしぐらに落ちていく彗星から。

塵は拡散に拡散を重ねた。外縁の深宇宙に巨大な黒い染みが広がると、天空の淡い光は薄れていった。たちまちに飛び過ぎた何万年何億年何兆年のうちに、宇宙塵はしだいに集まり、星々の群れは痩せ細っていく。かつて宇宙は無数の星々、惑星、太陽からなっていた。しかしそれらは、生命や夢のようにはかなく、ひとつまたひとつと薄れて消えていった。

最初に消えたのは小さな星々で、大きな星々がそれに続き、その上昇の階梯はどこまでも続き、ついにはだれはばかることなく燃え盛っていた巨星——宇宙を呑み込んでゆく塵と夜の領域を貫いて、白くごうごうと輝いていた——にまで達した。宇宙塵の忌まわしく情け容赦ない侵略はとどまるところを知らず、小さな隕石を揉み消し、無力な衛星を呑み込み、跳躍しつつ宇宙の漆黒の果てから果てへと疾走する彗星——堂々たる尾を閃かせ、すでに塵に支配された無限の領域を引き裂いて、大胆に道を切り開いていく——の周囲に渦を巻き、惑星につかみかかってその生命を吸い尽くし、憎悪と怨恨をもって星系の君主らの周囲に押し寄せ、生命の有無を問わずその領土を奪っていった。

宇宙塵はいよいよ濃く、たゆみなく濃くなりまさる。そして巨星たちはもはや、虚空のかなたを巡る同類たちの渦を見ることもかなわなくなった。かくしてかれらは茫漠たる虚無をひとり寂しく轟音をあげて渡り、絶望のうちに行方をくらました。壮大なる孤独に輝かしく美しく燃え、孤独な敗北と死に沈んで姿を消していったのだ。

かつて無数の大群をなして天空を彩った星々のうち、唯一残ったのはアンタレスだった。最大の恒星であったアンタレスはひとり残り、この宇宙最後の天体となって、かつて知性を持ち、かつて生を受けた最後の種族の住処となっていた。その種族は、暗みゆく天をなすすべもなく見守り、抵抗を試みる星々を惜しみつつその数を数えた。星が瞬いて消えるたびに胸が張り裂ける思いをした。星がまたひとつ抵抗をやめて塵の波に呑まれるたびに、国歌に新たな一節が加わる。その言いようもない調べが、あくまでも暗澹たる宿命の讃歌が、死にゆく種族ひとりひとりの胸に厳粛なハーモニーを響かせた。塵を食い止めるため、そして大気を保持するために、かれらは惑星の周囲に巨大な水晶のドームを築き、そのドームの中から無言の見張りを続けた。かなたの闇の領域から影はいよいよ急速にその触手を伸ばし、いよいよ容赦なく最後の星々を呑み込んでいく。天文学者の仕事はしだいに簡単になっていったが、それはアンタレスで最も悲しい仕事だった。かつてあり、これからもあるすべての上に、死と忘却が黒いとばりを広げるのを観測することなのだから。

アンタレスをべつにすれば、最後の星はミラだった。ミラの光は氷のように淡く、いよいよ力なく瞬いて――ついに消えた。この全宇宙にあるのは、四方八方どこまでも限りなく広がる塵、そしてアンタレスだけとなった。天文学者たちは、死にゆく星々が屈する前にその姿を目に焼きつけようとしていたが、そのかれらももはや天を仰ぐことはなくなった。頭上の空間をもはや見渡すこともない――どこを見ても塵が渦を巻き、息詰まる闇が宇宙を包み込んでいる。かつては深淵じゅうに病みつつも美しい星々が無数に散りばめられ、白くかすかに輝いていた――が、いまはそれもない。かつて空には光があった――いまはない。かつては暗い天蓋を微かな燐光が彩っていた――いまあるのは黒檀のように重く垂れ込めるとばり、無明の闇の領域、時空を無限に覆い尽くす暗黒のみ。


「われわれが再びこの〈霧の間〉に集まったのは、解決策を見つけようと期待してのことではなく、われわれに最もふさわしい滅びの道を見つけるためだ。今回集まったのは、塵を制圧できるという虚しい希望のためではなく、たとえ消え去るとしても勝利は可能という希望のためだ。勇敢に死を迎える以外に、われわれがこの戦いに勝利する道はない」

演説者はいったん言葉を切った。周囲には広間という名の空間がどこまでもそびえ立っている。頭上はるかにぼんやりと広がる天井は、どこともつかぬ夢のようなかなたに流れるごとく溶け込んでいる。その天井を支える壁は遠すぎて見えず、また巨大な柱は、途方もない間隔を置いて、滑らかな大理石の床からどこまでもそそり立っている。その文字どおり計り知れない巨大さのゆえに、広間にはつねにかすかな靄が垂れ込めているようだった。はるかにかすむ演説者は、眼前の聴衆の海から一段高い金属製の演壇に身を預けていた。しかし現実には彼は演説者ではなく、かつて地球と呼ばれた星に住んでいたような生物でもない。

いまははるかな昔、深淵が星々で彩られていたころ、天空に散らばっていたさまざまな天体とくらべると、アンタレスの条件は極めて特異だった。そのため、ここでは生命はまったく異なる道筋をたどって進化した。アンタレスは、太古の混沌から生まれた最大の恒星だった。そのため他の恒星よりはるかにゆっくりと冷えていき、おかげでそこに生まれた生命には、何百万何千万どころか何十億年という生存期間が保証されることになった。

誕生した生命は、単純な形態から陸上巨大生物の時代を経て、一歩一歩段階を踏んで進化していった。他の星々で文明がその頂点に達し、惑星じたいは冷えて生命を失いつつあったころ、アンタレスではようやく強大な文明が生まれようとしていた。その後、この星は戦争の時代に突入し、凄惨きわまる破壊劇が繰り広げられたあげく、〈二日間戦争〉によって八十五億の人口のうち七十億が虐殺された。この二日間の殺戮のすえに、ついに戦争は永久に終わりを告げた。

そのときから黄金時代が始まった。アンタレス人の精神はいよいよ巨大化し、それに反比例して肉体は矮小化していき、ついにその流れは行き着くところまで行き着いた。いま演説者の前にいる聴衆は、全員が黒くねばねばした巨大な塊だ。そのひとつひとつが巨大な頭脳であり、思考のために生きる性をもたない存在だった。化学研究所で形成される組織に、人工的に生命を宿す方法がはるか昔に発明されたからである。こうして性は存在しなくなり、人々はもはや子育てに時間を費やす必要がなくなった。それで生まれた膨大な余剰時間はほとんど科学の進歩に費やされ、その結果この星は大きく前進して、かつて例のない進歩の時代を迎えたのだ。

人々は短期間のうちに〈脳髄〉となり、アンタレスの寄生虫や細菌を完全に駆除することによって、またみずからの有機的構造を変化させることによって、そして生きようと意図することによって、不死に近づけることを発見した。時間と空間の秘密を発見し、宇宙の広さを知り、その最果てにおいて空間がいかにして自己消滅に至るかを知った。生命が自己を創造し、その存続期間をみずから決定していることを知った。そして生きるのに倦むとみずから死んで二度と生き返らないことを知った。死は生命の最終的な化学変化だから、再びよみがえることはないのである。

かれらはいまそれぞれの形状で、演説者の前に広大な海のように広がっていた。望めばどんな形をとることもできるのだ。その全能の精神によって、かれらは自分自身を完全にコントロールしている。ふだんは半剛体だが、移動するときはその形状をゆるめて、斜面を流れ下るインクのようにこちらからあちらへと流れていく。疲れると円盤状に平らになる。考えを述べるときは、固化した液体の柱のようにそびえ立つ。また抽象的思考に没頭したり、心中に生み出した無限の世界に没入して楽しんでいる——かれらはよくそこを散策するのだ——ときは、巨大な眠る球体のようになる。

演説者自身からはなんの音声も発せられていなかったが、その思考は目の前の知性ある会衆に伝えられていた。〈脳髄〉の思考は、かれらの精神がそれを許す場合には、電磁波と同様に周囲の存在に瞬時に伝わる。アンタレスは乱されることのない静寂の星だった。

〈大脳髄〉の思考は引き続き流れ出していく。「われわれは昔、破滅が近づいていることを知った。できることはなにひとつなかった。もちろんそれは大した問題ではない。存在というものは、だれの利益にもならない無用の長物だからだ。だがそれでも、記憶にない年のその会議において、他の星はともかくとして、せめてわれわれ自身の星を救う道はないか、意欲のある人々に考えてもらうことにした。報酬は提示されなかった、適切な報酬などというものはないから。〈脳髄〉が受け取るのは、かつて生み出された最も偉大な者のひとりとしての栄光だけであっただろう。そしてわれわれも、その栄光の結果を味わうのみだっただろう——これまでも、そしていまでも不可避と考えられている〈宿命〉が、ついに克服されたと知ることによって。自己を創造し、事実上至高の存在であるわれわれが、生命と時間と宇宙を襲ったかつて最も重大な脅威、すなわち宇宙塵を打ち負かしたことによって、真に至高の存在となったという事実から喜びを得るだけだったであろう。

われわれのうちで最も知性ある〈脳髄〉たちが、何百万年とも知れぬ歳月、このたったひとつの問題を考えつづけてきた。それ以外の思考はすべて排して、この問いだけを考えつづけたのだ——どうしたらあの塵を食い止めることができるか。かれらは数え切れないほど対策を生み出し、それを徹底的に検証した。だが、すべて失敗に終わった。塵の塊を融合させて新たな白熱する星々を生み出せるのではないかと、虚空めがけて制御不能の雷霆《らいてい》を飛ばし、惑星から惑星に届くほどの炎の弾幕を送り込んだ。塵はかすかに磁性を帯びているから、〈宇宙〉の各所に巨大な磁石を設置して、塵を集めて固形化するか、そのほとんどを虚空から除去しようとした。われらが星の周辺領域で、最も強力な化合物を爆発させて恐るべき混乱を引き起こし、それによって塵を激しくかきまわし、その混沌から創造の嵐を起こそうともした。やむことなく押し寄せる塵を破壊光線によって吹き飛ばし、十億マイルの道を切り開いてもみた。ベテルギウスの生命を犠牲にして、そこに巨大な真空生成機を据えつけ、のび広がり唸りをあげるその機械によって〈宇宙〉から塵を吸い集め、ベテルギウスにそれを堆積させようともした。途方もない量のガスを放出し、それに点火して、噴出する灼熱の火焔で塵を切り裂き、後退させたこともある。破れかぶれになって、〈エーテル喰い〉に助力を請うことさえした。しまいにはわれわれの意志力を奮って、迫り来る大波を押し戻そうとまでした。しかしなんの甲斐もなかったのだ！　なんの成果があったというのか。塵はいったんは退却し、歩みを止める——だが、また膨れあがって前進してきた。無言のまま勝ち誇って戻ってきて、恐怖に駆られ悪夢に囚われた空間に、ふたたび漆黒のとばりを降ろすばかりだった」

声もない悲しみのうちに、〈大脳髄〉の千々に乱れた思考がうねりのように立ちあがり、〈霧の間〉に満ち満ちた。「化学者たちはかつて例のない激しい執念を燃やし、宇宙塵を打ち負かすことのできる者を生み出そうと、〈超脳髄〉の生成に没頭した。われわれの発生に用いられる化学物質に手を加え、型や形状を変え、ありとあらゆる手段を用いて実験した。その結果はどうだったか。生まれてきたのは猛り狂う怪物、正気を失った忌まわしい者ども、見るにたえない魔物、貪欲で醜怪な化物で、その精神にひしめく名状しがたくおぞましい妄想をでたらめに吐き散らすばかりだった。われわれは、わが身を守るためにかれらを殺した。そしてそのあいだも、塵はいよいよ迫ってくるのだ！　われわれは、この世にある〈脳髄〉全員に助けを求めて訴えかけた。忘れられ、夢のベールに包まれた何百年ものあいだ、ありとあらゆる助力を求めて訴えつづけた。ときに計画が提案されることもあり、しばらくのあいだ塵に大きな打撃を与えることもあったが、最後には決まって失敗に終わった。

宇宙塵の勝利は目前に迫っている。残された時間はほとんどなく、いまとなってはわれわれの努力が無に帰すのは間違いないだろう。しかし、年老いた〈脳髄〉であれ巨大な新しい〈脳髄〉であれ、まだ試されていない手段を思いつく者がいないともかぎるまい。そういうわけで、前回から一万二千年以上もへた本日、こうしてみなに集まってもらったというわけだ」

〈大脳髄〉の思考の流れが止まると、緊張に固く張りつめた静寂がゆるみ、広間の空気が和らいだ。広大な〈霧の間〉を満たしていた電波は鎮まり、長いあいだ奇妙な静けさが垂れ込めていた。しかし、聴衆はいっときも静止してはいなかった。演台の前の海は、思考波がよぎるたびに小さく波打ち、またうねっていた。しかし口を開こうとする〈脳髄〉はおらず、のろのろと時間が経つにつれ、広間を満たす波はふたたび静まっていった。

演台上の〈大脳髄〉は細い円柱状になり、空中に高くそびえあがって揺れていた。何度も何度も広間を見まわし、無数の〈脳髄〉たちのなかに提案をしてくる者がいないかと、うねり盛りあがる海の奥に目を凝らした。しかし一分二分と待っても、なんら反応もないまま時間ばかりが過ぎていく。そして、定められ変えようのない終焉の悲しみが、最後の種族全員にしみわたっていった。〈脳髄〉たちは瞑想に身を包みつつ、塵が迫ってくるのを眺めた。嘲笑うかのように勝ち誇り、アンタレスを覆うドームに押し寄せてくる。

〈大脳髄〉は返事を期待していたわけではない。塵と戦っても無益だと、もう数百年も前から考えられていたからだ。その予想（期待ではないが）が当たっていたと知って、〈大脳髄〉は緊張を解いて身を横たえた。会議は終わったという合図だ。

しかしその動きがまだ終わらないうちに、海の中心深くから激しい上昇波が起こった。その一角が凝集し、たちまち盛りあがっていく。噴水のように吹きあがり、天井に向かって沸き立ち、しまいには煙の柱のようになった。細くゆらゆらと揺れながら、その〈脳髄〉の頂点は広間上方の暗がりから仲間をじっと見おろしている。

「私は絶対確実な手段を見つけた！　この〈赤い脳髄〉が宇宙塵を屈服させたのだ！」

〈脳髄〉たちのあいだに恐ろしい緊張が走った。まるでその叫びに麻痺したかのようだった。声なき叫びは揺れながら〈霧の間〉を貫き、はるかかなた、夢を見る者もないうつろな大理石の墓所にまで鳴り響いた。緊張を解きかけていた〈大脳髄〉はふたたび身を起こした。多数の〈脳髄〉たちはいきなり円を描くように動きだし、そのさまは海に奇妙な渦巻が起こったかのようだった。気がつけば、〈赤い脳髄〉はその海のまんなかに高くそびえ立っていた。海はいまでは円形劇場の形をなして、全〈脳髄〉がその中心に視線を注いでいる。押し殺した期待と希望に、広間の空気が帯電して火花を散らしている。

〈赤い脳髄〉は化学者による後期の創造物のひとつで、より完璧に近い〈脳髄〉を作り出す実験中に生まれてきた。以前に作出された者はすべて黒かったのだが、化学物質中の不純物のためだろうか、この〈脳髄〉はきわめて暗いくすんだ赤色を呈していた。仲間たちは驚きをもって見守ったが、その思考の多くが理解できなかったために驚きはいよいよ強まった。その内にどんな考えがよぎっているのか、他者に伝わる部分ですらおおむね理解の範囲を超えていたのだ。どう判断してよいやらだれにもわからなかったものの、〈赤い脳髄〉は以前から多くの期待を集めていた。

だから〈赤い脳髄〉が声を発したとき、他の者たちは周囲に大きな輪を作り、精神を受信状態に開いて説明を待った。横たわり、無言のままどんな策があるのかと期待していた。そういうわけで、なんの備えもなく身を横たえているところへそれは襲ってきたのだ。

というのは、〈赤い脳髄〉は宙にそびえつつ、ゆっくりと、しかしいらいらと揺れはじめ、そして揺れながら、リズミカルな詠唱のようにその思考をあふれ出させたのだ。滑らかな細い柱となって仲間たちのうえにそびえ立ち、その高らかな頂点の揺れはいよいよ早くなり、そわそわとした震えがさざ波のようにその全身を上下する。そしてその異質な詠唱はいよいよ強まり、やがて熱狂的な讃歌に変質して、過去の美を、現在の栄光を、そして未来の光輝をほめたたえた。やがてその歌は称賛のうなり、高揚の怒号となり、全身を走る強烈な歓喜の声はこうくりかえした――「〈赤い脳髄〉は塵を屈服させた。〈赤い脳髄〉他の者は失敗したが、彼は失敗しなかった。〈赤い脳髄〉をたたえて国歌を演奏せよ、なぜなら彼は勝利したから。彼を指導者にすえよ、なぜなら塵を屈服させたから。彼を崇めよ、だれよりも偉大であると証明したから。彼を礼拝せよ、アンタレスよりも、宇宙塵よりも、この宇宙そのものよりも偉大な者だから」

だしぬけに歌はやんだ。〈脳髄〉たちは面食らって目をあげた。〈赤い脳髄〉はしばしうなずくような動きを止め、仲間たちへの思考の流れをせき止めていた。しかし、その全身は独楽のようにまわりだし、やがて猛烈な速度で渦を巻きはじめた。とつぜん、その渦から敵意に満ちたものが噴き出してきた。〈脳髄〉たちが状況を把握するより早く、みずからを守るために心を閉じるより早く、〈赤い脳髄〉の憎悪と死に満ちた意志がほとばしり、脈動しつつ周囲の無防備な精神に襲いかかった。竜巻のように回転しながら、〈赤い脳髄〉は憎悪をまき散らした。ふくらみかけた風船のように、他の〈脳髄〉たちはその周囲に身を横たえた。冷えていくガラスの泡のように、かれらの表面は一瞬ぴんと張りつめた。そして針で突かれた風船のように、なぜならかれらの思考が、したがってかれらの生命が（というのも思考は生命だから）消滅したために、かれらはぺしゃんこにつぶれ、たちまち溶解してせつな粘液の池と化した。〈赤い脳髄〉の思考は押しとどめるすべもなく広間に吹き荒れ、破壊された〈脳髄〉たちは数十数百と固まってその池に沈んでいった。グループごと、区画ごと、円形劇場のぐるりをめぐる通路ごとに、一瞬の油断でとどめを刺されて倒れていったのだ。どろりとしたインクの池はしだいに集まり、ともに流れ、ゆっくりと進むうちに瀝青《ピッチ》の川となって、かすかな衣ずれのような音を立てて大理石の床を流れていく。

宇宙の希望は〈赤い脳髄〉にかかっていた。
しかしその〈赤い脳髄〉は狂っていたのだ。

幻夢の館の創立者たち――競作〈鏡像奇譚〉

鏡の中の影

The Sheraton Mirror

オーガスト・ダーレス
August W. Derleth
髙橋まり子訳

「鏡」は怪奇小説の題材として馴染み深いものである。ここで、アーカムハウスを興した二人が書いた、鏡の物語をお楽しみいただきたい。まずはダーレスから。ニューオーリンズの三人姉弟の元に届いた一通の手紙。それは、父とも自分たちとも不仲だった伯母の死を告げるものだった。伯母は屋敷と全財産を三人に遺すという。願ってもない幸運のように思えたが……ホームグラウンド、ウィスコンシンを舞台にしたこの怪談は、『ウィアード・テールズ』一九三一年九月号に発表され、「川風の吹くとき」と同じく *Someone in the Dark* に収録された。

その手紙は姉弟三人に宛てられていたので、長女のメローラ・ペパロールが封を開けた。「まあ、弁護士からだわ。タリアフェロー、弁護士からよ！」

弟のタリアフェロー・ペパロールはうなずいた。「なんて書いてあるの？」

次女のタルーラ・ペパロールは封筒を取り、消印に目をやった。「ウィスコンシンから送られてきたのね。ひょっとして、ハティ伯母さんが亡くなったって書いてあるのかも――かなり長い間、病気を患《わずら》っていたから」

「あら、本当にそう書いてある」メローラが言った。「それと」手紙越しにタリアフェローに目をやった。「伯母さんがわたしたちに家と財産一式を遺《のこ》してくれたって！」

タルーラは唖然としていたが、急に笑いだした。「ちよっと待って。伯母さんはわたしたちのことをずっと嫌っていたのよ。それなのに、全財産をわたしたちに遺すなんて！」

タリアフェローは嗅ぎたばこ入れを取り、険しい表情を浮かべながら蓋を開けた。「何か裏がありそうだな。ちゃんと読んだの、メローラ？」

メローラはもう一度手紙に目を通した。「姉弟三人とも向こうの屋敷で暮らすこと――条件はそれぐらいね」かすかに眉根を寄せたが、すぐに表情が和らいだ。「悪い話じゃないと思うけど、タリアフェロー。この家だって、いい値段がつくだろうし。ニューオーリンズにはずいぶん長く住んだから、少しのあいだ、北のほうで暮らしても、いいんじゃない」

「ちょっと待って、手紙には『残りの人生を、相続した屋敷で暮らすこと』って書いてあるぞ――さすがに少しのあいだじゃないだろう」タリアフェローは姉から手紙を取って、隅々まで読んだ。

タルーラが言った。「で、行くの、行かないの？　わたしは行ったほうがいいと思う。伯母さんの全財産をもらったら、今よりもずっと快適に暮らせるわよ」

メローラも続けて言った。「メイドを雇えるわね。たぶん執事も、タリアフェロー」

タリアフェローはとまどっていた。「気が進まないな。ハティ伯母さんのこと、ずっと嫌っていたんだぞ。なのに、いまさら伯母さんの遺した金を受け取るなんて、どうかしてるって。言わせてもらえば、ぼくたちに伯母さんの財産を相続する権利はない。ぼくが伯母さんにしたことや、伯母さんがぼくたちにしてきたことを考えたら」

「もっと堂々としていればいいの、タリアフェロー」メローラが言うと、タルーラもそうだとばかりにうなずいた。

「仕方ないな」タリアフェローは言った。「だったら、今日、弁護士に返事を書かないと」

ペパロール家の三人はウイスコンシン州にやってきた。この小さな町で伯母のハティは死ぬまで暮らしていた。タルーラに言わせると、この地でペパロール家の姉弟をずっと嫌っていたわけだ。何はともあれ、三人はアメリカ中西部の昔風の邸宅で、ニューオーリンズのときと同じようにひっそり暮らすことになった。

二階建てで、玄関を入ってすぐの正面側と屋敷の奥側に、それぞれ階段があるのが特によかった。町一番の大きな家で、使用人の部屋もある。もっとも、そういう部屋はせせこましかった。一階の大部分は、目を見張るような居間と、かなり凝った造りの食堂で占められていた。二階は主に寝室だ。長女のメローラは、伯母が使っていた部屋を選んだ。広々としていて、シェラトン様式（十八世紀末の英国の家具デザイナー、トーマス・シェラトンに代表される家具様式）の鏡が備えつけられた化粧台が置いてある。タルーラは姉の部屋の隣にある、来客用の寝室で構わないと言った。タリアフェローは廊下の奥の部屋を使うことにした。

　しばらくして新居に慣れると、築数十年の古臭さは感じられるものの、思ったより快適に過ごすことができた。

「よく考えたら、もっと早く伯母さんの全財産をもらうことだってできたのよね。あなたのことがなかったら、タリアフェロー」メローラは嬉しそうに目を輝かせた。

　三人は居間に立っていた。タリアフェローは昔を思い出したのか、苦笑している。「この部屋で、ぼくは伯母さんにひどいことを言ったんだ」タリアフェローは言った。「なんて言ったか覚えてる、メローラ？」

　メローラは頭を振り、代わりにタルーラが答えた。

「覚えてる。『ブスでババアの魔女』とか、『意地悪なお節介女』とか。とどめに、あんたなんか死んだほうがマシだなんて言っちゃって」

　タリアフェローは思い出してうなずいた。「今だって、謝る気はないね」と言った。「当然じゃないか。もっと言ってもいいぐらいだ。父さんの問題にまで干渉して」そこまで言って、口ごもった。言い切る自信が揺らいだのだ。「だいたい、伯母さんも真に受けなきゃよかったのに」すぐに言葉を続けた。「あの頃のぼくはまだ子どもだったんだし、時がたてば、それぐらいは大目にみるってものじゃないか」

「伯母さんが怒っていたのは父さんがあなたをちゃんと叱らなかったからじゃないかしら」メローラはゆっくりした口調で言った。「だから、しまいには、伯母さんの怒りが憎しみに変わったんだと思うけど」

　タリアフェローはどうでもいいと言いたげに肩をすくめた。「でも、伯母さんは死んで、この世にいないんだ、お気の毒様」

「伯母さんが聞いたらさぞかし喜ぶでしょうね。あなたに、『お気の毒様』って言われて。ねえ、タリアフェロー！」タルーラが言った。

　メローラは急に思い出したように口を開いた。「父さんが亡くなる前に、伯母さんが送って寄こした手紙って見たことある、タリアフェロー？」

「手紙なんて見たことないけど」

「そこには、恨みつらみがびっしり綴られていたの。あなたが伯母さんにひどいことを言ってから、何年もたっていたのに。伯母さんはあなたに罰を与えなければならないって、ずっと思っていたのよ。いつか、あなたに会ったら、罰を与える――その機会をずっと待っているって。それと、タルーラとわたしにも、罰を与えないといけないって書いてあった。あなたをかばったから」

タリアフェローは嗅ぎたばこ入れをいじった。「あ、そう。どうでもいいけど。今となっては、伯母さんにたっぷり礼を言わないと」

もっとも、当のメローラはタリアフェローの言葉を聞いてなかった。弟の向こうに見える廊下に視線を向けている。「廊下に誰かいない、タルーラ?」いきなりメローラが訊いた。「なんだか――」

タルーラはすぐにその場を離れてカーテンを開け、廊下をのぞいた。「誰もいないわよ」そう言うと居間に戻った。

メローラは肩をすくめた。「あそこに誰かが立っているって思ったんだけど。カーテンの隙間から、こっちを見ていた気がして。メイドかしら?」

タルーラは頭を振った。「メイドが来るのは明日からよ。執事も今夜はまだ来ないわ」

「変ね! 絶対に誰かいるって思ったのに」メローラはためらいがちに笑った。「そろそろ夕食の時間ね」そう言うと、台所に行った。

タルーラが言った。「わたしもすぐに行く、メローラ」振り返って、正面の階段を上がろうとしたが、ふいに立ち止まり、タリアフェローに声をかけた。弟はまだ居間で突っ立っていた。

階段をのぼりきったところで、タルーラは絨毯《じゅうたん》敷きの廊下を見つめていた。部屋に戻ろうとしたとき、サテンのスカートを揺らしながらメローラの寝室に入っていく人影が見えたのだ。タルーラは歩きながら考えた。どうしてメローラは部屋に戻ったのだろう。夕食の支度に取りかかっていたはずなのに。姉の部屋のドアに近づくと、奥の階段から、衣擦れの音がかすかに聞こえてきた。とっさに振り返ると、メローラが少し息を切らしながら、階段を上がっていた。

「どういうこと、メローラ」タルーラは驚いた声を出した。「今、部屋に入っていくのを見たばかりなのに」

「そんな馬鹿な。今まで台所にいたのよ、タルーラ。ハンカチをどこかに置き忘れたから別のを取りにきたの」メローラは妹に近づいた。

「そうよね、今日、姉さんはサテンの服なんか着ていなかったんだし」タルーラはメローラに言った。

メローラは立ち止まって、じっとした。「サテンって言った、タルーラ？」

タルーラは怪訝《けげん》そうにメローラを見た。「サテンのスカートを穿いた人がメローラの部屋に入っていくのを見たの」タルーラは言った。「この目でちゃんと、本当よ」

メローラは言った。「確か、居間でわたしたちを見ていたのも、サテンの服の女だった。廊下に立っているのを見た気がしたの」

タルーラは力なく笑った。「それ、たぶん幻よ。ここに越してきて、片づけに追われたから、みんな、すごく疲れているんじゃないかしら。メイドと執事が来てくれるのが楽しみね」

メローラはそれ以上何も言わなかった。そそくさと部屋に入り、ハンカチを取った。そして、夕食の支度をしに、妹と一緒に階段を下りた。


ペパロール家が財産を相続した数日後、弁護士が訪ねてきたので、お茶を飲みながら話をした。その場にタリアフエローはいなかった。

タルーラが訊いた。「伯母は病気が悪化して亡くなったんですか？」

弁護士はしきりにまばたきをした。「いや、その、なんと言いますか。わたしはここにいなかったので——つまり、この家に来ていなかったので——そのときは」

メローラは弁護士がしどろもどろな答え方をしていると思った。「ごまかそうとしていた」と、弁護士が帰ったあとに思わずぼやいたぐらいだ。だから、すかさず質問をした。「伯母の主治医はどなたですか？　弁護士さんならご存じですかと」

弁護士は咳払いをした。「メーソン先生です。通りの先にお住まいの。ただ、最後に伯母様を診察したのは、亡くなる十日ほど前でして」

タルーラは言い返した。「でも、それって、完全にほったらかしだったということですよね」

メローラも妹の言うとおりだとばかりにうなずいた。「だったら、主治医の先生に会ったほうがよさそうだわ」

ようやく、弁護士は再び口を開き、しぶしぶ話し出した。「ああ、手紙でお伝えしたつもりでしたが、書きそびれたようで。ええっと、伯母様は少しずつ回復されていました。実際、起き上がれるようにもなっていたんです。そんなある日、また痛みがぶり返したから診てほしいと医者に訴えましてね。ただ、医者は午後にならないとここに来られなかったんです。

「医者が到着したのは、伯母様がお亡くなりになったあとでした。医者に落ち度があったわけではありません。伯母様は痛みで亡くなったのではないんです。どうやったのか——つまり、その、スカーフを寝室のシャンデリアに結んだんです。かなりしっかりと」弁護士は動揺しながらも、話し終えた。

　メローラは手を震わせながらカップを置いた。みるみるうちに、顔から血の気が引いていく。

「自分で首を吊ったということですか？」タルーラはためらうことなく訊いた。

　弁護士はうなずいた。

　メローラは言った。「話していただいてよかった。できれば、今の話をタリアフェローには言わないでいただけますか。ええ、弟にです。あの子は丈夫ではないので、ショックを受けさせたくないんです」

「わかりました。では、わたしからは何も申し上げません」弁護士は笑顔で言った。「ただ、もう知れ渡っているので、永遠に隠し通すのは難しいかと」

　メローラはうなずいた。「確かにそうでしょうね。それでも、弟には黙っていていただけると、ありがたいです。わたしたちはそういうことを気軽に話せるほど社交的ではないので」

　弁護士は笑みを浮かべてうなずくと、話題を変えて、ペパロール家が住むウイスコンシン州の今後の気候の変化について話した。ようやく立ち上がり、椅子に座ったままの姉妹を残して、帰っていった。

　タルーラは怪訝そうに姉を見つめた。「信じられないわ、メローラ。伯母さんはわたしたちのことを、ものすごく嫌っていたのよ。それなのに、わざわざわたしたちに全財産を遺すようなことをするなんて」無意識にブレスレットをいじりながら言った。

　メローラはうなずいた。「本当に妙だわ。わけがわからない、タルーラ。何かおかしいわね」

「ねえ」タルーラはすかさず言った。「感じない？」

　メローラはぎくりとした。「感じないって？」と鋭く言い返す。「どういう意味、タルーラ？」

「別に」妹は言った。「なんでもない——ただ——気になっただけ、メローラ。ここに、この家に、誰か隠れているんじゃないかって。感じるのよ。見られている気がするっていうか。ああ、ぞっとしてきた。怖いわ、メローラ」

　メローラは口を開いた。「それ、わたしも感じる。確かに誰かに見られている気がするの——女の人に……黒いサテンの服を着た」

タルーラはふいに言葉を飲みこみ、廊下から聞こえてきた足音に耳を澄ませると、メローラのほうへ体を寄せ、ざらついた声でささやいた。「ハティ伯母さんはいつも黒のサテンの服を着ていたわよ」

タリアフェローが部屋に入ってきて、椅子に座った。

「弁護士が来てたの？　なんか言ってた？」

「大したことは何も」メローラがそっけなく答えた。

タルーラはメイドにティーカップを片づけさせた。ほどなく、タルーラは正面の広い階段を上がったところでメローラと鉢合わせした。思わず、びくっとした。今すぐ一緒に部屋に来てほしいと言われたのだ。

「気味が悪いの」メローラはそう言うと、妹と一緒に廊下を進んだ。「ものすごく気味が悪くて、タルーラ。部屋に来てくれない。一緒に見てほしいんだけど」

ふたりはメローラの寝室に入ったが、タルーラは異変に気づかなかった。「気味が悪いって、どこが？」

「鏡よ。わからない？」メローラはぴりぴりしている。

シェラトン様式の鏡に、うっすら黒ずみができていた。とっさにタルーラは鏡に近づき、黒ずみをこすり取ろうとした。

「取れないわ」メローラは言った。「ここに越してきたときはなかったのよ、タルーラ。どうして、できたのかしら。近くでよく見て。黒ずみは鏡の表面にできたんじゃないってわかるから――鏡の中にできているって」

「鏡の内部が傷ついているんじゃないの、メローラ」

「今頃になって、こんな黒ずみができるなんて変よ。鏡が置かれてから、何年もたっているのに」メローラは怪訝そうに言った。「伯母さんはわたしたちが生まれる前からこの鏡を使っていたのよ」

「確かに気味が悪いわね」タルーラはゆっくりと部屋を出た。「でも、心配することはないわよ――鏡がだめになったわけじゃないんだし」


夜、タルーラはメローラが部屋のドアをそっとノックしたのに気づいた。姉のくぐもった声がする。「起きてる、タルーラ？」

すぐにタルーラはベッドから降りると、パジャマの上にガウンをはおって、ドアを開けた。部屋の前に立っていたメローラはキモノを身につけ、顔から血の気が引いて、げっそりしていた。不安そうに手をもぞもぞさせている。

「どうしたの？」タルーラはすかさず訊いた。

「部屋に来て。もう一度鏡を見てほしいの」

タルーラはメローラの恐怖心を無視したかったが、顔を見ると放っておけなかった。何も言わず、姉のあとから部屋に入った。

メローラの部屋は煌々と明かりがついていた。姉は急ぎ足でタルーラよりも先に部屋に入り、ここぞとばかりに鏡を指さした。タルーラは息をのんだ。鏡の黒ずんだ部分はあきらかに変化していた。いくらか広がっていて、そこに何かが映し出されている。ぼやけてはいるものの、それがなんなのか、あらかた見当がついた……。とたんにタルーラは不安になったが、姉の心配そうな顔を目にしたとたん、怖がっているところを見せるわけにはいかないと思った。

「光の反射じゃないの」タルーラはとりあえずそう言ってみた。

メローラはうなずいた。

「部屋かどこかで、何か吊るされているようにも見えるけど」タルーラは姉をじっと見つめながら言った。

「タルーラ、なんてことを！」メローラはそう言い返したものの、妹の話をもっと聞きたかった。言葉にするのも怖くて黙っていたことを、タルーラに確認したかったのだ。

「でも、やっぱり、何か吊るされているみたい――たぶんシャンデリアから」

メローラは妹にそう言われて、ざわついた心がすっと落ちついた。少しだけ呼吸が楽になった気がする。差し迫った危険を察知したものの、今すぐ戦う必要がないとわかり、恐怖心が和らいだとでもいうように。「つまり、わたしたちはふたりとも見えているし、同じように感じているってことね」そう言うと、ためらいがちに笑みを浮かべた。「きっと、何か手立てはあるはずよ。黒ずみがやけに広がっているのを見て、そう思ったの。このことは誰にも言わないほうがいいわね――タリアフエローには知られないようにしないと。あの子、心臓が悪いから」

「そうね」タルーラは言った「いっそのこと、別の部屋を使ったら。じゃなきゃ、鏡を売るとか、メローラ？」

「タリアフエローが変に思うわよ。それに、何か問題が起きたわけじゃないし。きっと光の反射よ。だいたい、何が映っているのか、まだわからないんだから」

「でも、少しずつだけど、はっきり見えてきたわよ、メローラ」

メローラはおそるおそる鏡のことを考えた。そこに映った黒い影は、恐ろしいことを意味しているのだろうか。

「とりあえず様子をみるわ」ようやくメローラは答えた。

シェラトン様式の鏡にできた黒ずみのことを、タリアフェローに隠し通すのは、さほど難しくはなかった。もっとも、弟はメローラとタルーラの会話や態度から、姉ふたりが毎日やたらとぴりぴりしていたり、何かに怯えたりしていることに、いとも簡単に気づいていた。やがて、タリアフェローはメローラとタルーラに、やけによそよそしくされて違和感を覚え、姉ふたりをこっそり観察するようになった。

鏡の黒ずみはますます気がかりな状態になっていた。そこにぼんやり映っていたものが、日を追うごとにはっきりと形が浮かび上がってきたのだ。メローラはできるだけ部屋にいないようにした。ベッドに入るときは、明かりをつけなかった。察しのいい弟に気づかれないようにするためだ。そうこうしているうちに、ある日、黒ずみにぼやけて映っていた形が、鮮明に映し出された。メローラは妹より先に部屋に入り、鏡の黒い影に思わず悲鳴を上げた。

「見て!」メローラは言った。「誰かが首を吊っているわ。これ、ハティ伯母さんよ!」

タルーラはひるんで、体をこわばらせた。「なるほどね」と言葉を切ると、姉の腕をつかみ、痛くなるぐらい強く握りしめた。「わかったわ。なぜ伯母さんがわたしたちをここに連れてきたかったのか、よくわかった。伯母さんはずっと私たちのことが嫌いだった。タリアフェローが伯母さんを見たら、ショックを受けて——ああ、すべて伯母さんの思惑どおりになるってことよ!」

出し抜けに、タリアフェローがドアのところに現れた。「また幻を見たの、メローラ?」眉をひそめて、ふたりの姉を見ている。「なんでそんなに苦しんでいるのか、ちっともわからないんだけど」と不機嫌な声で言った。「何日か前に、姉さんたちの話を聞いちゃったんだ。医者に診てもらったほうがいい。気が狂ってるんだから」

「気が狂ってる! ええ、そうよ、狂ってるの」メローラがふいに言った。タリアフェローの心臓のことを忘れ、食ってかかった。「あなたの言うとおりかもしれない。そこに何が吊るされているか見えるんだから。見てよ。鏡をよく見て。ほら、そこ。わたしには、何が映っているかわかるの。タリアフェロー、ちゃんと鏡を見てよ」

タリアフェローはメローラの隣にきて、鏡を見た。

「見えるでしょ?」メローラは言葉を切った。「何が見えるか言ってタリアフェロー」

タリアフェローは怪訝そうに姉を見た。「見えるけど」

「何が見える? 言って。わたしには何日も前から見えるの。午後、夜になるにつれて、気味が悪くなっていったのよ。ねえ、言って――ハティ伯母さんよね？」

タリアフェローは言った。「わからない」

メローラはタリアフェローの返事を聞いて、はっとした。弟は伯母がここで首を吊ったことを知らない。そして、伯母が人生で一番嫌っていたのは、ここにいるタリアフェローなのだ。

少しして、タリアフェローはタルーラとふたりきりになった。「メローラは気が狂ってるって、タルーラ」タリアフェローはいきなりタルーラに切り出した。「ただの薄汚い鏡なのに――メローラは幻を見てるんだ」

タルーラは言った。「そうね、でも、わたしも同じものを見たの」気持ちを落ちつかせて答えようとしたが、弟の反応にいささか声が上ずってしまった。

「ふたりとも正気じゃないってこと？」

タルーラはふいに冷ややかな視線を弟に向けた。「あなたがそう言いたいなら、タリアフェロー――そのとおりよ！」


タリアフェローは姉から離れると、足音をたてて階段を上がり、自分の部屋に向かった。ずっと心にひっかかっていることがある。伯母に一番嫌われていたこと。徹底的に嫌われていたこと。それなのに、弟をかばったメローラやタルーラが、どうして気が狂ってしまったのか。メローラが階段を下りる音がしたので、廊下を通って、こっそり姉の寝室に行った。

タリアフェローはドアを開け、鏡を見た。特に変わったところはなかった。もやもやしたまま自分の部屋に戻った。

かたや、一階では、メローラがタルーラに話しかけていた。「どうして、あの子には見えないのかしら？　いったいどうして？」

「ちょっと、なんでわからないの、メローラ？　簡単なことじゃない？　日に日にはっきりしていく様子がわかれば、見慣れてしまうわ。でも、突然、なんの前触れもなく、いきなりあの子が気づいたら……どうなると思う？」

「つまり、伯母さんはあの部屋で突然弟に姿を見せるつもりなの？　そんなことをしたら、タリアフェローの心臓は……ああ、どうしよう、タルーラ、伯母さんがやろうとしているのって――そういうことなの？」

タルーラはうなずき、唇をひん曲げた。「伯母さんは弟を毛嫌いしていた。だから、決意した。必ずあの子に罰を与えるって――この家で」

メローラは背すじを伸ばした。「鏡を叩き割らなきゃ、タルーラ」

その頃、タリアフェローは再び廊下を歩いて、メローラの部屋のドアを開け、もう一度鏡を見た。何かが映っている――鏡の中で、何かが吊るされている。じっと見ているうちに、鏡に映っているものが揺れだし、タリアフェローに視線を向けた。ハティ伯母さんだ。タリアフェローはドアを閉めると、自分の部屋に駆けこんだ。心臓が激しく脈打っている。今のはなんだ。わけがわからない！ 思わず、階段を駆け下りた。今、目にしたものを姉に言いたくて。

しかし、一階には誰もいなかった。ふたりとも家の裏手に出て行ったらしい。ようやく、メローラとタルーラは屋敷の奥の階段を上がっていた。タリアフェローは足音を聞きながら思った。このままだと、ふたりとも伯母さんを見てしまう！ これまで何度も見ているのに、またもや、うっかりして。メローラとタルーラが二階の廊下をゆっくり歩く音がする。タリアフェローは大声で姉ふたりに警告したかった。しかし、結局は声をかけられないまま、その場に立ちすくんだ。メローラの部屋のドアが開く音が聞こえたかと思うと、ぞっとするほど静まりかえった。

出し抜けに、姉ふたりの甲高い悲鳴が聞こえた。タリアフェローは姉が何を見たのか確かめようとしたが、部屋に駆けつける勇気がなかった。正面の階段の下まで行き、二階を見上げた。階段を上りきったところに誰かが立っていて、タリアフェローを手招いている――黒のサテンを着た女だ。上がって来いと呼んでいる。タリアフェローはうろたえた。黒のサテンを着た女？ 誰だ？ 黒のサテン。いつも黒いサテンを着ていた人がいたのは覚えている。誰だ。一体誰なんだ。なかなか思い出せなかったが、ふいに名前が浮かんだ――ハティ伯母さんだ！

女は急にいなくなった。タリアフェローは恐怖に襲われた。氷のように冷たい無数の指につかまれている気分だ。しかし、さらに強い力が働いて、ゆっくり前に押し出された。おずおずと階段を上がり、メローラの部屋に入った。姉ふたりは体を寄せ合って鏡をじっと見ていた。タリアフェローが鏡に目をやると、死んだ伯母の顔がまたしても見えた。ひどく顔がゆがんでいる――しかも、何かが動いている。スカーフの端が揺れているのだ。三人とも鏡から目が離せなかった。タリアフェローはその場に座りこんだ。鼓動が不規則に高鳴っている。窒息しそうで苦しかった。姉はふたりとも弟がそばにいることにまだ気づいていないようだ。

タリアフェローは口を開け、声を出そうとした。ゆっくりと、ありったけの力を振り絞って。「伯母さんはここで自殺したんだ」とつぶやいた。「首を吊ったとき、その姿が鏡に映っていた。そうか。伯母さんは鏡に姿を捕らえられて、逃げ出せなくなったんだ」

メローラは振り返り、ようやく弟に気づいた。タルーラのほうに体を寄せ、そっと腕に触れた。「あの子にも見えるんだわ」とささやいた。「見えるのよ。伯母さんもあの子を見ている。ほら、伯母さんの目を見て!」

鏡の中の目は発光して、タリアフェローに向かって輝きを放っていた。弟は無意識に、何やらつぶやいていた。その声はしだいに大きくなっていった。「そうやって鏡の中に押しこまれて、身動きがとれなくなったんだな。ぼくたちには助けられないし、助ける気もない。ブスでババアの魔女め。ぼくたちのことをさんざん嫌っていたけど、こっちこそ、おまえなんか大嫌いだ!」

急に弟は立ち上がり、まっすぐ鏡に近づいた。前かがみになり、揺れている姿に顔をぐっと近づけた。すると、死んだ伯母は大きく目を見開いた。タリアフェローはおぞましいぐらいの大声を張り上げると、メローラの金属製のブラシを化粧台から取り、鏡を叩いた。やたらめったら叩いたので、鏡は割れて粉々になった。それから、タリアフェローは少しあとずさり、ブラシを落とすと、なんとはなしに額に手を当てた。あっけに取られた表情の姉ふたりに目をやり、力なく笑った。突然、体の中からわきあがった激しい震えに、全身包まれた。そして、かすかに、左右に体がぐらついた。

タリアフェローが床にひっくり返ると、メローラは立ち上がった。弟に駆け寄り、膝をついた。「タリアフェロー」と叫んで、体に触れた。「タリアフェロー!」振り返って妹に目をやり、叫んだ。「死んでるわ!」

今度はタルーラが悲鳴をあげた。割れた鏡の枠が残った壁を見つめている。「女がいる。姉さんの後ろ、壁のところに!」

メローラは床にうずくまったまま、身じろぎもしなかった。「違うわ、タルーラ」とメローラが言った。「タリアフェローは伯母さんを殺したの。この目で見たんだから。弟が殺すところを」

しかし、タルーラはずっと悲鳴をあげていた。叫び続けていたので、メイドが驚いて部屋に駆けつけた。続いて執事もやってきた。ふたりとも、メローラがタリアフェローのそばにうずくまって、弟の手をそっと撫でているのを見た。タルーラはメイドと執事がいることに気づいていないらしい。鏡がぎざぎざに割れて、むき出しになった壁から、目が離せずにいたのだ。

メローラがわずかに口を動かそうとしたとき、メイドにそっと肩を触られた。すると、メローラは幼い子どものような声で泣きじゃくった。「あっちへ行って、お願い。タリアフェローはあなたを殺したの――ブスでババアの魔女を。わたし、弟を見ていたの。あっち行って、ハティ伯母さん」

幻夢の館の創立者たち——競作〈鏡像奇譚〉

塗りつぶされた鏡

The Painted Mirror

ドナルド・ワンドレイ　Donald Wandrei
安原和見 訳

これまで邦訳の機会に恵まれず、クトゥルー神話か、あるいはパルプマガジンに発表した怪作ばかりが言及されてきたワンドレイだが、ここで小品ながら、幻想詩人たる彼の面目躍如たる一編を御紹介しよう。屋根裏部屋に隠された鏡は、塗りつぶされた鏡面にどのような光を帯びるのか。「赤い脳髄」とはまた異なる幻視の世界に踏み込んでいただきたい。『エスクワイア』一九三七年五月号に発表された本作も、アーカムハウスの *The Eye and the Finger* に収録された。

パパ・ケヴィがべつの都市に引っ越して、べつの古い店舗を買ってまた商売を始めたとき、ニコラスはまだ見もしないうちから、入口の外に色あせた金色の玉が三つ下がっているのを知っていた（金色の玉三つは質屋のしるし）。思い出せるかぎりずっと前からそうだった。ここで一年——売り払って引っ越し。あちらで二年——売り払ってべつの町、べつの店に引っ越し。

ママ・ケヴィが生きていたころはそうではなかった。けれどもママについては、幼いニコラスにはおぼろな夢のような記憶しかなく、それも年ごとに薄れていく。遠い昔のあのころ、三人は奇妙な珍しい品物のある場所に住んでいて、そしてずっとそこに住んでいた。しかしママ・ケヴィが亡くなったあと、変化が訪れた。数か月もすると、パパ・ケヴィはそわそわしはじめた。息子を連れて西に向かった。西に向かうにつれ、年ごとにパパ・ケヴィはいよいよ無口になるようだった。その目には奇妙な当惑の表情が頻繁に浮かぶようになって、それがニコラスの不安をかきたてた。

これまでの店と同様、この店にもさまざまな品物が所狭しと並んでいて、ニコラスは何日も夢中になった。みごとな時計、高級なカメラ、銃、楽器、棚いっぱいの衣類、指輪やブレスレット、メダル、お札や外国の金貨、曇った銀器、ひび割れた油彩画などなど、ささやかな宝物からがらくたまで、膨大な数の品々だ。

ニコラスの目にはすべてが宝の山に見えた。はるかな異国の住民のもとでどんな冒険を経てきたか、どの品物も語りかけてくるのだ。それもただ見るだけですっかりわかる。簡単なことだ、想像力を働かせればよい。パパ・ケヴィが店内をせかせかと動きまわり、陳列棚を整えたり、棚のほこりを払ったり、壺を磨いたり、取り除けるがらくたを選んだりしているとき、ニコラスはいま一番のお気に入りの品とともに片隅に引っ込むのが常だった。ニコラスは暗い物陰にひっそり紛れ込むのが得意で、そんなときはだれにも気づかれることはなかった。

そうは言っても、気づきそうな侵入者が大勢いたわけではない。パパ・ケヴィは、店にものを買いに来る客にはいつもぶっきらぼうというか無愛想だった。どんな安っぽい宝飾品にもばかばかしいほど高値をつけ、値引きには応じようとしなかった。売る気がなかったのだ。それにもめげず、時おり文句も言わずに言い値を払い、戦利品を持って帰っていく客もいる。すると、パパ・ケヴィはその日一日じゅう不機嫌だった。いっぽう、それがどんなにささやかなものでも、質草を持ってくる客は大歓迎だった。品物を鑑定し、気の毒な客を鑑定し、いくら貸せるか見積もり、少し多めに出すのだ。

ときどき、警察が盗品の捜索に来ることがあった。するとパパ・ケヴィは満面の笑みで応対する。しかしニコラスは、そういうときは姿を見せないようにしていた。どういうわけか父は警察を嫌っていて、警察が帰ったあとはぶつぶつ独りごとを言いながら店内を歩きまわっていたからだ。

あれもそういうときだった。警察の整然たる足音が開いたドアから入ってくるのが聞こえて、それがきっかけでニコラスは鏡を見つけたのだ。

あわてて店の奥に走り込んだ。そこの狭い二部屋にニコラスは父と暮らしていて、ふだんは警察が帰るまでそこにこもっているのだが、このときは重い足音が追ってくるような気がした。それで急いで階段に走った。階段に通じるドアにはパパ・ケヴィがいつも鍵をかけているし、そのドアが開いているのは一度も見たことがないのだが、このときはそれを忘れていたのだ。ドアはすんなり開いた。ほんとうなら鍵がかかっていたはずだと思い出すより早く、最初の階段を駆けのぼっていた。心臓をどきどきさせながら一心に耳を澄ましたが、重い足音は遠ざかって消えた。

次の階段をのぼりきると、そこに窓がひとつあった。楕円形汚れたガラスをのぞき込み、手で強くこすった。楕円形に汚れをこすり落とす。しかし外側の汚れのせいで、見えたのはせいぜい、一階建てや二階建ての建物の輪郭、レンガの塀、その向こうの崖、そしてその崖下を流れる川だけだった。

ふり返ると、窓から射し込む陰気な光に照らされて、物でいっぱいの屋根裏部屋が見えた。黄ばんだ紙の包み、周囲の樽も同じ紙に覆われている。縁までものでいっぱいの箱もあった。まったく新しい不思議の国だ。ぎゅう詰めの本、額縁、トランク、カバーを掛けて壁に吊るした外套、たんす、ブリキの箱、未整理のまま放り出されている物の山。丸めた壁紙があるかと思えば、こちらには筋の入ったペンキ缶、あちらには塗料が乾いて固まった刷毛もある。作業台には、錆びたなまくらの工具が放り出してあった。

ニコラスは、この新しい宝物の山をついてまわった。この屋根裏部屋を徹底的に探検するには何週間もかかるだろう。建物が完成した日から、この部屋は宝の山を溜め込んできていたに違いない。歴代の所有者はそれに手を出すことなく、新たなコレクションを付け加えていったのだろう。わずかばかりの蜘蛛の巣は、どれも長年の埃にまみれていた。

部屋のちょうど中央に屋根の頂点があって、天井はそこからななめにくだって四辺とも床と鋭角に交わっていた。屋根の肋骨をなす垂木は、むき出しで乾いてひび割れている。部屋の片隅に、その垂木にもたせかけるようにして、網戸と窓が何枚も重ねて立ててあった。ところが、その一番奥にあるのは網戸や窓ではなさそうだった。大きくて重い一枚ガラスで、どうやら鏡のようだ。

ニコラスは苦労しいしい、鏡を隠している網戸と窓を脇に引きずってどけた。これほど厳重に隠されているからには、よほど特別な鏡に違いない。最後の窓をどけたとき、ニコラスは心底がっかりした。鏡の表面は全体に黒いペンキで塗りつぶされていたのだ。そういえば、この屋根裏部屋のべつのところに、使いかけの黒いペンキの缶と、乾いた黒いペンキのついた刷毛があったのを思い出した。つまり以前の住民のだれかが、わざわざこの鏡を使えなくしたということだ。なぜだろう。割ってしまうほうがずっと簡単なのに。鏡を壊さず、それでいてその価値を台無しにするとは、いったいなにを考えていたのか。

謎と興奮が手招きしている。作業台に戻り、ノミを手に取った。ノミの刃先はほとんどなまっていたが、鏡からペンキを剝がすのには十分役に立った。黒いペンキは細かい薄片になって剝がれ落ちていく。せっせと一時間ノミをふるったら、ペンキを剝ぎ取った部分が両手を合わせたより少し広いぐらいになった。さらに一時間がんばったところで、さすがに両腕が疲れてきた。しかし、ニコラスは興奮にとらわれていた。なぜならこれは間違いなく魔法の鏡だったからだ。ペンキを剝ぎ取った部分はいまでは大皿ぐらいの広さになっていたが、その部分だけですでに明らかだった。

鏡の例に漏れず、その鏡にも像が映っていた。しかしその像はニコラスではなく、屋根裏部屋のどの物品でもなく、また屋根裏部屋の一部でもなかったのだ！　それ以上のことはわからなかった。なんの像なのか見分けることができないのだ。じれったいことに、鏡に閉じ込められた像はそのごく一部しか見えない。

疲れ果て、強い不安にさいなまれながら、ニコラスは網戸を二枚引いてきて鏡を隠した。

忍び足で階段を降りた。パパ・ケヴィが足音も荒く質屋を歩きまわっているのが聞こえ、少し気分が楽になったものの、安心はできなかった。あの屋根裏部屋には、謎の暗い心臓部に、あるいは輝く未来の目に至る道がある。ただそれも、あのドアが閉ざされなかったらの話だ。

鏡の誘惑に想像力を刺激されるあまり、その夜はなかなか寝つかれず、翌日も午前の数時間を気もそぞろに過ごした。ずっとパパ・ケヴィにつきまとっていたら、ついにあっちでおとなしくしていろとそっけなく叱られた。ニコラスは小走りに店の奥に引っ込んだが、屋根裏部屋に鍵がかかっていたらと思うと気が気ではなかった。

ドアはさっと開いた。どうやらパパ・ケヴィはドアの鍵のことを忘れているようだ。運がよければ、そしてニコラスが用心を忘れなければ、しばらくはドアに鍵をかけられずに済むかもしれない。あの屋根裏部屋を使う理由はない。パパ・ケヴィはもうあそこを調べてしまったか、在庫から除いたがらくたをしまい込んだあとなのだろうから。

階段をのぼりながら、心臓のどきどきが耳に聞こえるほどだった。大急ぎで鏡から網戸をどかした。

心臓のどきどきが止まった。彼がこの場を離れたときのまま、鏡は変わっていない。黒いペンキを削って作った大皿サイズの窓には、昨日と同じよくわからない像が映っている。ノミを手に取り、黒い膜を削りにかかった。

作業は遅々として進まず、気が変になりそうだった。膜はあまりに細かく砕け、細片というより大きさのない粉のようだ。その細かい粒子が鏡の足もとに積もり、ときには舞い上がったものが目に入って痛んだ。それでもだんだん慣れてきたうえに、この魔法の鏡がなにを隠しているのか知りたいという気持ちは募るいっぽうだった。昨日より二倍長く働いて、三倍の面積をきれいにした。鏡面全体の三分の一近くだ。

それでもやはり、どういう場面なのかはっきりとはわからなかった。荒涼たる風景の気配——本当に気配でしかない——が感じられる。入り口、穴、トンネル、洞窟、あるいは平原から険しくそそり立つ丘かなにか。そして逃げる者の手足。

虜囚が逃げているのか——なにから? なにが追ってくるのだろう——怪物か、人食い鬼か。広大な空間の先の避難所に向かって、周辺はまだ黒いペンキに隠れて見えない——

全景が現われたらどんなふうか、さまざまな想像がかけめぐる。どんな遥かな場所があの鏡には映し出されているのだろうか。魔法の鏡なのだから、ふつうの鏡とは映りかたがちがうのも当然だ。近くにあるものではなく、非常に遠くのものが映っている。あまりに遠すぎると、どこの景色なのか、ニコラスには知ることも見つけ出すこともできないかもしれない。作業の手を止めたあとも、鏡像のことが気がかりでいらいらと心は休まらず、その可能性に胸は沸き立ち、期待の熱に浮かされて震えていた。

三度めにドアを開き、また階段をのぼって屋根裏部屋に向かい、鏡が昨日のままだと確認したところで、あちこちあさって古いヤスリを見つけた。それでノミを研いだ。鏡の秘密を暴きたくてたまらず、あの遅々とした作業にはもうがまんできなかったのだ。

ペンキが微小な細片となって剝がれ落ちるのは変わらなかったが、そのペースは以前よりずっと速まった。陰鬱な風景の範囲が広がったと見れば、砂漠のただなかに暗い洞窟がくっきりと際立っていた。ふと、ある輝きが、青ざめたオーラが目に入るのに気がついた。洞窟の入り口にいる人物から発している。

黒いペンキの膜を剝ぎとられた鏡には、平坦な砂漠が、完全な荒れ地が映っていた。岩も丘も茂みも川も生物の姿もなく、どちらを見ても果てしなく虚無が広がっているばかりだ。荒れ地のなかに見えるのはただ洞窟だけで、馬蹄形のトンネルが遠くまで続いている。そしてその洞窟からひとりの人物が姿を現わしていた。輪郭ははっきりせず、ただ顔だけがぼんやりと青白い光を反射している。

その小さな人影は洞窟から走り出ようとしているらしかった。その姿はとても小さく、おもちゃというか、ただの人形のように見えた。鏡のずっと奥、あまり遠くに映っているからだ。目は閉じていた。顔には恐怖の表情が浮かんでいて、やみくもに逃げているかのよう――しかしなにから？　あの無限に長い洞窟を、どんな足音が追ってくるのか、いよいよ速く追ってくるのか。その子供は、少女は、人形は、恐怖に目を閉じたままだった。

ニコラスはその鏡像を何時間も見つめていた。鏡の三次元的な奥行きのまぼろしに心を奪われた。望遠鏡を反対側からのぞいたときのように、焦点を合わせた対象は、実際より何倍も遠くにあるように見える。

その像が頭にこびりついていた。その場を離れてもつきまとってきた。起きているあいだはそのことばかり考えていた。夢のなかでも鮮明で、不安なほどに生々しかった。

次に屋根裏部屋へのぼって網戸をどけたとき、ニコラスに不安がなかったと言えば嘘になる。昨夜の夢がまだ消え残っていたし、心の奥底で不安を告げる鐘が揺れていた。

しかし驚異の鏡の誘惑は不安より強く、鏡を見てニコラスはその理由を悟った。

遠くの人形の目が大きく開かれ、訴えかけるようにこちらをじっと見つめていたのだ！

奇妙なめまいに全身を洗われた。慣れ親しんだものすべてが風に吹き払われたかのようだった。真実が邪悪な呪いとなって襲いかかってくる。なかば推測し、なかば恐れ、そして完全に否認していた真実――この鏡は世界のはるかな片隅の風景を映しているのではなく、それ自身のうちにひとつの世界を包含しているのだ。そしてあの光、あまりに青白く、この世のものならぬあの光は、いまも人形の妖精めいた顔を浮きあがらせている。鏡の内なる世界の上空、その枠を超えたところを運行する、いかなる日月から発せられる光だろうか。その光のもと、小さな人影の開いた目には催眠的な光が宿っていて、はるかな距離を超えて無言のメッセージを伝えてくる。

メッセージ――どんなメッセージがあるというのか。

ニコラスは、その果てもない無音の世界を見つめた――茫漠たる平原、目の届く限りどこまでも伸びる洞窟、そこから現われて、背後に迫る恐怖から逃げようとする少女人形。その恐怖の名残はいまも彼女の顔に、その青ざめた頬に、荒い息に開いた唇にとどまっている。しかし希望が、ほとんど失いかけていた希望が、少女が目を開けてニコラスを見たときに、まだはかないながら戻ってきていた。

電流が流れたように全身がうずき、ニコラスは身体が火照《ほて》ったり冷たくなったりした。彼には見ていることしかできなかった。助けることもできずただ待つしかない。ふたつの世界を隔てる障壁、どちらからも切り裂くことのできないベールのせいで。しかし、時間が味方してくれれば希望はある。彼がせっせとノミをふるっていた日々、かなたの人形はわずか一歩しか進んでいなかったし、やっと目を開けただけだった。向こうの世界は、ニコラスの世界よりずっと時間の進みかたが遅いのだ。彼女はもうしばらくは安全だ。歩みの遅い、ほとんど感知できないほど遅い、鏡の国の時間のおかげで。

彼女は愛らしい金色のおもちゃで、危険な美を備えていた。完全に洞窟の外に出てきているのに気づいて、ニコラスはぎょっとした。ふり向くと、屋根裏部屋に夕闇が忍び込んできている。すでに日は沈み、気づかないうちに彼女は動いていたのだ。いつのまにかトランス状態に落ち込んでいたにちがいない。それに気づいて驚いたものの、それでも鏡の前から動けなかった。

ふたたび鏡に目を向けた。闇が落ちてきているにもかかわらず、鏡は不気味に明るく輝いていた。そしてその微妙な輝きは、おおむねその小さな人物から発しているのだった。ニコラスの全身に興奮の戦慄が走った。人形の顔から恐怖はすっかり消え失せていた。金色――というより、この世のものならぬ光のもとで金緑色に輝く人形。まるで妖精の姫君だ。最初に彼をとりこにした顔だちに劣らず、完璧に形づくられた全身に目を奪われる。いまでは完全に洞窟の外へ出てきている。こちらに走ってくる。洞窟の奥深くにひそむ恐怖のことは、もう念頭にないようだ。

そろそろとあとじさりながら、異常な恍惚状態に、そして宙ぶらりんの夢に彼は呑み込まれていた。鏡の内なる世界で展開される場面のあまりの鮮烈さに、その魔力をふり払うことができず、またふり払いたいとも思わなかった。自分でも気づかないうちに階段を下っていた。彼の心の目には、金緑色の虜囚の姿しか見えていなかった。その小さな逃亡者の、彫像のような美にじらされさいなまれ、身体の震えが止まらなかった。

その夜、ニコラスは一睡もできなかった。耳を澄まして、声を、遠い屋根裏部屋の鐘の音にも似た呼び声を、水晶の乙女のつぶやきを聞きとろうとした。ベッドのうえでパニックを起こしかけていた。夜のうちに彼女は逃げ去って姿を消し、いまだトンネルに潜んだままの見えない恐怖だけがあとに残されているのではないか、そう思うと気が気ではない。

熱に浮かされたような緊張は、宙ぶらりんの焦燥感とともに、夜が明けるころになっても消えなかった。明けがたの数時間が過ぎるのを待ちながら、身内に不安の炎が燃えさかっていた。目に見えない太陽に照りつけられ、そのまぶしさに安息を得られず、穏やかなまどろみに落ちるのを許されないかのようだった。

ついにまた屋根裏部屋に通じる階段をのぼりはじめたとき、彼は足音を忍ばせて上階からの音に耳を澄ました。ガラスの割れる音が、鈴を震わすような声が、逃げる足音が聞こえはしないかと――

しかし奇妙なことに静寂は深まるばかりで、物音を聞き取ろうと力むあまり、耳のなかで轟音が聞こえるような気がするほどだ。これは血管を流れる血液のざわめきだろうか、階段をのぼる足音を圧して響くこれは？

屋根裏部屋にたどり着いてみると、しかしどんな憶測も薄れて消えた。水銀の面《おもて》に月光が反射するかのように、鏡から光の滝が流れ出ている。あの金緑色の囚われ人は、はるかに大きくなっていた。ほとんど成人の大きさにそびえ立ち、果てしない砂漠を背景に驚くほど巨大に見え、鏡から抜け出す間際まで近づいているようだ。彼女の目は彼を呼び、腕は助けを求めて差し伸ばされている。

ニコラスも両手を伸ばして鏡に駆け寄った。その手が彼女の手に触れ、溶けて混ざりあった。彼は頭から突っ込み、引っ張られ投げ飛ばされて、派手に引っくり返った。身体が固化し、凍りついて、固いガラスの海から外へ出られなくなっていた。

はるか遠く、鏡の反対側で、時のない世界に彼を閉じ込めている水晶の崖の向こうで、彼自身の本来の肉体が、ニコラスが、見おろしていた――彼を、彼が成り代わったこの異質な姿を、鏡の生物の妖精のような肉体を。そしてその背後に口をあける、見えない恐怖を宿したあの洞窟を。

遠くのニコラスの顔に、悪魔のような笑みが広がっていく。あちらのニコラスは姿を消したかと思うと、黒いペンキの缶と刷毛を持って戻ってきた。ひと刷毛ひと刷毛、もうひとりのニコラスは鏡を塗りつぶしていく。

　ニコラスはこの異質な身体を動かそうとし、叫び声をあげようとし、ガラスの崖を叩き壊して外へ出ようとしたが虚しかった。

　罠にかかったのだ。周囲に夜が迫り、闇が濃くなっていく。この金緑色の肉体に永遠に閉じ込められてしまった。見れば、遠くのニコラスはおぞましい歓喜に目を輝かせている。絶望に目を見開いて見守るうちに、ついに鏡は完全に塗りつぶされてしまった。彼はいま、音もなく果てもなく、動くものとてない暗黒の世界の囚われ人となっていた。

オーガスト・ダーレス小伝

竹岡 啓

オーガスト・ウィリアム・ダーレスは一九〇九年二月二四日、ウィスコンシン州のソークシティという小さな村で生まれた。ソークシティはドイツ系移民の村で、ダーレス自身も母方のボルク家がプロイセン、父方のダーレス家がバイエルンからの移住者である。母方の祖父に当たるアダム・ボルクは独仏戦争に従軍した勇士で射撃の名手だったが、経営していた酒場の決闘で相手を撃ち殺して有罪を宣告され、ウィスコンシン州立刑務所で獄死した。妻のエリザベス・ボルクは大変な苦労をしながら六人の子供を独りで育て上げたというが、この六人のうち末っ子のローズが後にオーガスト・ダーレスの母親となる。一方、ダーレスの父親はウィリアム・ジュリアス・ダーレスといって馬具の製造業を営む職人だった。真面目な働き者だったが、自動車が普及していくにつれて仕事が減り、ダーレスが生まれた頃には貧乏になっていたという。子供の頃は好きな本を手に入れるのも困難で、祖母のエリザベスがなけなしの蓄えで買ってくれたものだとダーレスは後に回想している。

一九二六年、ダーレスは「蝙蝠鐘楼」が『ウィアード・テールズ』の五月号に掲載され、十七歳の若さで商業デビューを果たした。同年の七月三〇日、ラヴクラフトとの交流の嚆矢となる手紙を彼は送っている。これはファンレターではなく、ラヴクラフトが『ウィアード・テールズ』一九二四年一月号への投書で言及したM・P・シールの短編はどうすれば読めるかと質問するものだった。英国でしか出版されたことがない作品なのでW・ポール・クックから貸してもらうのがいいでしょうとラヴクラフトは懇切丁寧な返事をしている。なお、この時のシールの作品とは「音のする家」と「青白い猿」で、十八年後にダーレス自身がアンソロジーに再録したことによって米国でも読まれるようになった。

ダーレスは一九二六年九月にウィスコンシン大学マディソン校に入学し、四年後に優等で卒業した。もっともラテン語はあまり得意でなかったらしく、講師を脅して単位をせしめたという逸話が残っている。ダーレスは身長百八十センチ、体重百キロを超える体軀の持ち主で、若い頃アルバイトをしていた缶詰工場では百ポンド（約四十五キログラム）もある塩の袋を担いで運んでいた。その缶詰工場の経営者の息子は後にカリフォルニア大学バークレー校の教授となるマーク・スコラーで、青年時代のダーレスは『ウィアード・テールズ』のために数々の怪奇小説を彼と合作している。ダーレスの強靱な意志に自分はずいぶん鍛えられたものだと後年スコラーは振り返っているが、実は彼のほうがダーレスよりもひとつ年上だった。

ダーレスは学生作家として活動しつつ怪奇文学の名作を熱心に渉猟していた。アルジャーノン・ブラックウッドの「ウェンディゴ」のことをラヴクラフトから聞いたダーレスは、この短編が収録されている作品集を探し求めてブラックウッド本人にまで問合せ、一九二七年一月に返事をもらえたとラヴクラフトに報告している。この時から一九五一年にブラックウッドが他界するまで彼とダーレスの交流は続き、ダーレスの怪奇小説には初期の「風に乗りて歩むもの」や最晩年の"Ghost Lake"などブラックウッドから強い影響を受けたものがある。ラヴクラフトもブラックウッドを英国随一の怪奇作家と評価していたが、その単行本は一冊も所蔵していないと聞いたダーレスは『心霊博士ジョン・サイレンスの事件簿』など数冊を彼に贈った。

一九三〇年にマディソンを卒業したダーレスはミネアポリスの出版社に就職したが、半年で辞めてソークシティに帰り、文筆の道に専念することになった。この時ばかりは両親の反対に遭い、味方になってくれたのは祖母のエリザベス・ボルクだけだったとダーレスは後に語っている。

学生時代の彼はヘレン・C・ホワイトのもとで文学を専攻し、純文学なかんずく郷土小説で身を立てることを志していたが、二十代の頃は『ウィアード・テールズ』などのパルプ雑誌に載せる怪奇小説で糊口をしのぐ日々だった。一九三一年の夏にはマーク・スコラーと二人で短編を量産し、その時に書かれた中には「潜伏するもの」や「湖底の恐怖」など後にクトゥルー神話大系の一部として知られることになる作品も含まれている。短期間で原稿料を稼ぐために書き飛ばしたこともあってダーレス自身の評価は低かったが、ラヴクラフトは「よく書けている」「すばらしい出来です」と褒め、彼のために作品の題名を考えてやるなど親身になって励まし続けた。

ラヴクラフトの本で彼の生前に刊行されたのは一九三六年にウィリアム・L・クロフォードが手がけた

「インスマスを覆う影」だけだが、その挿絵を担当したフランク・ユトパテルはダーレスが連れてきた画家だった。また、一分間に五百文字を打つほどタイピングが得意だったダーレスはラヴクラフトの代わりに原稿を清書することを申し出ている。このように彼はしきりにラヴクラフトの世話を焼いていたが、一九三三年八月一四日付の手紙では「ラヴクラフトさんは御自分の本を出すための活動をしておられませんが、ならば私がやることになるでしょう」と述べており、当時からラヴクラフトの作品を世に広める意思があったことが窺える。ラヴクラフトの側もダーレスを信頼しており、若きロバート・ブロックが小説家になりたがっていることを知ったときはダーレスに彼の指導を任せたほどだった。ダーレスはかなり厳しく、ブロックが作家としての基礎を固めるまでクトゥルー神話小説を書くのを禁じたことすらあるが、ラヴクラフトはブロック宛の手紙で「ダーレスの言葉は傾聴に値します」と彼の方針を支持している。

一九三八年、ダーレスは恩師のホワイトやノーベル賞作家シンクレア・ルイスらの推薦により、かねてからの念願だったグッゲンハイム奨学金を受給できることになった。常に彼を応援し続けていた祖母のエリザベス・ボルクが我が事のように喜んでくれたという。ボルク夫人は一九三八年七月に八十一歳で大往生を遂げたが、人生の最後に孫の出世を見届けることができたのだ。だが、もう一人ダーレスを祝ってくれたであろうラヴクラフトはその前年に世を去っていた。一九三七年三月一八日にドナルド・ワンドレイの弟ハワードからラヴクラフトの訃報を受け取ったとき、ダーレスは習慣となっていた読書のために沼のほとりへ向かうところだったが、ウィスコンシン川に架かる橋の上で手紙を開封して内容に眼を通した。そこから一マイル先の沼に辿りつくまでの記憶はないと彼は後にホフマン・プライス宛の手紙で述べている。

ラヴクラフトの業績を風化させまいとするダーレスはドナルド・ワンドレイと語らい、他の友人たちの賛同も得た上で原稿や書簡の収集に乗り出した。「君やドナルドのように有能で適任な人たちがその任を担ってくれるとは非常に嬉しいことです」とクラーク・アシュトン・スミスは一九三七年三月三〇日付の手紙で賛意を表している。そのスミスも一九四〇年代には小説の執筆から遠ざかって生活が困窮し、彼の制作した彫刻をダーレスが買い取って支援したこともあった。後年のダーレス邸にはスミスの彫刻の一大コレクシヨンが所蔵されていたとリン・カーターは証言している。

当時、ダーレスの純文学作品を手がけていた出版社はチャールズ・スクリブナーズ・サンズであり、彼はそこにラヴクラフトの原稿を持ち込むことにした。ラヴクラフトの初の作品集をスクリブナーズから出してもらえるのではないかという希望をダーレスは一九三八年一〇月二三日付のスミス宛書簡で語っている。しかしダーレス自身の怪奇小説ならともかくラヴクラフトでは採算の見通しが立たないというのが大手出版社の見解であり、やむなくダーレスとワンドレイは一九三九年に自前の出版社としてアーカムハウスを立ち上げた。その資金を捻出するため、ダーレスは新築したばかりの自宅を抵当に入れている。

一九三九年、ラヴクラフトの *The Outsider and Others* が満を持して世に送り出された。その後アーカムハウスからはダーレス自身やスミスやヘンリー・S・ホワイトヘッドらの、そして一九四六年にはブラックウッドの作品集が刊行されている。いつかはブラックウッドの作品集を出版しようとアーカムハウスを創立したときから心に決めていたのだとダーレスは後年ラムジー・キャンベルに語っており、彼にとってブラックウッドがラヴクラフトに次ぐ重要な存在だったことが窺える。ブラックウッドもダーレスの心遣いに感銘を受け、アーカムハウスを最高の出版社と称賛したという。ブラックウッドの最後の作品となった"Roman Remains"の原稿はダーレスに送られ、当初アーカムハウスの季刊誌に掲載される予定だったのだが、なるべく大勢に読ませたいと考えたダーレスの計らいで『ウィアード・テールズ』の一九四八年三月号に載ることになった。

ラヴクラフトの作品のみならず人となりをも世に知らしめるという方針のもと、アーカムハウスからは彼の書簡集も刊行された。フリッツ・ライバーはダーレスの業績を「今日ラヴクラフトという星が天空にあるが、その高みまで昇らせたのはダーレスだ」と賛辞を送っている。ライバー自身も初の作品集となる *Night's Black Agents* はアーカムハウスから出たものだが、彼以外にもロバート・ブロックやレイ・ブラッドベリなど多くの者がダーレスの助力によって単行本デビューを果たした。ブラッドベリは *Dark Carnival* をアーカムハウスから刊行してもらったことを振り返り、無力感に囚われていたときダーレスに励ましてもらったところから自分の作家としての成長が始まったと感謝している。

怪奇幻想以外の分野でダーレス自

身の主要な作品をいくつか紹介すると、まず彼の出世作となった*Evening in Spring*（1941）が挙げられる。これは少年時代の悲恋をテーマにした自伝的小説で、生き生きとした登場人物や故郷ウィスコンシンの美しい自然の描写に彼の持ち味が表れている。一九四二年に刊行された*The Wisconsin: River of a Thousand Isles*はウィスコンシン川と共に生きてきた人々を扱った歴史ドキュメンタリーだが、白人の侵略と収奪に苦しめられたソーク族の蜂起にページを割き、ダーレスが先住民族に寄せていた深い共感が窺える。そして後期の代表作である*Walden West*（1961）とその続編*Return to Walden West*（1970）では一連のエッセイと散文詩を通じて日々の生活と自然に関する思索が巡らされ、人生の師の一人としてラヴクラフトも登場する。

より知名度が低くても注目すべき作品としては、ダーレス没後の一九七五年にアーカムハウスから刊行された*Harrigan's File*がある。テックス・ハリガンなる事件記者が見聞した不可思議な出来事を語る短編集だが、ジョゼフ・マッカーシーをモデルにした上院議員が登場し、彼の正体がスターリンと何ら変わらぬ全体主義者であることが暴かれるという痛烈な風刺になっている。この作品が赤狩りの真っ最中に発表されたことは特筆に値するが、のみならずダーレスはマッカーシーの罷免を目指し、リコールのための署名活動を行っていた。マッカーシーの支持者たちはダーレスを憎悪し、彼に見立てたロバを町中で引きずり回したという。

ハリガンの事件簿は幻想文学とミステリの要素を併せ持っているが、このうち後者については名探偵ソーラー・ポンズの物語がダーレスの代表作だろう。これはシャーロック・ホームズに対するダーレスの表敬だったが、コナン・ドイルの息子であるエイドリアン・ドイルは剽窃だとしてダーレスに出版の差し止めと回収を要求した。その二年前にはエラリー・クイーンの編集で世に出た『シャーロック・ホームズの災難』がエイドリアン・ドイルの圧力で絶版に追いこまれていたが、ダーレスは法的措置をちらつかされても動じることなく、訴えられるものなら訴えてみるがいいと応じて相手を沈黙させた。この時ダーレスはクイーンやヴィンセント・スターレットらベイカー街遊撃隊の主立った会員に手紙を送って情報を共有し、彼らの動揺を防いでいる。このような活動からダーレスはベイカー街遊撃隊の重鎮と目されることがあるが、正会員となったのは一九七一年と遅い。

一九六二年、コリン・ウィルソンが『夢見る力―文学と想像力』を発表した。この本でウィルソンはラヴクラフトを容赦なく批判し、返す刀でダーレスをも斬っている。ラヴクラフトのみならずダーレスまで叩かれたことでラムジー・キャンベルは立腹気味だったが、一方ダーレスはキャンベル宛の手紙で「ウィルソンの書くものはいつでも大変おもしろいのですけどね」と述べるなど妙に上機嫌だった。ウィルソンの長編小説『精神寄生体』がアーカムハウスから刊行されたのはそれから五年後のことだが、優秀な人間になら噛みつかれるのも楽しいという態度にはダーレスの能力本位の考え方が表れているように思われる。なお、ウィルソンは『夢見る力』で引用を間違えており、彼が批判したような文章をダーレスが書いたことはなかったとS・T・ヨシが指摘している。

一九六九年にアーカムハウスは三十周年を迎えたが、おそらく四十周年はないはずだとダーレスは述べている。自分の死を予見していたのだろう。実際その年のダーレスは手術のために三カ月もの長期入院を余儀なくされたのだが、退院後は相変わらず忙しく仕事をしている。若い頃ラヴクラフトから働き過ぎを注意されていたにもかかわらず、ダーレスは人生の最後まで生き方を変えようとしなかった。そして一九七一年七月四日、自宅の庭で心臓発作を起こした彼は病院に運ばれ、そのまま帰らぬ人となった。六十二年の生涯だった。

英国幻想文学協会は一九七二年に彼の功績を顕彰してオーガスト・ダーレス賞を制定した。長年の友人だったロバート・ブロックはダーレスの死を「巨人の時代の終わり」と呼び、かくも多くの栄光を怪奇幻想の世界にもたらしてくれたダーレスの恩恵を被っていない作家はいないだろうと讃えた。一方、コリン・ウィルソンはダーレスに会ったときに一抹の悲壮さを感じたと振り返り、あまりにも高い能力を持つがゆえに孤独な人だったと評している。その孤独ゆえに彼はベーカー街やアーカムに惹かれ、生涯の事業としたのだろう。

ファシズムと核戦争の危機に人類がさらされる時代にあっては、創作物における恐怖が現実のそれを超えることはもはやないとダーレスは一九六〇年代に*When Evil Wakes*の序文で喝破したが、それでも怪奇幻想文学に対する読者の愛着は減じないだろうと同時に述べている。透徹した眼差しの持ち主でありながら、人間らしい感傷を愛おしむ人であり続けたことが彼を巨人たらしめたように思われる。

琥珀色の海

Short-short Cthulhu Mythos

黒史郎

親愛なるＬへ
貴方の十四行詩《ソネット》を崇拝する私にとって、あの三十六篇は稲妻に打たれたかの如き衝撃でした。とくに無限宇宙から暗黒星へと飛来し、その湿った土壌に着床し発芽する腫瘍めく菌類の様相に狂詩人が夢馳せる十四番目の詩は、私の脳の奥にうずくまる、ちっぽけな想像力を戸外まで引きずり出し、気がつけば腕に鳥肌がさんざめいておりました。
朋友であるＣＡＳの書いた詩篇「地衣類と積雲」に貴方が驚異と妬みを込めて賛辞を送ったように、私も何かを呈するべきかと存じましたが、こうして筆を執ったのは何より貴方に伝えるべきことがあるからなのです。

かつては探検家などと称し、未踏の原生林や未知なる習俗に触れるためと各国を渡り歩いていた私ですが、一線を退いた今はアメリカにある五十九の国立公園を、この余生費《つい》やし、できる限り巡りたいと十年以上続けております。国立と書くと誘致目的に管理されきった至極詰まらぬ観光地を想像してしまいますが、今は手垢のついていない人跡未踏の地など夢のまた夢、万が一そのような土地があると知れれば、即座に食い物にせんと群がり旗を立てる外《と》つ国の侵略的行為や、功を急ぐ研究者の靴跡で壊されてしまいます。原生自然を守護するためには、もはや国とパークレンジャーとボランティアの力が必要になる時代なのです。

私がお伝えしたいのは、ユタのアーチーズ——あの世界でもっとも円弧状の自然岩が見られる国立公園にある、ラサール山脈を見つめるアーチ巨岩群の一つ、そこで二年前に私が見つけた「ある物」のことなのです。

すっかり老いた私は以前のような粗野な探索者ではなく、あの日もトレイルとガイドブックに従って移動する予定でした。そもそも私が国立公園などを巡りたいと思い至ったのも、探検家などと称して地図や地史から書き漏らされた土地を追い求めていたばかりに、周知の名の土地をほとんど歩いたことがないと気付いたからなのです。ところが、この日の私は探検家時代の悪い習性が目覚め、トレイルを外れてプリミティブな、つまり整備のされていない荒々しい原始の土を踏んだのです。この土地の土壌は、藍藻《シアノバクテリア》と他の菌類が共生する地衣類が覆っており、太古から生態系を守っていた彼らを踏み荒らす行為を私はしていたのです。

言い訳のようになりますが、本当は〝習性〟による行動ではなかったのです。この日の私は同地に到着して間もなく——正確には、モアブの中心から東へ6ブロックと国道からだいぶ離れた所にある、ひと気のない寂しいモーテルで一杯のコーヒーを飲んだ時から——奇妙な〝意思〟による干渉を受けたのです。「この場所へ行け」という啓示のように、にわかに異様な美しさを屹立させるアーチの像が頭の中に降りてきたのです。ガイドブックを見てもその形のアーチは見つけられず、場所がどこかもわからぬまま私は謎の意思に従い、メインロードの標識が指す道に背を向けて先人らの足跡《トレイル》を外れ、赤茶色の砂岩を避け々々、羊腸たる道と急勾配に体力を吸い取られながら歩を進めました。ざくざくと霜を踏むような靴底の感覚は、地衣類の墓標を踏み荒らす罪悪感を伴うものでした。

そして、謎めく意思が私に視せた、あの美しい弧状岩と出会ったのです。

断崖の際にそそり立つ尺取虫《インチワーム》のような赤茶のアーチは、灰色の空とラサールの雪の白さを背に、怖いほどに映えておりました。

謎の意思が私をここへと導いた理由を知るべく、ビジターセンターで購入した水を飲みながら日没を待ちます。やけにこの日は喉が渇き、用意していた五本の水は早い段階で尽きていました。やがて夕日が赤い砂漠をさらに赤く染め、夜の予感が空に滲みだすとアーチは黒い紅炎《プロミネンス》の様相を呈しだします。そろそろ角灯に火を入れようという頃でした。アーチの影が大きく傾いで大地に倒れ込んでいるあたりで、残り陽を受けて飴色に仄《ほの》光るものがあるのに気がつきました。

それは両手で軽く持ち上げられるほどの玄武岩に似た暗色の石で、残り陽にかざすと炭火が熾るような熱い輝きを籠らせていました。あの意思の導きはここへと繋がるのだと確信を得た私は、石をバックパックに詰めて持ち帰りました。さっそく知人の宝石商に見せたところ、黒い石の部分はメテオライト、いわゆる隕石であり、飴色の部分は琥珀であろうとのことでした。

ご存じのように、琥珀は樹脂の化石化したもの。なぜ宇宙から飛来したものが地球上の植物の樹脂と結合したのかと問うと、地表衝突時の衝撃により生じた熱と圧力で、このようなものが生まれることは稀にあるのだそうです。近年、ノースダコタのタニスで発見された琥珀からも隕石の破片が見つかっています。隕石の落下した場所が森林であれば、樹脂と爆散した隕石の破片が土中で幾星霜を経て結合することもあるようなのです。

私は新たな疑問を抱きました。アーチーズの地域の年間平均降水量は二十センチとごく僅かで、植物は岩間に溜まった雨水から僅かに生える程度。さらにこの一帯は、二億五千年前頃は大きな内海だったのです。今よりもっと赤道に近く、そのために海水が蒸発して残された塩分が堆積。海面水位の上昇により海水が流入、これも蒸発して塩分がさらに堆積。これが繰り返され、二千メートル弱の高さの塩岩層ができ、そこに砂や貝類など他の堆積物が付着し、雨や霜の影響で年月をかけながら崩れ、現在の円弧状岩群《アーチーズ》となったのです。

土地の歴史を見るに、この一帯に大規模な森林が生じたことはなく、これまでも植物の化石は出土していません。ではいったい樹脂の化石はどこから生じたのか。

この疑問にも宝石商の知人は答えてくれました。隕石衝突の衝撃はすさまじく、この一帯に森林がなくとも、遠方の海から流れ着くことは十分にありうるのだと。琥珀は比重が低いので海水に浮くため、海流に乗って遠くまで運ばれることがあり、これを「海の琥珀《シー・アンバー》」と呼ぶそうで、そういうものが海水流入時、この地に流れ込んできたのだろうというのです。ヨーロッパ沿岸部で多く見つかるもので、決して珍しいものではないとか。

ところが、これまで数々の希少で高価な石を見てきたその宝石商は、この琥珀を私の言い値で買い取らせてほしいと強く申し入れてきたのです。博物館に展示されるような値の付けられぬ歴史的価値のある石を私はいくつか知っていますが、彼の反応は、その中の一つとでも出会ったかのようでした。目は片時も私の琥珀から離れず、瞬きを忘れて充血し、落ち着きなく舌舐めずりをする顔は、湧き出てくる喜色を隠そうとして面皮が歪んでいます。素人の私など、いくらでも口から出まかせで安く買いたたくことはできたであろうに、それさえも忘れるほどに彼は昂りを抑えることができないようでした。彼が最終的に提示してきた買い取り額は、私が生涯をかけても手にすることのない数字だったのです。

その異様なまでの熱意と眼差しの奥に潜む執着が私には不気味に思えてならず、彼がこの琥珀に、他にはない何らかの奇跡的な異常をルーペ越しに見つけてしまったに違いないと考え、その申し入れを丁重に断りました。腕の良い宝石細工職人《ラピダリィ》を彼から紹介してもらうつもりでしたが、こうなった以上、彼はもう信用できないと判断し、自分の伝手を使ってタイ人の若い職人を紹介してもらうと即日、研磨を依頼して預けました。

その後も宝石商からは懇願に近い申し入れの連絡が頻繁にあり、次第にそれは脅迫めいたものへと変わっていったので私の判断は間違っていなかったと確信に至りました。

琥珀は赤子の握り拳ほどの大きさになって私の手に戻りました。

隕鉄から削りだされ、磨き上げられた透明感のある黄褐色の塊を手にした私は、宝石商の知人がなぜ、この琥珀にあれほどまでの異常な執着を見せたのかがわかりました。

琥珀はその成因上、気泡や植物片や虫といった内包物《インクルージョン》のあるものが多く存在します。樹木から流れ出した樹脂が地表の虫や植物を取り込み、そのまま数千万年、数億年の年月をかけて琥珀となり、取り込まれた虫や植物は当時の姿のまま、琥珀色の世界で永遠に朽ちないのです。私の所有する琥珀も、そういった類のものでした。

テーブルにこぼしたウイスキー溜まりのような楕円の中央に、異様に長い全肢と翅を最大に広げた虫のようなものが中央に座して、紋章の如き左右相称《シンメトリー》を見せつけています。昆虫標本めいた表現ではなく、私たちの意識化に、その形状を刻みこもうという強い意志と圧力を感じるほどの姿なのです。

生物自体の形状はdaddy longlegs《あしながおじさん》、いわゆる双翅目のcrane fly《ガガンボ》に似ています。すぐに肢体がばらばらに砕ける、あの気味の悪い虫です。だが、それとも違う。頭部、胸部、腹部、脚、それぞれに構造の違う、しっかりとした体節が確認できる異規体節の節足動物のようで、生まれたての未熟な海老、あるいは幼生のゾエアにも似ます。目のような明確な器官のない頭部は、例える言葉を探すならば、襞《ひだ》の集合体といいましょうか。繊毛の抱き合う楕円、千万無量の肉紐による結び目の塊、抽象的に描かれた人の脳にも見えます。頭部と思しき楕円体から伸びた金属めいた輝きを放つ触角は薄氷のように透けており、その先端は一度ループを描いて自身の身体の節目に入り込んで、縫い糸のように各箇所から出たり入ったりをし、その様は延命のために無数のシリコンチューブを繋がれた病人の姿にも見えるのです。胸部背面に有する一対の翅も、色の無いステンドガラスのように意味深な幾何学模様を刻んでおり、甲殻の表面にも魔術的な文様が見受けられます。

　私はいまだかつて、これほど不思議な生物とは出会ったことがありませんでした。

　タイ人の職人は太古の昆虫類だと思っていたようですが、その無関心さに救われたものです。もし彼が古生代の生物や虫類に詳しい人間であったなら、あの宝石商のようなことにもなりかねません。そう、あの男のように毎晩、我が家のドアを蝶番《ちょうつがい》が緩むほど叩き、ノブを乱暴に回し、静かになったかと思えば、どこからか窃視の気配を送り込む、そのような無頼漢になっていたのかもしれないのです。まったく、あの宝石商にも呆れたものです。私の留守を狙って窓を破り侵入したところで、彼の望む物など家には置いていないというのに。

　簡単に手放してはならぬ貴重なものです。琥珀の中には生物学的に大きな発見となるものが閉じ込められていることは確かなのですから。しかしながら私は、その手の発見に伴う好奇心や興奮や野心といった欲の絡む感情は皆無なのです。そのような些末なことよりも、この琥珀を見れば見るほどに精神の奥底から砂煙のように沸き起こる不安の正体のほうが私にとっては重要でした。

　この生物の形状はあまりにも不吉だったのです。ヨハネの黙示録のイナゴが実在するならば、こんな姿ではないかと思えるほどに。けっして大袈裟ではありません。かのイナゴの姿の表現には実に恐ろしい暗示的な言葉が連ねられているのをご存じでしょう。私の持つ琥珀の中の生物にも、負けず劣らず不気味な暗示めいたものが見られるのです。総身に刻まれた文様だけでなく、肢と翅を広げた姿態そのものがすでに魔術的な印《シジル》に見え、この琥珀は妖術師の口より零《こぼ》れたる呪詛《じゅそ》の結晶のように思えてなりません。

　斯様に、琥珀の生物は見れば見るほどに意味深な構造をしており、いよいよルーペでは事足りなくなった私は、古い友人に頼んで彼が教鞭を執る大学の研究室を借りました。何事だろうと興味津々な友人を適当な理由で閉め出し、光学顕微鏡のステージに琥珀をのせると、顔を皺めて片眼を瞑り、接眼レンズを覗き込みました。琥珀の中の生物を微視的空間に捉えて観察することで、何が知れるのかと恐ろしくもありましたが、「知らなくてはならない」という強い意志が働き、我が肉体に行動を促すのです。不思議なことに、琥珀を忌避する私の意思の中には、秘密を知れと促す意思も共存していたわけです。

この頃から明瞭《はっきり》と、例の謎の意思による干渉が継続していることを私は自覚しておりました。多重人格とは違い、何者かが私の意思を生かしながらも、上手く思惑通りに操っているという感覚で、私が私の意思で行動しているかのように錯覚させるのです。この精神寄生体とでもいうべき存在が厄介なのは、まさにこの、私の意思を完全に否定せず、行動により宿主を納得させせんとする巧みなところなのです。

さて、鏡検の成果ですが、新たな発見は生物にではなく、その周囲の琥珀部分にありました。そこには肉眼では視認できなかった何千何万の微細な糸のようなものが、生物を中心に放射状に広がっていました。ルチルのような針状結晶とも考えましたが、どうも違う。この生物が有する繊毛状の器官というわけでもない。どの糸も先端に穿歯《せんし》のような突起や数千の体節が見られるといった線虫や条虫の特徴があるので、どうやらそれら自体が独立した生物たちのようです。おそらく樹脂に呑み込まれた瞬間に〝足長〟が体内から放出して逃がしたか、寄生していたものが宿主を捨てて脱出したかのいずれかであると考えます。

ひと握りの琥珀の中に閉じ込められた足長の虫と繊毛虫。彼らが何に由来する生物で、生態系でどのような役割を持っていたのか、私は知りたくもないが、知らねばなりません。謎の意思が、私にそうさせるからです。この時、私の頭の中には「解放せよ」という言葉が大きく響きわたりました。その意味を考えているうちに、私の意思系統はすでに私の肉体に指示を下しており、気がつくとビーカー、平底蒸発皿、ピンセットなどを手際よく準備し、アルコールランプに火をつけていました。なるほど、琥珀を熱で溶かし、数千年、数億年前で時間が止まった彼らを解放しろというのです。

ここまで来ると私も理解してきました。

私に干渉してきた謎の意思、それは琥珀の中に囚われた彼らの〝同胞〟なのだと。私をアーチーズの琥珀まで導いたのは、長き眠りから同胞を目覚めさせるためだったのです。

いったい、私はどこで侵入を許したのでしょう。

私はある文献の一節を思い出しました。「微生物学の父」レーウェンフックが一六七四年にバーケルス湖で微小動物《アニマルクル》を発見し、王立協会事務長 Oldenburg 宛の手紙に観察結果をオランダ語で記した、その内容を。彼は自分が水の中で見つけた微小動物が、屋根瓦、地面の石樋に集まった雨水の中、泉の砂を通ってきた井戸や湧き水の中、そして町を巡って地域に広がる水路の水の中にも棲息していたことを記しました。つまり、どこにいても彼らの侵入を許すことになる。水という、ほぼすべての生物にとって最重要な糧に我が物顔で棲みつく微視生物の厭らしさたるや。地球生物は彼らに対し、あまりに無防備ではないでしょうか。

ここからはしばし、「おそらく」がつきますが――。琥珀の中の〝彼ら〟は人類繁栄のずっと以前から、アーチーズに湛《たた》えられた海に存在していました。ところが、海水の枯渇で彼らは長き死の眠りにつくことを強いられる。もしこの時、彼らが繁栄していたら、二億数千年後、この星の覇権は人類のものにはならなかったでしょう。

そして、どのように奇跡が重なったか、たった一匹が現代に蘇ったのです。孤独な〝彼〟は二億数千年前、この地の海に降り着いた時の本能的使命である、種の繁栄を再び目指します。嗚呼、彼らが無性生殖の生物であれば、わざわざこんな老いぼれを使うなどという回りくどい真似はせずともよかったのに……。あの寂しいモーテルでコーヒーを飲むために使ったポットに入っていた水か。ビジターセンターで幾本か購入したミネラルウォーターか。どちらかに、あの糸のような生物が一本入り込んでいたとしても誰が気づけましょう。あるいは、もっとずっと以前に私は宿られていたのかもしれません。

私の意思に反するこれらの行動は、現代に蘇った一個体の生まれ持つ強い意志によるもの。これより私は、解放した同胞を大海に解き放つのでしょう。彼らは瞬く間に地球のすべての海洋生物の精神に介入し、それら中間宿主を食した動物からすべての陸上生物へと彼らの精神は脈を広げるのです。地球の覇権が入れ替わるのも、あっという間でしょう。

私は彼らの意思に従いながらも、誰かに引き止めてほしかった。だからせめてもの抵抗で、研究室の鍵を開けておいたのです。すると思惑通り、研究室の利用を手引きした友人が矢庭に研究室に入ってくるや、異様に熱心でありながら秘密に口を噤《つぐ》む私の様子を訝《いぶか》しみだし、しかしおそらく冗談半分で「よからぬ企てでもしているのではないかね」と訊ねてきたのです。その一言で、用心深い〝彼〟は、私の望まぬ決断を勝手に下し、私の望まぬ行動を指示してきました。私のものではない意思に従った私の肉体は、私の古い友人にも、あの宝石商と同じ運命を辿らせたのです。

　実は貴方に宛てて書いているこの書簡も、私の意思によるものか、彼らの意思によるものなのか、もう判らないのです。私は我々であって、我々は私なのですから。

　貴方には、あの琥珀を溶かす前に是非とも実物を一度ご覧に入れたかった。きっと貴方なら私を、そして我々の言葉を、どちらも理解してくれたでしょうに。一読するだけで、その者を現実から引き剝がして拉致し、悪夢の世界へと連れ去って置き去りにする、あの十四行詩《ソネット》連唱「ユゴス星より」を書いた貴方ならば――。

　貴方は友人CASへの書簡で、この詩の中にある神秘的で恐ろしい光景を「何処とも知れぬ景色、半ば忘れ去られた景色が暗示されて」「記憶ともつかぬ漠然とした記憶は幼少のころから、ずっと自分の頭から離れない」と書いていますね。それはけっして幼子の妄想などではない。貴方は視ていたのです。悪夢の世界に連れ去る「子ども部屋のお化け《ボギー》」や「子攫い《キッドナッパー》」の仕業などではなく、貴方自身の力で旅立ったのです。

　ならば、私がたびたび視る彼らの古い記憶が、けっして夢まぼろしなどではないこともご理解いただけると思います。遠い暗黒星から隕石とともに地球に到達した彼らが、この星の海を培地として支配を広げていく腹積もりであったことも。隕石の爆発によって何億万もの虫入り琥珀が、この地の海に雨のように降り注いだことも。あの琥珀は、中の昆虫型生物に見えるものも含め、あのような形状をした彼らの〝卵〟であり、ひとつひとつが集落であって、宇宙の霊気域《エーテル》を渡る彼らの優れた移動手段であったことも。あの琥珀のようなものが、彼らの故郷の海の一部でできていることも。

　驚くなかれ。彼らの母星の集合知には、貴方が詩の中で言及した、混沌の無貌の恥神、瘦軀の有翼悪鬼《ゴーント》、護謨《ゴム》の如きショゴス、異海の底に集《すだ》くポリプ群といった知識もあるのです。貴方が友人らと、そして後世に続く作家たちと共有する、あの不吉な魔導書や忌まわしい土地と習俗、邪《よこしま》な旧き神々の名、砂漠の名も無き遺跡に悍《おぞ》ましい信仰の痕跡も。貴方がたは、あの日の私のように何らかの意思に導かれ、空想へのトレイルをはずれ、人智を超えた領域に踏み込んだのです。

　貴方に見せたかった。これからの世界の混沌を。

　惜しむらくは、貴方がもうこの世にいないことです。

　　　　貴方に最も忠順にして卑しきしもべ

Short-short Cthulhu Mythos

ルルの楽園

井上雅彦

夢と魔法の国。幼いルルにとっては、文字通りの場所だった。

お城の尖塔なのか捻《ねじ》りん棒飴なのかわからないデザインの門柱と、チカチカと電飾の星が点滅する回廊をくぐり抜けると見えてくる、この世の楽園。

メリーゴウラウンドも、フェリス観覧車も、ジェットローラーコースターも、まだそんな名前を知らないうちから、それら光り輝く遊具たちは、あふれだす歓声と、聞いたこともなかった独特の音曲の調べと、突き抜けるような空の深い青とともに、ルルの記憶の中を廻りはじめて、それは今でも廻り続けている。

光や音ばかりではない。

記憶は、匂いも伴っている。少し焦げたポップコーン。綿菓子製造器から蒸気とともに立ちのぼるカラメル。ピーナッツ。よそ行きの子供服。遊具のエンジンの匂い。電飾のオゾン臭。そして、それ以外のなにかの匂い。

——それらが、全部入り混じり、すべてひっくるめたのが、ルルにとっての遊園地《パーク》の匂いの記憶だ。

それ以外のなにかとはなんなのかに、ルルが気がついたのは、それより、ずっとあとのこと。大人になってから気まぐれに行ってみたここ以外の遊園地には、ポップコーンも綿菓子もあるが、不思議と匂いが違っていた。ルルにとっての懐かしい〈遊園地《パーク》〉の匂いでは無かった。

もちろん、幼いルルには、この〈遊園地〉の立地や周囲の状況、特殊な事情などは、なにひとつ理解できていなかった。

なんで、時々、電飾が消えるのかとか、メリーゴウランドの音楽が急に止まるのかとか。生暖かい風が吹くと綿菓子の味が塩辛くなるのはなぜなのかとか。そんなことは、たいして気にならなかったのだけれども。

看板に描かれたピエロの白い顔が、妙に赤茶けていたことも。

そもそも、この町の琺瑯《ほうろう》看板は、みんな縁が赤くなっている。ルルの家でも、洗濯機やエアコンの室外機やテレビのアンテナが、すぐに赤っぽくなって、しまいには、毀《こわ》れてしまう。

潮風のせいよ。なんでも錆びちゃうわ。そう言って、ママはグチをこぼし――パパに言わせれば「ヒス」を起こし――ていた。そのたびに、ママとパパの間もなんだか映りの悪くなったテレビみたいにおかしくなってしまうのだけれど、それでも休日のたびに、パパは車を運転して、家族三人で、この〈遊園地〉に連れて行ってくれる。

そして、どこか誇らしげに、この〈遊園地〉のある丘と、とりかこんでいる入り江を――深い海の景色を見せる。ルルも、たっぷり吸い込んだ。海からの大気を。

それこそが、それ以外のなにかの匂い。――ずっとあとになって、ルルは、そう結論づけた。物心ついた頃からこの空気に慣れていたルルには、それが、この遊園地の匂いを構成する要素のひとつだとは気づかなかったのだと。幼いルルには、どうでもよいことだ。

いつから、〈遊園地〉に来るようになったのか、ルルには定かな記憶が無い。

物心つく前から来ていたのだろうとは思っていた。寝る前に母が読んでくれるお気に入りの絵本（蛙の出てくるグリムの童話）だって、この〈遊園地〉の売店で買ったのだという。でも、最初に来たのは、母のおなかに居た頃からだったことを知ったのは、占い師のお婆さんの話からだった。

そのお婆さんは、〈遊園地〉の門から入ってすぐの所に天幕《テント》を張っていた。

〈遊園地〉の奥にもいろんな天幕があって、そこには、もっと、いろんな怖いものがいるらしい。大学の実験で頭部を切り落としてしまったのにずっと生きている人だとか、瓶詰めにされたクラゲのような胎児だとか、猿のミイラの喋《しゃべ》るやつだとか。

パパが自慢げにそんな話をするたびに、ママは顔をしかめるのだけれど、この占い師のお婆さんのことは、ママも気に入っているらしい。

でも、最初のころ、ルルは、このお婆さんこそが、怖かった。

黒い頭巾を被って、外套からだらりと長い首を突き出している座ってる様子は、いつだったか、お隣さんの屋根の上にばさばさと飛んできて、錆びついて落下した風見鶏の後釜であるかのように陣取っていた黒い翼の海鳥によく似ていた。赤い目までがそっくりで、いきなり突き出される指先の爪は黄色く濁ってるし、その皺だらけのてのひら——指の間には膜が張っていたような気がする——で、一枚ずつめくるカードの角は剃刀《かみそり》のように鋭い。

カードといっても、ババ抜きで遊ぶような普通のトランプよりも一回り大きくて、なんとも奇妙な絵が描いてある。

たとえば——黒い雌《めす》山羊。腹部から数え切れないほど垂らされた皺だらけの乳房に、何千何万もの黒蜘蛛めいた姿でうじゃうじゃと群がりあって鋭い牙をたてている仔どもたちの姿。

あるいは——気味の悪い、やたら大きくて歪んだ頭蓋骨に肉を盛りつけたような茫洋とした顔が、白く濁った目を剥き出して、横笛を吹く大首絵。

さらには——蛇にも、ミミズにも、人間の腸《はらわた》にも見える長い管ばかりが、何十本もこんがらがってもつれあいながら、青白い光を放ち、こちらに向けて鎌首をもたげている細密画……。

そんな、怪物じみたものが描かれた絵札をめくりながら、お婆さんは、わけのわからない言葉を詠《うた》うようにして唱えていたかと思うと、突然、こちらを向いて、

「ああ、この娘も」

しわがれた声が言った。「おまえたちと同じだ。ここで自分の運命と出会う」

「ルルが！　結婚相手と？」

パパが叫んだ。「まさか！　まだ早い！」

「契《ちぎ》りを結ぶのは、ずっとずっと先のこと」

老婆が言う。「その相手とは、心が通じ合う。たとえ、口をきかぬとも、頭の中で話ができるほどに」

言っていることはよくわからなかったが、ルルは悪い気がしなかった。

「だが、結ばれるためには……去らなければならぬ楽園がある」

パパやママは目を丸くしていた。むしろ不安げに顔を見合わせていたが、ルルは、なんともわくわくした。急に、このおばあさんが愛おしくさえ感じた。

占いのテントを出て、みんなでメリーゴウラウンドに乗ろうと歩き出したが、急に霧が立ちこめてきた。海霧は、この〈遊園地〉で何度か体験していたが、ここまで濃いものは珍しかった。

こんな調子じゃ、海馬たちの鞍も濡れてしまうかな、というパパの声に続いて、

「ルル、どこにいるの?」

と、ママの声がした。うっかり手を離していたのだが、パパの後ろ姿がすぐに霧の中に浮かびあがったので安心した。いつもの、がに股歩き。どこか寂しそうな、その丸い背中。ママと喧嘩した時、パパはますます、猫背がひどくなる。ルルにとっては、よくわからないのだが、ママがたまにかんしゃくを起こして、「恩を着せなくたってよかったのよ」とか「シングルマザーだって、やっていけた」などとまくしたてるような時、パパが悲しそうに背中を見せる、あの時の姿だった。

だから、「パパ!」と叫んで、走り寄り、その丸い背中に抱きついて、振り返った顔を見た時に、ルルは心臓が凍りつくかと思った。

白い顔。パパじゃない。ピエロだ。看板じゃない生身のピエロ。〈遊園地〉のあちこちに、何人もいるのだけど、こんなに近くで見たのははじめてだ。白粉を厚く塗った顔。ぼこぼこと皮膚がうろこみたいに盛りあがってる。赤い唇は、口紅を塗ったせいだけではなく、もとから、こんなに厚ぼったくて、これほどまでに大きかったのか。耳まで裂けてるほどだ。その耳のあたり、喉元の両脇は——白粉の塗りすぎなのか——白い肉襞が垂れ下がって、それがピクピクと動いているように見える。そして、まばたきもしない真円形の目。ルルは、はじめて、ピエロの顔が、物凄く不気味に見えた。いや——なによりも不気味だったのは——そのピエロが、やっぱりパパに似ていることだった。

ルルは悲鳴をあげて、逃げ出した。霧の中を走った。霧が塩辛い。

どこを走っているのか、わからない。ママはどこ? パパは? だんだん怖くなった。

その時——不意に、頭の中に声が聞こえた。

——大丈夫。そのまま、走って——

「え?」

——君のことを護っている。ずっと。もうじき、逢えるから——

「え? え?」

——もうじき。見えてくる。その館の中に——

その声は、とても優しく聞こえた。それでいて、とて

も頼もしい。

声の通りだ。小さなお城のような建物が見える。ルルはその入り口に駆け込んだ。

お化け屋敷じゃありませんように。暗い玄関を潜る時には、一瞬、不安になったが、その中は意外な場所だった。たくさんの水槽が並んでいる。見たこともないような綺麗な魚が泳いでいる。

――真っ直ぐ、進んで――

頭の中の声が、大きくなった。

とりわけ大きな水槽――というより透明な硝子の壁のような空間が出現した。

そのなかにも、キラキラした魚の群れがいる。宝石のような珊瑚《さんご》もある。

水底に敷き詰められた白い砂の上を、青い星のように光る無数のものが蠢《うごめ》いた。それは、どうやら、なにかの生物の皮膚が放つ光のようだった。それは、何本もの脚を蠢かす蛸みたいにも見えたのだが、ルルが覗き込むと、青い光の燦《きら》めきは勢い激しさを増して、それは、平べったい蛙のような頭を擡《もた》げた。

「やっと逢えたね」

人の声が聞こえて、ルルは驚いた。

水槽の向こう側に、金髪の少年が見えた。

「あ、あなたは――?」

「人魚が来るのを待っていたんだ」

少年は、言った。「パパは、世界中の海から神秘を集めると言って、ここを造った。でも、人魚だけは捕獲できなかった。それでも……」

水槽をぐるりと廻って、少年は、ルルに近づいた。

「こうして、君に会うことができた」

ルルは、この綺麗な少年の顔を見て、頬を赤らめた。

これが、運命の出会い? 鼓動が高まった。ほんの僅かな瞬間だったが、自分が迷子になっていることなど忘れてしまっていた。数秒後、青い顔をしたパパとママが、係の人と一緒に水族館に入ってきて、うれしそうに、ルルの名を呼ぶまでは。

「君は、ルルという名前なの?」

少年は興味深そうにそう言った。「不思議だな。パパが名づけたこの遊園地《パーク》の正式名称に、ちょっとだけ似ているんだ」

係の人が、かしこまっていた。創業者のお坊ちゃん《プリンス》とお近づきになれたことを、パパもママも（とりわけパパは）喜んでいたのだけれど、ルルにとっては、そんなことはどうでもいい。この少年が運命の人。占い師のお婆さんが言っていたことが実現したことだけがうれしかった。

それから、ルルにとって〈遊園地〉は、本当の「楽園」になった。

――明日も、逢えるね――

電話がなくとも、ルルには、心の声が聞こえる。

いつも、待ち合わせは、水族館。大きな水槽の前。

金髪の少年と、幼い少女は、たがいに顔を赤らめている。青く燦めく生き物が、無数の脚を動かして、ひょうきんな蛙のような顔で、二人を眺めている。

金髪のプリンスは、ルルにさまざまなことを教えてくれた。

メリーゴウラウンドも、フェリス観覧車も、ジェットローラーコースターも、遊具の名前は、ひとつひとつ、彼から教わった。聞こえてくる音楽を奏でている楽器の名前が蒸気オルガン《カリオペ》だということも。お化け屋敷より怖いものは、自分の本当の顔が見えるミラーハウスだということも。深海に棲んでいるさまざまな存在のことも。人間がこの星に棲みつく前から棲んでいたという不思議な存在のことまでも。

「僕は、すべての神秘を明かす探求者になりたい」

フェリス観覧車のてっぺんで、冥王星の場所を教えながら、彼はそう言った。「夢の世界の向こう側から、永遠の時間が流れる世界まで」

言っていることの半分も理解できなかったが、ルルは幸福感に包まれていた。

次の約束をして、別れるときも、あの水槽の前。

――ずっと護ってる――

別れたあとも、頼もしい声が頭の中に響き合う。

――なにがあっても、君のことを――

なのに、なぜ?

ルルは、どうしても、わからない。

なんで、こんなことになってしまったの?

別れは、突然、やってきた。

パパの交通事故死。突風に煽《あお》られての多重事故。何台もの自動車が爆発炎上した写真は、ニュースでも放送された。泣きわめくママの姿も。ショックから寝付いてしまったママに、何年かぶりに、遠くに住んでいるママのママからの連絡があって、ルルは一緒に引き取られることに。だから――海辺の町とも、あの〈遊園地〉とも、お別れ。金髪のプリンスとも。

――二十一年後に、また逢えるよ……。

泣きながら、手を振って別れたあとに、頭の中に、その声が聞こえた。

――ずっと、君のことを、護っているから……。

なのに、なぜ?

ルルは、唇を噛みしめながら、赤く腫れ上がった目を剝いた。

固定された首を、ゆっくりと回して、悲惨な現実を見据えている。なぜ、こうなった?

確かに、あれから、ちょうど二十一年。

仕事で、あの海辺を通りかかった時に——あの声が聞こえた。

——また、逢えるよ——

子供の頃の夢だと思っていた。現実ではない、空想の想い出。捏造された記憶。

だが——地形も、道も、町並みも変わらない。なによりも、海の匂いも。深い霧も。

そして……〈遊園地〉。

霧の彼方に、点滅しながら回転する遊具の巨影が見えた。

ルルは、微笑んだ。

だが——それは、瞬く合間に霧散した。

目の迷いだ。白霧越しに、彼方を飛ぶ旅客機のランプが輝いただけだろう。

なにもかも、わかっていた。

かつての愛しい想い出の場所は、昔の情景とは、かなり変わっていた。いや、変わり果てていた、といってもいいだろう。

時代の波は、この国のいたるところを浸蝕してきた。不穏な経済は、潮風以上に産業を錆びつかせ、名家を破産に追いやった。古き佳き事業も次々に消えていく。かつての「楽園」も。追い打ちをかけるように、政治の分断が、社会不安を掻きたてるのか。あちこちで、異常な猟奇殺人さえ蔓延している。

それでも……。

——大丈夫——

声が聞こえる。

——君のことを、僕は護る——

この声だけは、昔のままだ。ルルは、車を停めて、〈遊園地〉に足を踏み入れる。

お城の尖塔なのか捻りん棒飴なのか、今だにわからない取り残された門柱。チカチカと電飾の星が点滅していた筈の真っ暗な回廊。それをくぐり抜けると見えてくる、遠い昔は、この世の楽園だった場所。

たちこめた海霧が、廃園のほとんどを隠してくれている。それが唯一の救いだろうか。

霧の中に、ピエロが立っている。赤く崩れた顔。いや、顔は無い。ただの琺瑯看板だ。

――もうじき、僕たちは――

　昔と同じだ。脚が覚えていた。道なりに立っているあの館。水族館。

　しかし――その内部は……。見る影も無い。すべての水槽は破損し、ことごとく硝子《ガラス》が割られている。最も無残に破壊されつくした空間が、あの大きな水槽だったことに気づいた瞬間――悲しい溜息が漏れた。これが、現実か。そう思った時、背後から声がした。

「人魚が来るのを待っていた」

　振りむいた瞬間、頭から火が出るような一撃。

　なぜ、こんなことを。

　しばし意識を無くしていたことすら、ルルは気づかない。それほど、悲しみと怒りと絶望は、無意識の中でまで続いていた。首を固定しているのは、ギプスというよりも、その昔、セイラムの辻に置かれていたような魔女用の処刑具かなにかか。両手は結束バンドで繋がれているのか。身動きはできないが、目だけは動かせる。金髪の乱れた、目の鋭い男。だが、かつての小公子めいた少年の面影は、かろうじて残っていた。

「そうさ。世界を変えるための真実の探求は続けているよ。破産はしたが、僕からはなにも取り上げることは出来ない。人間がとりあげることのできるものなど、なにひとつ」

　彼は喋り続けている。悲しいことに、彼が喋っているのは、自分自身にだ。私にじゃない。ようやくルルは気がついた。ミラーハウスに映る顔より恐ろしい真実。捕らえた獲物がルルであることさえ、彼には、わからないのだ。

「かつて、先祖が契りを交わした存在から得たものもね。僕には、醜くなる兆候は、一切、顕れない。種の形態は様々なのだが、どうやら、僕は〈父なるもの〉よりも〈母なるもの〉の血のほうが濃厚な、選ばれた存在なのだ。そんな僕が、真の人魚と呼ばれる存在と、霊的な結合を試みたらどうなるか。それは、新たな世界を創ることになるのだ」

　なにを言っているのか、よくわからないところは、昔とかわらない。今にして思えば、頭の中に呼びかけてくれる時とは違って、面と向かって、会うときはいつでもそうだった。そう。今だから、よくわかることもある。どこの家にも事情はある。でも、他人から見ればわからない。海から遠く離れた地元で妊娠させられて、潮風の町まで流れてきたママと出会って、私を育ててくれた包容力のあるパパのことだって、他人は理解できないのだろう。

「でも、僕には父譲りの〈秘＝神智学〉がある。人工的に人魚を創り出すことだって可能なのだ。今度こそ……今度こそ、失敗しない」

彼の手には、ぞっとするものが握られている。蛸の脚みたいに湾曲した刃物。その鋭い刃先が近づいてくる。

「父は間違えていた。探し求めた真の人魚は、海にはいなかったのだ。それは、あまたの頭を持つ〈母なるもの〉の棲まう外界から来る。だから……その血を継ぐ者は、地を這うものにも、深きのものにもない器官を持っている。それは、星気体を呼吸する鰓だ」

彼の言葉が、刃のように鋭くなった。

「さあ。君にも、美しく艶めかしい新しい鰓を創ってあげるから……君があの忌まわしい深きものでないことは匂いでわかる。さらに、忌まわしい地上の人間のようだから、もっと深く、大きく切り裂かなくてはね。……さあ、この白い喉に……」

その目の光を、これまで誤解していたようだと、ルルは悟ったが、遅すぎた。

喉に、鋭い冷たさと痛みを感じる。

肉がしだいに切り開かれていき、なかからなにかが流れ出す。潮の大気が直接、流れ込んでくる。そんな感触が確かにするのだが——彼の刃先は、宙で止まっている。

「なぜだ？」

彼は、叫んでいた。「この女は、最初から持っている。母なるものの持つ器官を！」

その瞬間——激しく部屋が揺れた。

まるで、ジェットローラーコースターが、軌道を外れて飛び込んできたように、ルルには見えた。巨大な、おそろしく巨大ななにかが、青い光を燦めかせながら、金髪の男を跳ね飛ばし、ルルの目の前で、動きを止めた。

——ようやく、逢えた——

頭の中に声が響くと同時に、無数の青い触手が蠢きあいながら伸びてきて、それは器用な指のように、ルルの首と両手の戒めを外していく。

——待ち続けた。あれから、ずっと——

頭の中の声とともに、青い光の燦めきは勢い激しさを増した。

そうだったのか。ルルは悟った。

思い出されるのは、はじめて出会った水槽の中の姿。

——あなた……だったの？——

頭の中で呼びかけた。ママが買ってくれたグリムの絵本が頭に浮かんだ。

二十一年前に出会っていた蛙の王子様は人間の姿にな

ることもなく、しかし、はるかに大きく成長し、鯨型潜水艦の艦首ほどもある巨大な平べったい頭部を、ルルの脇に近寄せた。

　粘膜質の皮膚が脈動し、巨大な眼球が彼女に目配せをする。

　彼女は迷わず、その首元に跨がった。

　海霧のなかのメリーゴウラウンドの海馬の鞍のように濡れていたが、それはどろりと形を変えて、彼女の身体を護るようにフィットしていく。

　ルルは、青い膚にキスをする。焦げたポップコーンと、綿菓子と、それ以外の匂い。

　龍のような長い頸を伸ばし、青い獣は、空へと伸びていく。

　夜の大気が押し寄せていく。彼女の心に。呼吸器官に。

――これから、ずっと一緒に――

青い巨獣は吼える。咆哮は、蒸気オルガン《カリオペ》のように響きわたる。

　霧の中に、青く点滅しながら回転するフェリス観覧車のような巨影が見える。目の迷いではない。巨大な蛸のような足を放射状に伸ばして青く燦めいているのも、彼の肉体の一部。ジェットローラーコースターのうねるようなレールめいた背骨も。お城の尖塔か捻りん棒飴のような角も。きらめきながら姿を変える宮殿のような巨体も、彼の一部。そうなのだ。きっと、今の私のように。

ルルは確信した。今、私たちは楽園にいる。今、私たちがいる場所こそが。そして、きっと、これから、私たちが変えていく世界も。

連作《ベルリン警察怪異課》第三話

黒い森のリア

Leer im Schwarzwald

朝松健

「赫い影」「緑の絹手袋」に続く、《ベルリン警察怪異課》の新たなエピソードをここにお届けする。ヴィント上級刑事はマスカード神父と共に、ミュンヘン一揆の影響で不穏さを増す南部フライブルクへ向かう。黒魔術カルト〈輝く闇〉による連続儀式殺人の専任捜査をヴィントが命じられるやいなや、一通の手紙がカルトの機密情報の提供を申し出てきたのだ。差出人の名はリア――〈空白〉。
作者はホラー作家としてデビューする前、編集者として数多くの海外ホラーの出版を企画した。その中に《アーカムハウス叢書》があることを記憶に留めておいていただきたい。

1

南ドイツへの旅が不安を覚える筈はなかった。ヨハン・ヴィント上級刑事の出身地が南ドイツだったからである。だが、故郷を捨てた者は生まれた地に数十キロ近づいただけで憂鬱になってしまうのだろうか。汽車がシュヴァルツヴァルトの入口となるフライブルク駅に近づくにつれて、憂鬱の影が意識に漆黒の触手を伸ばすのをヨハンはずっと感じていた。

汽笛が鳴った。まもなくフライブルクだ。のどかな田園に交じって中世を思わせる建物が固まった集落が流れていく。そんな風景に車窓のガラスに反射したヨハンのやつれた顔が重なった。その顔は耐え難い歯の痛みを我慢しているように見える。だが、ヨハンが堪《こら》えているのは歯痛ではなかった。堪えているのは憂鬱である。憂鬱が否定的《ネガティーフ》な考えを大量生産していた。

(神経衰弱の薬を持参するのだった。あれがあればフライブルクに着くまで高鼾《たかいびき》で眠れるのに)

ベルリンを発ってから、ずっと彼を苦しめる目下の「嫌な感じ」は痛みを伴っていた。胸底から込み上げる嫌悪感と激痛。何度も洩れてしまう重い溜息。それらを誤魔化すようにヨハンは窓ガラスに寄りかかった。頬に当たるガラスは氷のように冷たい。その冷たさが「嫌な感じ」を忘れさせてくれて気持ち良かった。

ヨハンはぼんやりと窓の外を眺めた。ガラスの向こうを田園や林が流れていく。何の変哲もない南ドイツの風景だった。見慣れた故郷の景色。ヨハンが昔捨て、ずっと遠ざけ続けた古里の畑や林、時間の止まったような古臭い家々。すべては川のように流れ続ける。

――と、不意に視線を感じた。悪意の込もった視線。視線はすぐ消え、代わって浮かぶのは声。静かな声。男のものとも女のものともつかない声。声は繰り返す。森に帰れ。森に帰れ。森に帰れ。(早く森に……)その声がヨハンの心に影を落とすのだ。水面に落とした一滴のインクのように影は広がり、ヨハンの意識に明確な画像を結んだ。黒い森のある風景を。(あの森だ)と、ヨハンは思った。それは黒々と広がる樹海である。黒森《シュヴァルツヴァルト》。ヨハンの先祖たちが何百年も眺め、狼や不気味な伝承に慄《おのの》いた森林である。妖魔や人狼や吸血鬼、あるいは魔女たちの集うところである。そして、中世童話や悪魔伝承や残酷な伝説発祥の地とされる場所であり、今向かっている場所だった。

(悪魔伝承発祥の地だと? ただの深い森じゃないか)

ヨハンが唇を歪めかけると、胸底から皮肉な声が響いてくる。

(昼はただの森でも、夜ともなると緞帳《どんちょう》を落としたように真っ暗になる。何も見えない。松明《たいまつ》を掲げても炎は足元さえ照らしてはくれない。まったき闇。手応えさえ感じさせる闇。息苦しくなるほどの闇。夜の樹海)

樹海の地面に幽かに続く頼りない小径が目に浮かぶ。小径は生きているように常に道筋を変えている。歩くもやっとの細い径の左右から漆黒の枝葉が迫る。闇が迫る。

ヨハンはそっと呼吸を整えた。神経衰弱の兆候が出た時には深呼吸をしろ、と医師に教えられていたのだ。だが、意識に浮かんだ画像は消えない。むしろ映画のように動き始める。瞼《まぶた》の裏に、闇そのもののような樹海の底を蛇行する小径と、そこを歩く幼い男の子の姿も滲んできた。十九世紀末の匂いを残した服装。手に掲げるランタンは電池式でもオイル・ランタンでもない。鯨から取ったランプ油だ。ヨハンの鼻の奥で鯨脂《げいし》を灯した時の悪臭が蘇った。俺は子供の頃、あの油の匂いが大嫌いだった、とヨハンは思った。心に浮かんだ男の子はべそをかいていた。だが泣き出すことなく、必死に耐えながら——しゃくりあげながらも——口を開いた。何かの名を繰り返し唱えはじめる。（あれは……俺だ）ヨハンの心で封印していた記憶の鍵がカチリと音を立てた。何か思い出せそうだ。（そうだ。ガキの頃の俺だ。だが、どうして黒　森《シュヴァルツヴァルト》をたった一人で歩いている？　なんの名を唱えている？　聖母や守護聖人に助けを求めてはいないようだが……）

　ヨハンは意識を集中させて朧《おぼろ》気《げ》な記憶に焦点を当てた。夜の黒　森《シュヴァルツバルト》をたった一人で歩いた幼児期の記憶。黒森で何かの名前を唱えた記憶。その名前を思い出せ。それは失われた名前だ。Ａで始まる名前——。

　突然、異様な単語が意識に閃いた。

Existenz《エクステンズ》 außerhalb《アウスエルハルブ》 der《デア》 Raumzeit《ラウムツァイト》——時空外存在

聞いたこともない言葉。何かの名称らしい。そう考えたヨハンの意識に古い記憶が——幼少期に誰か——何か——知らない何かに教えられた知識が蘇る。それは〈超古代種族《ゾーパー・アルト・ヴィーゼン》〉の名前だ。そして、その種族の名は……。ヨハンの記憶の蓋が開きかけて、その種族の〈神の名前〉がちらと見えかけた。

（その名は〝Ａ〟で始まる。Ａの次は……）

　——その瞬間、ヨハン・ヴィントは空白に呑まれた。失神でも昏倒でも気絶でもない。あえて表現するならば、古い映画フィルムが切れたような感覚で、悪意と憎悪の籠った視線を伴っていた。

　懸命に記憶を掘り起こそうとするヨハンに、マスカード神父が尋ねた。

「Ａ……何ですか？」

「何か聞こえたかな？　失礼。独り言だ」

　そう誤魔化しながら、自分のことを変に思った者はいないかと、素早く周りに目を巡らせた。誰も気づいてない。ヨハンは唾を飲み込んだ。

（どうしたんだ、俺は？　今、意識が数秒とんだぞ。……クソっ、神経衰弱がまだ治ってないのか？　それとも——）

　乱れはじめた意識でヨハンは自問する。

（俺は発狂したのか？）

　父や大叔父のように

闇の森を彷徨《さまよ》う男の子が心に浮かんだ。まだ子供時代の記憶だ。確かだ。間違いない。だが、いつのものだろう？　まったく思い出せなかった。なぜ俺はカンテラを手にたった一人で森を歩いていた？　夜の樹海は危険で大人でも単身では歩かない。それがシュヴァルツバルトの住民の常識なのに、どうして子供の俺はたった一人で森の中を歩いていた？

　さっき閃いた言葉は何だ？　時空外存在《エクシステンズ・アウスエルハルブ・デア・ラウムツァイト》だと？　どういう意味だ？　何のことだ？　ヨハンがどんなに自問してみても何も思い出せなかった。まるで記憶がインク消しで消し去られ、その痕跡が丁寧に拭き取られたように、考えても考えても、思い出せないのだ。

　ずっとヨハンの様子を見ていたマスカード神父が口を開いた。

「顔色がひどく悪いですよ、ヴィント刑事。大丈夫ですか？　乗り物酔いと、頭痛薬なら、今すぐ出ますが」

「何でもない」

　と、ヨハンは唇だけ笑った。

「俺は芯まで疲れている。もっとも疲れているのは毎度のこと――これがベルリン州警殺人課刑事の日常なのさ」

　勤めて明るく応えると、その場を誤魔化そうとヨハンは傍《かたわ》らの新聞を取った。何気なく紙面に目を落とせば、第一面に煽情的な見出しが躍っている。

連続儀式殺人に秘められた政治的意図？
当局、ミュンヘン一揆《プッチ》との関連を調査中か？
ベルリン州警本部長は沈黙

（新聞《ブン》屋どもめ。まだ、ミュンヘンのクーデター未遂事件なんかを追っているとは。あれはただの一揆《プッチ》――右翼と不平軍人が騒ぐお祭り騒ぎにすぎん。しかも、首謀者は逮捕されて事件は解決した。あの事件と黒魔術カルトの連続儀式殺人とが関係あるなんて出鱈目も甚だしい。新聞はよほどネタがないようだな。ミュンヘンの事件なんて、もう何年も前の話。終った事件《はなし》だ）

　新聞の見出しはマスカード神父の目にも入ったらしい。

「ミュンヘンの政治衝突と連続儀式殺人に関連性があるなんて。……何処からそんな話が……。なんて酷いんだ。これは出鱈目も甚だしい。私たちの追跡を端から否定する出鱈目です」

「マスコミはネタがなくなると、火のない所にも煙を立てたがるものなんだ。何も気にすることはない。どうせ、別な場所で何かが起こったら、今度はそっちに飛びつくんだ。こいつは、次の話題が出るまでの繋ぎにすぎない。

ただ、それだけの話さ。真面目に取り合わない方が良い。新聞やニュース映画に乗せられる奴らはみんな馬鹿だ」

そう応えたヨハンの背後から、突然、儀式ばった調子の若者の声が起こった。

「運命は拒む者を潮に乗せ、従う者を曳いてゆく」

ヨハンは自分に向けられたのかと後ろに振り返りかける。すぐに声はこう続けられた。

「今の言葉、シラーだっけ?」

たちまち馬鹿にしたような笑い声が起こった。「しっかりしろよ」と声が掛かれば尻馬に乗って嘲《あざけ》りが続く。「よくそれで大学に入れたな」「ヒンデンブルクの爺《じじい》のコネで入ったんだろう、お前」

(さっきの駅で乗ってきた大学生四人か。それなら昼間からビールを飲んで騒ぐのも当たり前だ。酔って喚《わめ》いて歌うのが、奴等には仕事のようなものだからな)

ヨハンはそっと苦笑した。別の若者の応える声も聞こえる。

「ラマルティーヌの戯言《ざれごと》だよ。もう占領軍は消えたんだ。気取り屋のフランス人の名前なんて覚えなくても良いさ」

些細な知識をこれ見よがしにひけらかす幼さと、ほんの二月《ふたつき》前までドイツの一部を占領していた国の人間を小馬鹿にした国士気取り《ナッチオナレモラル》にヴィントは鼻白んだ。

(右派にかぶれた大学生……。南部は政府に批判的で、国家社会主義ドイツ労働者党とミュンヘン一揆の首謀者たちを支持する人間が多いと聞いたが、本当だな。学生まで極右にかぶれている。……ということは、この辺は、もう、ミュンヘン一揆の影響圏内か)

そこまで考えたところで不意にマスカード神父の視線を感じた。ヨハンがそちらに目を遣れば神父は遠慮がちに言った。

「宜しかったら……例の手紙……お預けした匿名の女性からの手紙を見せて頂けますか? 先程から胸騒ぎといいますか……なんだか急に確認したくなってきたものでして……」

「よく分かる。俺もさっきから妙な気分がしてならないよ。あとから、あとから嫌な予感がする。神父さんの言う胸騒ぎって奴はこんな気分なのかもしれないな。おまけに誰もいないのに視線を感じるし、時々、意識がフッと途切れたみたいになる」

ヨハンの言葉にマスカード神父は「私もです」とうなずいた。

「生まれ育った地に近づいているせいなのかな。フランスが近くなって空気が変わったせいかと思ってたんだが。空気が変われば誰も皆、少しおかしくなってくるだろう。

そして塞ぎこむか、後ろの学生連中みたいに変にはしゃぎだす」

ヨハンは背広の内ポケットから例の封書を取り出すと神父に手渡した。

「さあ。これが例の匿名の情報提供者からの手紙だ。ほんの少し手を離れていても心配だったろう」

何の変哲もない封筒、流麗な文字で書かれた住所と宛名、宛先はベルリンの聖ゲオルク教会。宛名は連名で、「シュテファン・マスカード神父殿」「ヨハン・フォン・ヴィント上級刑事殿」とある。差出人の住所はなく、差出人の署名はただ「リア」とのみ——。文字は丁寧な筆記体で、書いたのは女。それもかなりの教養の持ち主と思われた。

「しかし何度見ても、リアなどいう方も、この筆跡にも心当たりはありませんね」

「住所も書かれてない匿名の手紙は教会宛で良かった。これがベルリン州警察宛なら、俺に届けられる前に悪戯処理の芥箱《ごみばこ》行きの案件だな」

ヨハンは自嘲的に言って顔を何度も撫でた。黒魔術カルトのせいで、ヨハンはこの十日近く碌《ろく》に寝てなかった。お陰で目の下には黒い隈が浮き、聴覚が異様に鋭くなっている。

「俺はこのクソ忌々しい事件をその手紙と一緒に芥箱に捨ててしまいたいよ」

「わたしの相談に乗って下さって本当に感謝しています」

「いいんだ。今の憎まれ口は忘れてくれ。疲労の極みに加えて、最近神経衰弱がぶり返したせいで、イライラしてるだけなんだ。感謝なんて、とんでもない。こっちは仕事だからな。……そんなことより、何度読み返しても俺にはこの手紙の内容がどうにも承服しかねる。なんというか……歪《いびつ》な印象で」

「歪《いびつ》とおっしゃいますと?」

「上手く言えないが、切れたフィルムを無理に繋げて、ひどく場面の飛んだ映画を見せられている感じかな。いや、少し違う。映画より激しく場面が飛んでる感じだ。いつまでも終わらない夢を見続けている気分なんだ。それも、ただの夢じゃない。目覚めているのに見る悪夢というか……白昼夢……そうだ、白昼夢だ。それも俺のじゃない。誰かの白昼夢だ。この手紙を読んでからというもの、赤の他人の夢に放り込まれたようだ。こんな気分は夜勤明けに『カリガリ博士』を観て以来だよ。リアからの手紙を読んでから、こっちの気がおかしくなってくるような……どうにもおかしな気持ちになる」

ヨハンは、シュヴァルツヴァルト近くの町フライブルクの消印が捺された手紙の内容をゆっくりと思い出した。

「私の名は仮に空白《リア》と申し上げておきます。目下の私にはその名が最も相応《ふさわ》しいと思われるからです。姓はお許しください。ただ、シュヴァルツヴァルトで中世より続く一族とのみ申し上げておきます」と、手紙は簡単な自己紹介で始まっていた。リアは女性で、シュヴァルツヴァルトの鬱蒼たる森林に囲まれた館――先祖より伝わる古い館とリアは説明していた――で、たった一人で暮らしているという。かつてこの館はリアのものだった。だった、と過去形なのは、「母は幼い頃に他界し、私を育ててくれた父親も、すでに故人となっているからです」と手紙は続けていた。「父はこの館を、魔術探究を目的とする一種のサロンの支部として使うのを許していました。ベルリンに本部を持つその団体の名は〈ルチエンス・テネブリス〉と言います。このラテン語の名は〈輝く闇〉という意味です」

教会で神父から手紙を受け取り、殺人課のオフィスで手紙に目を通した時、ヨハンはそこに書かれた単語を何度となく読み返した。

間違いない。便箋には〈輝く闇《ルチエンス・テネブリス》〉と書かれている。

――不意に誰かの視線を感じて、ヨハンは周囲を見回した。殺人課の刑事は誰もが忙しそうに電話を掛け、書類を書き、巡査や事務官の説明に耳を傾けていた。給仕や他の課の使いさえも、オフィスでせわしなく立ち働いている。

誰かが俺を監視している。そう感じてヨハンは数秒息を止めた。だが、何度眺め渡しても、殺人課でヨハンを監視する人間など何処にもいない。

（気のせいか）と安堵すると、ヨハンは改めて、リアと名乗る女からの手紙に記された単語を見つめた。

〈輝く闇《ルチエンス・テネブリス》〉。

奴らの名前が書かれている。

〈輝く闇《ルチエンス・テネブリス》〉。それこそドイツ国内で連続的な儀式殺人を重ね、ヨハン上級刑事とマスカード神父が目下追い続けている黒魔術カルトの名ではないか。ヨハンの同僚だったクレープス刑事はこのカルトに属する魔術師のために、場所もあろうにベルリン州警察本部内で殺害されていた。

ベルリン周辺で多発する儀式殺人によって、判明しているだけで、すでに二十一名もの市民が殺されている。しかし犯行の手掛かりは巧妙に消され、現在に至るもこのカルトの全体像も構成員の身分も明らかにはなっていない。ただ〈輝く闇〉なるカルトが反社会的な教義を有し、何物をも恐れぬ組織力と資金を有しているらしいことまでは、これまでのヨハン・ヴィント上級刑事の捜査で、朧気ながらも明らかとなってきた。それゆえ経過を報告したヨハンは半月前、

「〈輝く闇〉を撲滅せよ。任務のために手段を選ぶなかれ。捜査に必要な予算は十分に用意するものなり」というベルリン州知事と州警本部長連盟の辞令を受け取ったのだった。知事と本部長はヨハンの提出した中間報告書を読み、〈輝く闇〉《ルチェンス・テネブリス》はドイツ共産党以上に政府と国家の安寧に脅威を及ぼす団体であると認め、ヨハンを「黒魔術カルトによる儀式殺人捜査の特命捜査官に任じる」という異例の辞令に連名で署名したのである。

そんな折も折、ヨハンに届いたのがこの手紙だった。まるでヨハンに「〈輝く闇〉撲滅」の至上命令が与えられたのを知っているように、リアと名乗る女は「亡き父は〈輝く闇〉の幹部と交流がありました。」と告白し、「ですが、彼らがドイツ国内で恐ろしい儀式と魔術を行おうとしていると知って、このサロンあるいはカルトから離れようと心に決め、彼らの今後の動きを探り、儀式執行計画を私に託したのです」と続けて、「もしシュヴアルツヴァルトの当館にお出で頂けるならば、同時に私の身の安全を当局が保証して下さるのなら、私の知る情報のすべてをヴィント刑事にお話しし、我が家が保管する魔術書をすべてマスカード神父にご提供いたします。この一連の魔術書は〈輝く闇〉にとっての兵器庫でした。それゆえ必ずや神父にとっては〈輝く闇〉を倒す魔術の武器庫となるであろうと信じます……」リアからの手紙にはそんなふうに続けられて、「私の話が偽りでない証拠に我が家で保管する羊皮紙の一部を同封し、さらに父が〈輝く闇〉に閲覧を許していた魔術書の目録も同封いたします。マスカード神父ならばきっと、それをご覧なって、私の言葉が真実と信じて下さるでしょう」と、締めくくられていた。ヨハンと向きあった席で、さっきからマスカード神父はリアからの手紙を一心不乱に読み返し、付された羊皮紙を穴が開くほど見つめ、さらに同封されていた目録——リアの先祖が代々集め、〈輝く闇〉《ルチェンス・テネブリス》がリアの父に接近して閲覧を乞うた魔術書の名前を口の中で呟いていた。

「さて。いいかな?」

神父を現実に引き戻そうと、ヨハンは呼びかけた。そして魔術書目録から顔を上げた神父に続けた。

「リアの館で行われた〈輝く闇〉の会合には何名の人間が集まっていたのか。サロンを構成していたのはどんな人物だったのか。それらの社会的地位や職業、さらに個々人の名前は判明し、特定できるのか。そして……会

合で何が行われていたのか。――これらの情報が手に入れば〈輝く闇〉の全容を知ることが出来る。我々が館へ行きさえすれば、リアは全部教えると言っているんだ」

　マスカード神父はうなずいた。

「何もかも、黒魔術カルトによる連続儀式殺人事件の捜査上、重要な情報だ。間違いない。俺も認める。……ところが、そんな凄い情報をリアが提供する。条件は当局がリアの身を〈輝く闇〉から護ることだという。良かろう。高い取引じゃない。むしろ安いくらいだ」

　と、そこでヨハンは片手を上げて神父に掌を見せた。

「だが、ちょっと待て。安すぎないか？　どうしてリアはそんな安価で重要情報を提供する？　身を護るのが条件というが、なんでリアの身は危険なんだ？　俺たちにカルトの秘密を明かそうとしているからか？　じゃ、どうしてカルトはリアが情報を提供しようとしていると知った？　手紙にはその辺の事情が何も書かれていない。警察に保護を頼む女は、もっと事細かく自分が酷い目に遭い、危険が迫っているとしつこい程に訴えて来るものだろう。ところが、リアからの手紙はそうじゃない。変じゃないか？　――こういった疑問がまず、俺が他人の白昼夢を見せられてるような気分になった原因だ」

「リアは危険が迫っていると知ったので急いで手紙を書いたからでは？」

「そうかもしれん。有り得ることだ。だが俺には気に入らん。何か引っかかる。上手く言えんが、何か……こう……引っかかる。刑事《デカ》としての俺の癇《かん》に障るんだ」

「それはおそらく……」

　と、マスカード神父が言いかけるのを押し返して、さらにヨハンは言葉を続けた。

「それにだな、神父さん。あんた宛てに並べられている魔術書目録とやらも引っ掛かる。聞いたこともない書名や著者名が並んでいて、俺にはチンプンカンプンだ。認める。昔の魔術や錬金術の本らしいことしか分からない。それも認める。だが……もし、死んだクレープスや、俺以外の刑事《デカ》がこの事件を担当していて、そいつにこの手紙が送られていたならば、この目録を見ただけでリアを疑ったと思う」

「疑う？　なにを疑うというのです？」

「リアは俺たちを罠に掛けようとしているんじゃないかってさ。カルトの重要情報は俺を、魔術書の目録は貴方を、つまり二人を釣るためにリアは撒き餌したんじゃ……」

　ヨハンがそこまで言いかけた時、後ろの席で話していた学生のほうから男の声が上がった。「なんだって、俺がどうしたって?」

クレープスの声だ。そう感じてヴィントの心臓が一瞬縮んだ。死んだ同僚の声がなぜ今聞こえる? こんなにも明瞭に。こんなに近い場所から。背中から脇腹に鳥肌が立ち、寒気が走った。息を止めて振り返れば学生の一人が立ち上がり、ゲラゲラ笑っていた。

その学生は死んだ同僚のクレープスではない。

「ほらあ、言ってみろよ」と続けた青年の声も、クレープスの濁声《だみごえ》とは似ても似つかなかった。

「どうしました?」

マスカード神父にヨハンはかぶりを振った。

「なんでもない。気のせいだ」

そう力なく応えて、ヨハンはこう続けた。

「ええと……何の話だったかな」

空白。

たった今まで神父に話していた話題が後ろから響いた死者の声のせいで飛んでいた。まるでインク消しで消して丁寧に拭き取ったように。

(くそ。リキ入れて何を話そうとしていたか、忘れてしまった)

と心で舌打ちしたヨハンに神父が言った。

「リアが何者か、まったく心当たりはありません。だが、リアは魔術に相当造詣が深くて〈輝く闇《ルチェンス・テネブリス》〉とかなり深い部分まで関わりがある。そのため黒魔術カルトはリアを危険視している。それでもカルトが手を出せないのはこの目録の魔術書にリアは精通しているから。……私の推測ではリアも……相当に魔術が使える魔術師です」

「また、魔術か。このところずっと魔術絡みの事件や話題が絡んでくる、いい加減うんざりしてくるな……」

溜息交じりにそう洩らすと、ヨハンは煙草を咥《くわ》えた。ポケットに手を入れ、ライターを求める。そのまま、ポケットをまさぐり続けた。

「どうしました?」

「いや……。ライターを入れたはずなんだが……イムコのトレンチライターで……オーストリア製の新品で大事に使っていたから簡単になくす筈はない。どうやら家に忘れたらしい」

小さく舌打ちしてヨハンは煙草を口から引き抜くと箱に戻した。後ろの席で浮かれ騒ぐ学生たちの声がひどく耳障りに感じられた。

(あいつらも……この一、二年のうちに蔓延《はびこ》り始めた国家社会主義ドイツ労働者党のシンパか)

学生たちは軍歌もどきの突撃隊の歌を歌って騒ぎ出したが、カールスルーエ駅が近づくに従ってゆっくりと静かになっていき、駅に到着すると隊列を組むように降りていった。

　苦笑してヨハンは仕舞った煙草を取り出し、咥えようとするが、ライターがないのを思い出した。

　煙草をまた戻しながら、ヨハンは呟いた。

「俺のライターは何処だ？」

2

　フライブルクの駅に着いた時、太陽は西に沈みかけ、夏にしては力ない光で周囲を照らしていた。地面に水紋を描くように小石を敷き詰めた石畳も、赤や青に塗り分けられた家々の屋根も、蹄の音を響かせてゆっくり進む荷馬車も、駅前に広がる景色の何もかもが夕陽に照らされて、茜色に染まっている。

「夕陽の色が柔らかいなあ。雲の白さも目に和む優しさを感じますし。ここは良い町だな」

「神父さんはえらく嬉しそうだな。はしゃいでるみたいに見えるな。ひょっとしてフライブルクに来るのは初めてか？」

「フライブルクだけでなく、南部の町に来たのが初めてなんです」

　それを聞いてヨハンは唇の端を皮肉に歪めた。

「南部なんて何の変哲もないし、何処へ行っても見る物もない。十五世紀から今まで、空の雲から人間の意識まで、何一つ変わっちゃいない田舎街さ。古臭くていつまでもいつまでも昔のままでいようとしている」

「そんなこと、ありませんよ。あの家は童話のお菓子の家そっくりじゃありませんか」

「悪く言うのは俺だけだろうな。俺はこの辺が甘い菓子と同じくらい嫌いなんでね」

　そう言ったヨハンの脳裏に不意にカンテラ片手に夜の樹海を歩く男の子が浮かんだ。

　あれは俺だ。そう考えたヨハンは男の子に集中しようと目をつぶりかけた。その瞬間、意識に空白が生じかけた。空白は瞬く間にヨハンの意識を拭き消そうとする。それに気づいてヨハンは軽く首を振り、ことさら明るい調子でマスカード神父に言った。

「そうだ。お菓子の家で思い出したが、ヘンゼルとグレーテルの童話も、これから行くシュヴァルツヴァルトの話だと聞いたことがある。グリム童話に描かれたあの森の様子をちょっと思い出してみろよ」

「確か森は……とても深くて……昼でも暗くて……その

中を通る小径は迷路のように曲がりくねっていましたね」
「そうだ。まして夜ともなれば鼻をつままれても分からない」

ヨハンの記憶の中で男の子はまだ森の中を彷徨っている。森の底にわだかまる闇は手応えを感じて息苦しくなるくらいだ。気が付けばカンテラの明かりは心細くなって、今にも消えてしまいそうになっている。男の子の進む小径は曲がりくねり、進む片端から新しい小径が誕生するようで——まるきり自然がこしらえた迷路だ。空白(このままじゃ森の中で死んでしまう……)男の子の意識が、自分の意識と一瞬重なりかけた。

(いかん。吸い込まれる)

その考えに突き上げられて、ヨハンは神父を見やった。神父の姿が一瞬途切れた。空白だ。監視の視線を感じた。ヨハンの心に忍び込んだ空白は、固い貝殻をこじ開けるように、さらに意識を押し開こうとする。空白が広がった。ヨハンは空白を振り払うように、殊更に明るい調子で呼びかけた。

「神父さん、夜のシュヴァルツヴァルトを歩いたことは?」
「いいえ。さっきも言ったように、南部は初めてです」
「夜のシュヴァルツヴァルトはな、地元の子供さえ道が分からなくなるほどなんだ」

神父に話しながら、ヨハンの心の目は樹海を彷徨う男の子を見つめていた。この子は俺だ。だが、こんな記憶はない。こんなことがあったのか。子供の時に見た夢の思い出が突然、今の記憶に浮かび上がったのか。ヨハンは拳で軽く額を叩いた。意識から男の子と夜の森を追い出そうとする。二つを追い払う瞬間、意識が闇に呑まれたように感じた。空白。ほんの一刹那。一秒の何万分の一だけ、失神したような感覚だった。次いで、誰かの視線を感じた。「監視されている」ヨハンは思わず洩らした。マスカード神父に今のヨハンの呟きは聞こえなかったらしい。

駅前からフライブルクの街並みを眺めた時そのままの興奮と喜びに頬を紅潮させて神父は言った。

「グリム童話と縁が深いとは、いよいよ歴史と文化を感じさせる土地ですね。のんびりして自然に溢れた良い街じゃありませんか」
「のんびりしすぎると夜になるぞ」

と神父に言ってやった瞬間、不意に意識が夕陽で血のように赤く染まった空に吸い込まれるような感覚がした。

(なんだ? なんだ、今のは?)だがその場に昏倒することなく意識は保たれる。ただ、自分の目で見えるもの全てが遠く感じられた。（なんだ、この……自分の出ている映画を観るような……誰かの目を通して見るような……感覚は？）

戸惑いながらも、ヨハンの口は動き続ける。「この辺はまるで時間が止まったみたいで、貴方の愛する自然に溢れている。ここから黒森《シュヴァルツヴァルト》に入れば、どれくらい自然に溢れてるか良く分かるだろう。あそこは自然が拵えた樹海という名の迷宮さ」

「樹海という名の迷宮」と聞いてようやく神父は眉をひそめた。その額が青く翳《かげ》ってくる。どうやらヨハンの言葉で今まで浸っていたメルヘン世界に不安を感じたようだ。不安げな神父から目を転じて、ヨハンは馬車と人しか歩けなさそうな道を眺めた。

「さて。この時間にシュヴァルツヴァルトへ向かうのは自殺行為だ。……適当な宿を見つけて、リアと会うのは明日にするか」

マスカード神父は首を傾げた。

「宿ですって？　手紙にはリアが車で迎えに来ると書いてたじゃありませんか？」

「何を虫のいいことを言ってる。手紙にはそんなこと全然書いてなかっただろう。この辺からリアのいる館までは馬車で行くしか――」

――ない、と続けようとしたヨハンに神父はリアの手紙を差し出した。慌てて受け取り、読み返す。リアは手紙の最後に書いていた。

「ベルリン発の汽車がフライブルクに着いた頃を見計らって車でお迎えに参ります。車は黒いクライスラーですから見ればお分かりになるでしょう」

確かにリアの文字でそう書いてある。

（俺はこんな文章を読んだ覚えがない）

と心の中で言い返そうとして、ヨハンはまた、意識が深い所へ吸い込まれかける感覚に襲われた。

（空白だ）

ヨハンは頭痛を覚えてこめかみを押さえた。空白が意識から溢れだして現実を呑み始める――そんな感覚に襲われる。

記憶が何箇所か、インク消しで消されて、丁寧に拭き取られたような感覚だった。

（……くそっ、空白に塗り込められる）

空白は誰かの視線を伴っていた。

こちらを監視する悪意の視線だ。空白。

意識が空白に満ちた虚空に吸い込まれる寸前、ヨハンの脳裏を暗い風景が横切った。夜の樹海を進む幼少時の自分である。子供の時のヨハンは樹海の最奥部で何かを唱えていた。何かの名前である。

（時空外存在の神の名――）

　樹海のヨハンとフライブルク駅のヨハンの意識が一瞬重なった。その時、ほんの一刹那だけ、その名が閃いた。

　それは〝A〟で始まり〝S〟で終わる名前だった。

3

「シュヴァルツヴァルトの屋敷はこの先です」

　ハンドルを握るリアが後部座席に乗ったヨハンとマスカード神父に言った。

　前方には巨大な野獣の背を思わせる山と広大な森林地帯が迫っている。

　夜の森林は漆黒に塗り込められていた。

「闇に鎖《とざ》された樹海は自然の迷宮……か。まったく自動車で迎えに来てくれて助かりました。感謝します」

　マスカード神父は改めてリアに礼を言った。

　フライブルク駅まで迎えに来たリアが運転していたのはクライスラーの一九二九年型。四人乗りの高級車だった。

「まさかご令嬢のお出迎えが、ベルリンでも見られないような最新型のクライスラーで、黒い車体に真紅のシート。おまけにシートは革張りで、おまけにご令嬢ご自身の運転とはな。てっきりタキシードの執事か、飛行乗りみたいな格好した運転士が運転してるものと思ってたよ」

　ヨハンは心から感心した口調で言った。

「二人乗りのＢＭＷでお一人ずつお迎えすることは出来ませんからね」

　屈託なく笑ったリアは手紙の通りに理知的で、かつ美しかった。まだ二十歳《はたち》くらいに見えるから狂乱の二〇年代を過ごしたのは十代。しかも父親が〈輝く闇〉のごとき黒魔術カルトに傾倒したのだから、悪魔的なものにも背徳的なものにも数多く触れたと思われるのに、退廃的な雰囲気は微塵もなかった。

（こんな娘なら匿名で警察に情報を提供したとしても、まあ、あり得そうだが……。しかし、何かが癇に障る。なんだろう？　クライスラーを運転するモダンな娘とシュヴァルツヴァルトの古い館という取り合わせか？　それはある。保守的な南ドイツの旧家の娘で、アメリカ車を颯爽と運転する――アメリカの連続活劇《シリアル》に出てきそうな娘なんかいるものだろうか。……もし俺が娘なら父親が黒魔術カルトと関わってると知ったら、その場で家出するだろう。もし俺が父親なら後ろ暗いカルトとの関係なんて娘には知られないようにするが……）

ヨハンは運転席のリアの様子を刑事の目で観察していた。

4

屋敷に着くと二人は居間に通された。

ヨハンとマスカード神父はトランクをとりあえず置き、勧められたソファに腰を下ろした。腰が吸い込まれるようだ、と感じながらヨハンは寛《くつろ》ぐ。安楽そうな溜息に横を見れば、神父も思い切り背を凭《もた》れさせている。二人は顔を見合わせ苦笑した。自覚しなかったが、旅の疲れがお互い身に堪えているようだった。

「ベルリンからの旅は如何でしたか？」

そんなことを言いながらリアはブランデーの壜とグラスを載せた盆を運んでくる。広い屋敷なのに、執事もメイドも屋敷にはいないようだ。

「旅は長くて退屈だったよ」

とヨハンは応えた。

「俺たちが何回欠伸したかなんて、そんな話はどうでもいい。今日中にベルリンに帰りたくなってきた。さっさと貴女の提供してくれるというカルトの情報をまず何よりも先に聞かせてもらいたい。ここはカルトの正式な支部だったのか？　集っていたのは何人だった？　構成員の社会的な地位は？　目的は？　ここで行われたのはどんな儀式だった？」

付け足すようにマスカード神父が尋ねた。

「ここにはお一人で住んでらっしゃるのですか？」

「それは俺も気になっていた。これほどの屋敷ならメイドやコックが十人二十人もいそうだが。……運転だけじゃなく、貴女が客の酒の世話まで焼いてくれるとはな。使用人は何処にいる？」

ヨハンはすでに容疑者を詰問する刑事に戻っていた。

「執事は死に、八人いたメイドも全員、屋敷から消えてしまいました」

少し間をおいてリアは言い足した。

「……〈輝く闇《ルチエンス・テネブリス》〉のせいです」

「どういうことですか？」

マスカード神父の瞳が鋭い光を帯びた。それは黒魔術の気配を感じた時、いつも神父の目に宿る光だった。神父の眼差しを逸らすかのようにリアは目を伏せると小さく呟いた
「殺されたのです……執事もメイドたちも……全員、儀

式の生贄として……」

「地元警察には届けたのか？　九人もの殺人となると田舎警察だって黙ってはいないだろう」

　ヨハンは眉をひそめて訊ねる。すでに詰問する口調になっていた。

「届けられなかった……」

　目を伏せたまま、リアは洩らした。

「なぜですか？」

「父に固く口留めされていたから。……父が率先して使用人たちを生贄に供したからです」

　ヨハンとマスカード神父は凍りついた。衝撃がヨハンの心に空白を生じさせた。今度のは強大な魔力《マギッシャ・クラフタ》を有した空白だった。空白は自らの意思を有しているかのように、ヨハンの意識の一部に潜り込み、凄まじい勢いで分裂し増殖して、意識全体に満ちていく――。

　マスカード神父は聖ゲオルクの名を三度唱えて衝撃から解放されると、リアに言った。

「お父上は〈輝く闇《ルチェンス・テネブリス》〉に屋敷の蔵書と一室を提供してはいたが、それはカルトに脅迫されていたためと思っていましたが……。父上もまたカルトの信者だったのですね」

「父は先祖代々収集してきた魔術書を使って〈輝く闇《ルチェンス・テネブリス》〉に接近した。そして宗派《カルト》の洗礼を受けて正式な構成員――黒い修道僧《シュヴァルツァー・メンヒ》となった……」

「よくカルトの奴らが新参者を正式構成員にしたものだな。奴らは人一倍、猜疑心が強くて、新しい接触者を迎え入れようとしないものだが」

　ヨハンの言葉にリアは唇の左端を吊り上げた。瞬間的に南ドイツの旧家の令嬢の表情が消えて、その下から、封建時代の女領主のごとき高慢な表情が現われる。眼前の刑事を思い切り見下した冷笑だった。

「宗派《カルト》がなぜ父を信用し、入信させ、黒い修道僧の仲間入りをさせたのか」

　リアはマスカード神父に呼びかけた。

「――神父様。わたしの送った魔術書目録を読み、挙げられた書物たちの持つ力を理解しているシュテファン・マスカード神父ならば、分かりますよね？」

　マスカード神父はうなずいた。

「分かる。あのような魔術書を所蔵する人間なら……仲間に決まっているからだ」

　それを聞くや、ヨハンは神父を睨《にら》みつけた。

「あんた、手紙を読んだ時から、リアの父親がカルトの一員だと悟ってたのか!?　悟っていながら俺に今まで黙っていたなんて。まさか、あんたもカルトの黒い修道僧じゃないだろうな」

マスカードは即座に否定した。

「違う。私は〈輝く闇《ルチェンス・テネブリス》〉の信者ではない。絶対に」

すかさずリアが混ぜっ返す。

「でも、貴方なら〈輝く闇《ルチェンス・テネブリス》〉に入信して黒い修道僧《シュヴァルツァー・メンヒ》になる資格が十分あるわ」

「なんだと。おい、マスカード！ 今までオカルトや魔術に明るい神父だと思って、相棒として共に行動してきたが……」

マスカード神父はヨハンの顔をじっと見つめて静かに言った。

「私がすでに魔術に深入りしすぎているのは、君も知ってる通りだ」

「フンボルト大学の図書館から中世の魔術書をパクった話か。あんなもの、黙って返して、教授に詫び入れれば済むことだろう」

ヨハンが詰め寄れば、神父は首を横に振った。

「ヴィント刑事。もう遅い。普通の写本や古文書ならば、それで済むかもしれないが。私が盗んだのは絶対にそれでは済まない品だ」

次いで神父はリアに向き直ると、はっきりと言った。

「私はフンボルト大学図書館より奪った『死霊秘法《ネクロノミコン》』のジョン・ディーによる英訳手稿を持っている」

リアの目が輝き、唇がほころんだ。だが、それは明るくモダンな娘の快活な笑いではない。黒魔術探求に耽溺する女魔術師の昏い笑みだった。

神父はさらに言った。

「ついでに言えば、貴女の送ってくれた目録の大半は読み理解した書だ。……これは黒い修道僧《シュヴァルツァー・メンヒ》となる資格になると思うが」

リアは口笛を吹いた。それはクライスラーを乗り回す若い娘に相応しいアメリカナイズされたリアクションだった。

「我が宗派《カルト》にようこそ、シュテファン・マスカード神父」

そう言って立ち上がるリアを神父は片手を上げて制した。

「その前に、見せて貰えないかな？ 貴女の父上と先祖たちが収集したあの——目録の魔術書群を」

リアは破顔した。美しく若々しいその顔には世界の暗黒部に生きる仲間を迎える歓びが溢れていた。

「いいわ。父の図書室に案内する。この館の蔵書を見たら、その場で入信するでしょうね」

リアとマスカード神父の遣り取りをそれまで見つめていたヨハンは嗄《か》れた声で洩らした。

「神父、今なら間に合うぞ。馬鹿な真似はやめろ。何のために今まで二人で黒魔術カルトを追跡し、戦ってきたんだ」

　その言葉を無表情に聞いたマスカード神父はリアに提案した。

「この哀れな俗人にも図書室に並ぶ宝の山を見せてやってくれ。そして、この館の何処かにある祭儀室で、こいつの心臓をツァトゥグァに捧げるとしよう」

「殺人課刑事の血で背教神父の洗礼を行うなんて最高。ワクワクしてきた。今すぐ図書室へ飛びましょう」

　そう言ってリアは左手を上げた。ヨハンは自分の意識に充満していた空白が心から溢れだし、自分と神父とリアの三人を包んでいくのを感じた。脳裏で夜の黒い森を彷徨い続ける男の子の姿が閃いた。

　空白。

　歪んだ書棚。何百年もの年月に歪み切った書棚。そこに並んだ書物の金文字が反射するのをヨハンは見ていた。

（図書室なのか、ここが）ぼんやり思った意識にマスカード神父の声が聞こえてくる。

「『死霊秘法《ネクロノミコン》』ラテン語版、『屍食経典義《カルト・デ・グール》』、『妖蛆の《デ・ウェルミス・》秘密《ミステリーズ》』……素晴らしい」

　ヨハンは自分が図書室にいると知った。壁に突き刺した蠟燭立には太い蠟燭が立てられ、絶えず炎を揺らしている。リアと神父が動いているせいだと、ヨハンは思った。

「もう堪能したでしょう。蔵書を精読したり実践したりするのは入信後にして、そろそろ神父の入信を祝って祭儀室に移り、刑事の心臓を抉《えぐ》りましょう」

　そう言ったリアは黒いフード付きのマントを羽織っている。その手には偃月《えんげつ》の形をした短剣が握られていた。

「その前に教えてくれ。ヴィント刑事は何度も『空白を感じる』と言ってたが、あれは君の魔術か？」

　リアはうなずいた。

「これを使った。空白魔術《リアレ・マギー》聖典――『Aの書』を」

　リアが出した本を見てヨハンは眉をひそめた。黄金表紙の本と見えたが、リアが神父に見せつければ純白。さらに角度を変えれば茶色の革表紙本を神父と見えたのだ。

「それは初耳だな。書名も魔術も」

　興味津々の顔で神父は口に拳を当てて、

「ちょっと本を見せてくれないか」

　リアは笑いながらかぶりを振り、本を大切そうに抱きかかえた。

「駄目。これは持ち主を選ぶから」

「ならば今は諦めよう。ずっとヴィントの感じていた監視の視線もその本の魔術かな?」

「そう。ずっとヴィントを見張っていた。こいつ、貴方の言うような俗人じゃない。こいつも黒い血筋よ。危険だから、見張り続けた。標的の持ち物を手に入れてそれを呪物にすれば監視の魔術は簡単ね」

「今回は……ひょっとして刑事のライターかな」

「そういうこと」

「成程、それでは儀式に移ろう。まずは祭儀室に移動だ。空白魔術を頼む」

リアは角度によって表紙も判型も変化する本を高く掲げた。

「これが『Aの書』。暗黒の民に『アッツォウスの虚言』と呼ばれた魔術書――」そう言って『アッツォウスの虚言』を開いた。呪文を開いたページに目を落とす。薔薇の蕾を思わせる唇がほころびかけた。

その時、マスカード神父が二人を見守るヴィントに振り返り、こう叫んだ。

「ヨハン、名前を唱えろ! 樹海で唱えた名前を」

ヴィント刑事がはっとした。顔を上げた痩せた男の姿に、一瞬、カンテラを持った男の子の姿が重なった。ヴィントと男の子はそっくりな表情で時空外存在の神の名を叫んだ。それは〝A〟で始まり〝S〟で終わる秘めた名前だった。すなわち――

アッツォウス《ATZOUS》
空白魔術を使おうとしていたリアは咄嗟に防御魔術に移ることが出来なかった。その身が雷撃を受けたように弓なりになった。衝撃で抱えていた聖典が腕から落ちた。落ちた聖典は床に落ちる前に蠟燭立にぶつかり、燃え始める。まるで書物自体がガソリンを含んでいたような燃え方だった。燃えながら落下した聖典はヨハンには血の色の本に見え、マスカード神父には不定形な純白のものに見えた。本が炎に包まれると同時にリアの変化が始まった。まず美しい顔の中央に真っ黒い点が現われる。点は瞬く間に増え広がり、リアの首から上を真っ黒く覆い尽くした。それは映画フィルムが過熱して一点から焼け焦げが広がり、フィルム全てが溶けてしまう様子に酷似していた。セルロイドの溶ける悪臭が図書室に充満した。黒い煙に追われるように二人は図書室から逃げ出した。図書室から館に火の手が回り、古い屋敷を炎が包み込む頃――。ヨハンとマスカード神父はクライスラーに乗り込み、走り出していた。

「敵をあざむくにはまず味方から。とんだ田舎芝居をお見せしました」

「あんた、神父より役者に向いているな。半分だまされた」

「車を盗んだのは良いですが、トランクを置いてきてしまいましたね」

運転席に座ってハンドルを操るヨハンにマスカード神父が言った。

「車を頂くのも古文書を頂くのも大して変わらない。気にするな。いざとなったら俺が揉み消してやる」

そう応えてからヨハンは続けた。

「それにしても……ガキの頃の俺はなんだって、おかしな神の名前だか呪文だかを知っていたんだ？　俺は黒森の真ん中で何をしていたというんだ？　俺は、何なんだ？・」

「ベルリンに戻ったら私が調べましょう。手掛かりはあります。それより……」

と言ってマスカード神父は助手席からヨハン・ヴィント刑事の横顔に笑いかけた。

「助手席に煙草とライターがありました。オランダ煙草とイムコのトレンチライターです。今回の戦利品ですね」

斧の館

The House of the Hatchet

ロバート・ブロック　Robert Bloch
植草昌実訳

少年時代からのラヴクラフトのファンは、やがて彼の知遇を得、それぞれに手がけたクトゥルー神話作品で、互いになぞらえた登場人物に恐怖を味わわせるほど親しくなった——その若者ロバート・ブロックも、ダーレスの推挽を得て、デビューから十一年後の一九四五年、アーカムハウスから初の短編集 *The Opener of the Way* を上梓した。収録作品のうち数少ない未訳作から選んだ本作は、後年の『サイコ』を連想させる、異常心理と怪奇幻想を巧みに混交した好短編。初出は『ウィアード・テールズ』一九四一年一月号。作者の映画マニアぶりをうかがわせる愉快な語りとともに、恐怖をお楽しみください。

ぼくはいつものようにデイジーとの喧嘩を楽しんでいた。今回のきっかけは生命保険のことだったが、そのあとの口論は出だしには関係のない、普段どおりのものだった。互いに同じことを繰り返しただけだ。

「まる一日タイプライターを叩いてばかりいないで、仕事を探しにいったら?」

「ぼくが文筆業と知ったうえで結婚したんだろう。こういう仕事をしていれば、まる一日うちにいるものじゃないか。ぼくが外科医で、いつも表通りのダイナーでハンバーガーの切開手術をしていると思うかい?」

「ふざけないで。ジョージがどれだけ仕事をしているか、知ってるでしょう」

「知ってるさ。あいつみたいな売れっ子のギャグライターが友達にいて、ぼくは誇らしいよ」

「それで言い訳のつもり？　友達づきあいばっかりで、仕事はすっかりお留守。考えてみてよ。今日食べるものもろくに買えないのに、あなたは友達に自慢したいからってローンを組んで新車を買ったじゃない。家庭を大事にするなんて口ばっかり。やりなおせるならジョージと結婚したいわ。原稿が一区切りついたらハンバーガーくらい買ってきてくれるでしょう。そのタイプライターでどのくらい稼げるか、見込みが立ってるの？」

「ぼくは書くだけさ。それが売れるかどうかまでは決められない。仕事の契約は取りたいさ。でも、そうそうあるものじゃない。今の稼ぎにきみは不満ばかり言うが、ぼくは金の卵を生むガチョウじゃないからね」

「卵じゃないけれど、台本はたくさん生み出してるじゃない。買い手もつかないのに」

「今のは面白いね。気がきいてる。でも、きみの名台詞にも、そろそろ飽きがきそうだよ、デイジー」

「わたしに嫌気がさしているのはわかってるわ。次の相手はもう押さえてるんでしょう。ジーン・コーリーよね。このあいだ、帰りが遅かったとき、あの女《ひと》とエドの店に行っていたでしょう。コルセットの代わりになれるくらいくっついていたんですってね」

「おいおい、ジーンは関係ないよ」

「関係ないわけないでしょう。妻の口から恋人の名は聞きたくないってこと？　あなたの手が早いのは身をもって知っているけれど、『きみはぼくにひらめきを与えてくれる』なんて、あの女《ひと》にまでは言ってないでしょうね」

「よせよ、デイジー、でっちあげもそこまでだ――」

「あの女《ひと》にも保険をかけたら？　重婚保険ね。それともモルモン教（末日聖徒イエス・キリスト教会の通称。創立期にのみ一夫多妻を認めていた）に改宗する？」

「ここまでにしようじゃないか。記念すべき日の序幕としてはなかなかの出し物だったがね」

「記念すべき日って？」

「今日は五月十八日だろう」

「五月十八日……」

「思い出したかい。はい、これを喧《やかま》し屋さんに」

「これって……このネックレス……」

「株主には配当があるものさ」

「あなた、わざわざこれを買ってくれたの？　ほかにいろんな支払いもあるのに――」

「気にすることはないさ。まずは落ち着くんだ。連続活劇のヒロインが悪漢に捕まったときみたいに息が上がってるよ」

「きれいだわ。とっても……」

「デイジー、これで今日の喧嘩は忘れてくれるかな」

「わたし、こんな大事な日を忘れていたなんて！」

「ぼくは覚えていたよ。ねえ、デイジー」

「なあに？」

「ぼくのことを感傷的だと思うかもしれないが、今日はプレンティス街道をドライヴしてみないか」

「一緒にここまで来た、あの道を？」

「そうさ」

「行きましょう。素敵だわ。でも、このネックレス、どこで買ったの？」

喧嘩はこれでおしまい。いつもどおりだ。ぼくにとっては日課と言ってもいいだろう。こうやってデイジーとのあいだを調整している。だが、今日の一番は疲れを感じた。同じことをもう何カ月も続けていることになる。どうしてかはわからない。離婚届に「性格の不一致」とだけ書いて、別れてしまえばいいのに。ぼくは稼げないし、デイジーはそればかり責める。一緒に生きていけるなら、それでもいいような気もするのだが。

二人の諍《いさか》いをありふれたメロドラマに落としこんで、ぼくは得意になっていた。記念日のプレゼントにネックレス。思い出の道へのドライヴ。完璧だ。口にモップを押しこまなくても、デイジーを黙らせることができた。

思い出に酔ったデイジーと、上首尾に浮かれたぼくは車に乗り込むと、ウィルシェア通りをプレンティス街道に向かって走りだした。互いにまだ言いたいことはあるが、繰り返してはどちらも気が重くなるだけだ。今のデイジーの口調には、普段はしない甘えた響きがあって、その不似合いさはボリス・カーロフ（一八八七—一九六九　イギリスの俳優。『フランケンシュタイン』（一九三一　米）で怪物を演じた）が不似合いにも小心者を演じているようで、ぼくは落ち着けなくなった。

だが、ドライヴは楽しく始まった。ぼくは昔のようにおどけてみせた。考えなしに駆け落ちした、まだ子供だったあの日のように。デイジーは美容院を解雇されたところで、ぼくは何本かの脚本がエージェントを通して売れたばかり。二人でヴァロスに行って結婚した。あの日と同じ春の日差しの下を、あの日と同じ道を走るあいだ、デイジーはあの日と同じように、運転席のぼくに身を寄せていた。

でも、まったく同じではない。デイジーはもう子供じゃない。顔はほとんど変わらないが、声はかすれて低くなった。体重もたいして重くなってはいないが、腹におさめた不満は増えている。ぼくも同じだ。ラジオ番組の台本はすぐに売れた。調子に乗って大物ぶるようになり、無駄遣いをした。だが、そのあとは何を書いてもばったり売れなくなり、なのに出費は増える一方になったので、一歩も外に出ずデイジーの不平を聞きながら、懸命に原稿を書いた。新車なんて必要なの？　こんなに高い家賃、払いつづけられるの？　生命保険をかける余裕なんてある？　なのにどうして三着もスーツを買ったの？

そこでぼくはネックレスを買い、デイジーは静かになった。女なんて、そういうものだ。

今日は何もかも忘れることにしよう。請求書も、デイジーの不平も、ジーンのことも――最後のは難しそうだが。ジーンは文句は言わないし、不労所得があるし、甘ったれたしゃべりかたをしない。そういう女だ。

プレンティス街道から懐かしい道に入っていった。ぼくは少しだけ考えるのをやめて、思い出に心を向けた。あの頃のデイジーは幸せそうに見えた。実際、幸せだったのだろう。ぼくたちが小さな鞄に手まわりのものを詰めこんで、互いにものも言わずヴァロスのホテルに泊まり、翌朝に結婚してから、三年が過ぎた。

沈みっぱなしの、暗い三年だった――。

暗い思いを頭から押しのけた。今は日差しを受けてデイジーの金色の巻き毛が輝き、山々の緑が照り映えるのを見ていればいい。あの日も晴れていて、ぼくたちは行く先になんの不安も抱いてはいなかった。丘のあいだを走る、白いコンクリートで舗装された道は、成功に続いていると信じていた。

何も考えずに車を走らせた。だから、デイジーが看板を指さしたときも、適当な相づちを打つばかりだったが、気づけば走りだして四時間、いいかげん車を降りて一休みしたくなっていた。

車を停める頃合いか。その看板にはぼくも気づいていた。デイジーがはしゃいだ声で、「あれ見た？」と言った。

正真正銘の幽霊屋敷をお見逃しなく
恐怖の館
あなたは堪えられるか？

看板の下のほうには、小さい文字が並んでいた。

「クルヴァ邸にお立ち寄りを！　正真正銘の呪われた館――狂気の殺人鬼が振るった斧がここに！　死霊は還ってくるか？　街道唯一、本物の恐怖の館を御覧ください。入場料二十五セント」

もちろん、時速六十マイルで走る車の運転席からでは、小さい文字までは読めない。デイジーが肩に手をかけたから車を停め、彼女が看板を読んでいるあいだ、ぼくは大きいばかりの、歪《ひず》んでがたついていそうな屋敷を見ていた。道すがらに何十軒となく見てきた家のひとつだろう。どの家も、インドの修行僧《スワミ》とか霊媒とか、ヨガ心理療法師とかの看板を掲げていた。おかしな考えの持ち主か、旅行客をカモにするいかさま見世物師か、どちらかだろう。だが、この看板を書いたやつは、そういった連中とはだいぶ違うみたいで、ちょっと興味を惹かれた。違うとしか言いようがないが、たしかにそう感じた。

　デイジーは興味を惹かれたようだった。

「ねえ、あなた、入ってみましょうよ」

「見たいのかい?」

「座り疲れちゃったし、おなかも空いたわ。中でホットドッグくらい売ってるでしょう」

　まちがいなく、これは口実でしかない。デイジーは怖いものや残酷なものが好きなのだ。ホラー映画のファンでもある。夫たるもの、妻の趣味を知らないでは済まされない。彼女はスリル中毒者だ。結婚してまもなく、ダイナーで一緒に朝食をとっているあいだ、彼女は新聞の殺人事件の記事をぼくに読んで聞かせた。犯罪実話のパルプマガジンを家のあちこちに放り出していた。ホラーやスリラーの映画は欠かさず見に行き、ぼくは欠かさず付き合わされた。いちばん困ったのは、クリーヴランド連続殺人（一九三五年から三八年にかけて男女十二人が殺された事件。死体は首や四肢を切断されていた。犯人は不明）のような猟奇事件のことを話したがることで、ぼくが耳を塞いでも彼女は面白がるばかりだった。

　そんな彼女にはうってつけの見世物だ。古くなったからだけではなさそうな、みすぼらしい屋敷。玄関前にはためく毒々しい色の幕――そんなところを、デイジーは見たがっている。自分たちでやったほうが、よほど気がきいているだろうに。彼女が喜ぶなら、ぼくは黒い覆面をかぶり、喉を痛めたベラ・ルゴシ（一八八二―一九五六 ハンガリー出身の俳優。一九三一年、映画『魔人ドラキュラ』に主演し名声を博した）みたいな声で囁きかけて、斧の刃で撫でてやろう。

　ぼくは「そうかな」と答えてみたが、デイジーには聞こえなかったようだ。彼女はもう車のドアに手をかけていた。満面の笑みを浮かべて――めったに見ることのない笑顔だ。殺人事件の記事を読んでいるときに、きまってこんな風に笑う。腹を空かせた猫が小鳥に忍び寄るとき、こんな顔をしそうだ。デイジーはただ口うるさいだけではない。サディストなのだ。

　いや、ぼやくのは止そう。二度目のハネムーンを自分から台無しにすることはない。二、三十分も見てから、ヴァロスのホテルに泊まろう。

「行きましょうよ!」

　我に返って外を見ると、デイジーは先に入口に向かっていた。ぼくは車のドアをロックし、キーをポケットに入れると、中に入る前に彼女に追いついた。午後も晩《おそ》くなり、空が曇りだしたばかりか、霧も出てきた。デイジーは気ぜわしげに入口をノックした。幽霊屋敷のお約束で、しばらく間をおいてからドアがゆっくり開いた。お約束が続けば、作り笑いを浮かべた邪悪な顔が迎えるのだろう。デイジーはそれを期待しているにちがいない。が、出迎えたのは〈かぼちゃ大将〉ことW・C・フィールズ（一八八〇―一九四六　アメリカの喜劇俳優）みたいな男だった。

もっとも、鼻はあんなに大きくも赤くもない。頬も本物ほど肉付きはよくない。だが、チェックのスーツといい目つきといい、二重顎やもったいぶった口調までもが、よく似ていた。

「いらっしゃいませ、どうぞお入りください。クルヴァ館にようこそ」男は葉巻の先で屋敷の奥を指した。「お一人様二十五セントです。ありがとうございます」

玄関は暗かった。何があるのか良く見えないくらいだが、黴《かび》臭いことだけはわかった。幽霊はいなくても、ゴキブリがいるのはまちがいない。かの喜劇の名優のそっくりさんは、ぼくを説得しようとするかのように語った。ぼくはさておき、デイジーには有効だったようだ。

「閉館時刻が近づいておりますが、ご心配なく、私がご案内いたします。十五分ほど前に、団体様をお送りしたばかりでして――サンディエゴからの大勢様でした。皆様、このクルヴァ館を御覧になろうと遠路はるばるお越しで。当館が一見の価値あることはおわかりいただけるかと。お帰りの頃には、入場料をお安くお思いになること請け合いです」

前置きは結構、先に進もうじゃないか。ゾンビの仮装をした連中を出したり、ドアノブに電気を流したりして、出口までびっくりさせてくれれば十分だ。

「ここはどういうお屋敷で、あなたはどういう御縁でここに?」デイジーがいつもの質問をした。好きなことには頭の回転が速い。いつも感心する。

「はい、奥様。よくそのようにお尋ねいただき、そのたびに私は喜んでこう答えております。この館はアイヴァン・クルヴァの家でした。クルヴァをご存じでしょうか、ロシアから移住してきた映画監督です。時は一九二三年、セシル・B・デミル（一八八一―一九五九　アメリカの映画監督。代表作に『十誡』）が大作史劇を作りはじめた頃、やはり大作史劇の監督としてヨーロッパで名を馳せたクルヴァは引く手あまたになりました。彼はこの館を建てて妻と住んでいました。ですが、今はもう、アイヴァン・クルヴァを覚えている人はいません。彼が映画を作ることはなかったからです。

クルヴァはアメリカでは知る人もいないような異国の

秘教のあれこれを折衷し、独自の宗教を創りだしました。まあ、ハリウッドでは珍しいことではありませんでしたが。この館には変わった人たちが集まってくるようになりました。禁酒法の時代です、ここでは毎晩のように酒宴が開かれ、麻薬に手を出す者も出てきて、悪い噂が絶えなくなりました。ついには、入った者が出ていくのを見たことがない、と言われるようになりました。実際、ここでは悪魔崇拝の儀式が行われるようになっていたのです――お客様がここに来られるまで、道沿いに御覧になった看板のようないかがわしいものではない、本当の黒ミサが。クルヴァはその司祭でした。

きっと彼は正気をなくしていたのでしょう。そしてある夜、その類《たぐい》の儀式のあと、クルヴァは妻を殺してしまいました。二階に設《しつら》えた祭壇の上で。斧で妻の喉を切ったのです。そして、行方をくらましました。二、三日後に、警察がこの館に来て、妻の死体を発見しましたが、クルヴァの足取りは杳《よう》として摑めませんでした。裏の崖から飛びおりたのかもしれません。自分が望むところに行くために妻を犠牲《いけにえ》に捧げたのだ、という噂も聞きました。クルヴァの教壇の信徒たちが何人か、警察の厳しい取り調べを受け、人身御供の儀式によって何が叶えられるのか、とても信じられないようなことを語ったと言われています。地球から脱出できるのだそうです。馬鹿馬鹿しいにもほどがありますが、警察がさらに屋敷を調べると、祭壇の前に気味の悪い姿の像が立っていたそうです。どんなものだったのかは、公表されていませんが。儀式に使うものや、黒魔術の本などもたくさんあったそうですが、警察がみな焼いてしまったようです。結局、クルヴァの教団の信徒たちは、カリフォルニア州から追放されてしまいました」

ありふれた話だが、まだ先は長そうで、つい眉をひそめてしまった。ぼくは売れない放送作家だが、即興でももう少し面白い話は作れるし、この男の単調な話し方よりずっと、聞く人を惹きつける話術くらいは心得ている。こんなふうに語っては、退屈だし説得力もない。スリラーの筋立てとしては最低の部類に入るものだろう。

だが――

ぼくはふと気づいた。この話は事実なのだろう。ならば、この事件は解決済みにちがいない。少なくとも、今のところは超自然的な話になってはいない。正気を失い悪魔の信徒となったロシア人が、妻を斧で殺した。事件としてはありふれている。精神病理学の世界では、このような症例が後を絶たないはずだ。まちがいない。この喜劇俳優のそっくりさんは、事件のあとでこの屋敷を買い取り、いかにも怖ろしげな話を付け加えて、看板を掲げただけだろう。

　ぼくの読みを裏付けするかのように、このほら吹きは続けた。

「その後、このクルヴァ館は誰もいない空き家のまま、何年もここに建ちつづけていました。いや、誰もいないというのは正確ではありませんな。一人だけ、ずっといましたから。白衣の女——クルヴァ夫人の幽霊が」

　来た来た！　お約束の『白衣の女』だ。どうしてピンクや緑ではないのだろう。『白衣の女』とは、今どきはヴォードヴィル・ショーのチラシにも使えない。この男の若い頃ならいざ知らず。だが、当の本人はことさらに声を重々しくして、演出に余念がないようだ。

「クルヴァ夫人は夜ごとに、廊下を渡って自分が殺された部屋に向かいます。喉の傷が月明かりにぬめ光ります。そして血に染まった祭壇に身を横たえ、またも斧の一撃を受けるや、苦悶の声とともに消えていきます」

　こっちは声なき苦笑とともに帰りたいよ。

「ああ」デイジーが声をあげた。「今もいるのね」

「この館は何年ものあいだ誰も入らなかったと申しましたが、宿無しや渡りの労働者が雨露をしのぐために入りこむことはありました。ですが、一夜の宿を借りたばかりに、みな帰らぬ人となりました。翌朝、かれらは祭壇の上で、喉を切られて死んでいたのですから」

　ぼくは「それはお気のどくに」と茶々を入れたくなったが、思いとどまった。こんな話でも、デイジーが楽しんでいるのなら。彼女は今、だまって耳を傾けている。

「やがてこの館には誰も踏みこまなくなりました。宿無したちのあいだにも噂が広まったのでしょう。地主が不動産屋が売ろうとしても、買い手がつきません。そこで私は借りることにしました。事件の委細を知って、お客様を呼べるだろうと考えたのです。こう見えてもビジネスマンですから」

　聞いてよかった。詐欺師を自認しているものと思っていたよ。

「さて、祭壇の部屋を御覧にいれましょうか。ご案内いたします。どうぞ二階へ。事件のあったときのままに保存しております。一見の価値はございます——」

　暗い階段を上がる途中、デイジーがぼくの腕をぐっと摑んだ。「ねええ、あなたぁ、わくわくしない？」

　変に甘えたようなもの言いは耳障りだ。そのうえ、彼女がわくわくするものには、ぼくはげんなりする。いっそこの女を殺してしまえたら、という思いが頭をかすめた。そう、クルヴァのように。

ぼくたちは軋む階段を上がり、すすけた窓からぼんやりと光の差す廊下を、よたよた歩く興業師のあとについていった。一迅の風が吹きつけ、屋敷が苦悶の声をあげるように震えた。

デイジーはくすくす笑いつづけていた。一緒にホラー映画を見ているときのように。女の子が眠っている部屋に怪物が入りこもうとする場面で、きまって彼女はぼくの上着の襟を弄ぶ。興奮が上限に達するからだろう。

ぼくはといえば、古道具屋で店晒《たなざら》しにされている鰊《にしん》の剝製くらいには興奮していた。

W・C・フィールズのそっくりさんは、ある部屋の前に踏みこみ、何かを探しているようだった。すぐに火を灯した燭台を手に出てくると、その部屋にぼくたちを案内した。おや、なかなか演出を心得ているじゃないか。蠟燭の火はかえって暗さを強調する。黒い影を大きく壁に落とすからだ。

「ここが祭壇の部屋です」彼が囁くように言った。

ここが祭壇の部屋か。

ぼくには霊感はない。想像力も人並みだ。オーソン・ウェルズがラジオで火星人への恐怖を煽っていたときには（一九三八年一〇月三〇日、H・G・ウエルズ原作『宇宙戦争』のラジオ放送）も、ハンバーガー・シヨップで他局から流れるレイモンド・スコット・クインテット（作曲家スコット（一九〇八―九四）をリーダーとするジャズバンド。なぜか六人編成。三七年から二年間活動した）を聴いていた。だが、一歩踏みこんだときに直感した。あの話は嘘じゃない。ここで人が殺されたのが臭いでわかる。

この部屋は死が支配している。霊安室のように寒い。部屋の隅の大きなベッドを照らしていた蠟燭の火が、部屋の中央にある覆いをかけたさらに大きな台に向かった。そこで殺人が行われたのだ。

どう見ても、犠牲を捧げる祭壇だ。それを見下ろす位置には壁龕《へきがん》があり、そこに何かの像が立っていた、と想像するのは難しくはない。だが、どんな像だったのだろう。黒い蝙蝠か、逆さまの十字架か。悪魔崇拝者はそういうものを祀るのではなかったか。あるいは、もっと怖ろしい偶像だったのか。警察が撤去したのかもしれないが、それにしては祭壇はそのままになっている。蠟燭の明かりを受けた祭壇に、黒ずんだ染みが浮かんだ。両脇に流れたように。

身を寄せてきたデイジーから震えが伝わってきた。

ここがクルヴァの部屋だ。片手に斧を持ち、片手では怯える女を祭壇に押さえつけている。目には狂気の色を浮かべ、手にした斧を振りあげて――

「一九二四年一月一二日のことです。アイヴァン・クルヴァはここで妻を殺しました――」

太った男はドアの脇に立ち、気の乗らないまま歌うかのように語った。ぼくはその言葉に耳を傾けた。この部屋で聞くと、至極もっともらしく聞こえたからだ。見世物小屋の看板の文字ではなく、この暗い部屋の中で、明らかな意味をなしていた。ある男とその妻と、ここで起きた殺人。「死」という言葉は新聞の紙面だけでも見慣れている。だが、それが自分のことになるときは、かならず巡ってくる。怖ろしいが、それが現実だ。あなたが死ねば、蛆虫どもがその言葉を耳元で囁くだろう――あなたを食べるついでに。「殺人」という言葉も似たようなものだ。外からの力による死。神になったかのように、人が人にもたらす死だ。そう、殺人の瞬間、殺す者は神のごとき存在となる。他人の命を奪うのだから。この考えかたは異常だが、どこか心を捉えるものがある。酔った勢いで引いた銃の引き金。怒りにまかせた鈍器の一撃。戦場の狂乱の中、相手も見ずに突き立てた銃剣。交通事故となると、すでに日常の出来事になっている。死を意識して生きているのは人間だけだ。だから、他人の死を望み、計画し、冷血にも実行することができる――

彼は食卓につき、妻に目を向けてこう言う。「十二時だ。きみが生きていられるのもあと五時間だけだよ。誰も知らないがね。きみの友達も知ることはないだろう。そう、誰も知らない――私のほかは。いや、私と死神のほかはね。だが、私はきみの死神だ。きみの身も心も支配するものだ。きみは生まれ、生き、すばらしい時を過ごしてきた。今、私はきみの運命を決める。きみは私に殺されるために、今ここにいるのだ」

怖ろしいことだ。そして、二階には祭壇と斧がある。「二階に行こうよ」彼は笑みを浮かべる。暗い階段を上り、斧と祭壇のある暗い部屋へ行く。

彼は妻を憎んでいたのだろうか。いや、そうは思えない。先ほどまでに聞いた話では、彼は目的のために、彼女を犠牲にする必要があった。妻はもっとも身近で、もっとも犠牲にしやすい相手だ。極地で水を求めるように、血が欲しかったのかもしれない。

その殺人が行われたのがここだ。与太話ではない。この部屋に彼がいるのを感じる。そして、彼女がいるのも。

おかしなことだ。だが、彼女はいる。実体はなく、触れることもできないが、いるのが感じられる。不安定な力のようなものとなって。背後でゆらぎ、振り向くと消える。影に隠れたのだろう。血に染まった祭壇にいる。そこに繋がれた霊のように。

「わたしはここで死んだ。この祭壇の上で。ここに乗せられるまでは、まちがいなく生きていた。なのに、死の手に捕らわれた。斧の刃がわたしの喉を、命を切り裂いた。それからは、ただ待っているだけ。誰かが来るのを。わたしと同じ目に合わせるために。今のわたしは人でもなく、霊でもない。わたしはただの〈力〉――命が喉の傷から出ていったときに生まれた力。わたしに残されたのは、死にゆくときに覚えた感情――憎悪だけ。この身に突然ふりかかった、不当な死への憎悪。わたしが死んだとき、その憎悪が〈力〉を生んだ――死によってわたしが得た、ただ一つのものを。わたしは憎悪が鎮まるときを待っている。誰かを殺すと、憎悪は目覚め、湧きあがり、力を増す。が、そのあとのほんの短いあいだ、わたし自身が目覚め、立ち上がり、力を得る。生きていた頃の感覚が、わずかだが戻ってくる。暗い憎悪に従うことで、死の中の生をかろうじて繋いでいる。そのために、わたしはこの部屋に身を潜めている。わたしに会うまで待つがいい。この暗い部屋で、わたしがその喉を斧の刃で切り裂き、生の感覚に酔うために」

長広舌くらいしか芸のない興行師は、作りこんだ話をまだ続けていたが、ぼくにはもう聞こえてはいなかった。彼が蠟燭の明かりの下に、何かを差し出した。

斧だ。

隣にいるデイジーの驚きの声を聞いた――いや、感じた。その眼は二つの青い鏡になり、恐怖を映していた。彼女が何を想像しているかは簡単に察しがついた。このおやじが無造作な手つきで見せつける斧は刃に錆が浮き、ぼくは刃こぼれから目が離せなくなった。ほかには何も見えず、何も聞こえず、考えることさえできなくなった。これがあの斧、死の象徴だ。話の重要な点は、クルヴァでもその妻でもない、この小ぶりな斧の刃にある。まさにこの刃が死をもたらしたのだから。生あるものすべてを運命づける凶器、この世界でもっとも強大な鋭器だ。知も力も、愛も憎しみも、この斧の前では虚しい。

男が斧を取り落とし、ぼくはようやく目をそれから離し、暗い想念を頭から振り払って、デイジーに向けることができた。

デイジーが倒れた。彼女は石になったかのようだった。

ぼくは彼女を抱きとめた。興行師は本当に驚いているように見えた。

「妻が失神した」ぼくは言った。

興行師は目をぱちくりさせていた。何がどうなっているのか、わからないようだった。少しして、彼は嬉しそうな顔をした。自分の話がうまいので、怖さに失神したのだと思ったようだ。

予定変更だ。ヴァロスでの一泊も、その前の晩餐もあきらめよう。

「どこか横になれるところはないかな」ぼくは尋ねた。

「この部屋ではなくて」

たまにこういう客もいると言って、興行師は階段の近くの小部屋に案内した。他のところと違ってきちんと掃除してあり、ベッドがわりの長椅子が置いてある。

「一階の家内の部屋のほうが、居心地がよろしいかもしれませんが」彼は答えた。

家内の部屋？　この幽霊屋敷に夫婦で住んでいるのか？　下手な嘘にだまされたものだ。

ぼくはデイジーを長椅子に寝かせると、手首をこすって温めた。

「家内にお世話をさせましょうか」興行師が心配げに尋ねた。

「お気遣いなく。妻は興奮しやすくて、ときどきこうなるので。少し休ませればよくなります」

男は部屋を出ていき、ぼくは文句を言いながらその場に座っていた。まったく、世話の焼ける女だ。だが、こうなった以上は仕方がない。それに、ようやくデイジーは静かになってくれた。このまま眠らせておこう。

暗い階段を手探りで降りた。半分ほどのところにきた時、屋根を叩く耳慣れた音がした。西海岸ではおなじみの驟雨だ。空は真っ暗になっていることだろう。

雨か。メロドラマにふさわしい演出だ。デイジーにつきあってしぶしぶ見た映画そのままじゃないか。

若い男女が雷雨を避けて入ったのは幽霊屋敷だった。主人は秘密めいて邪悪だ（ここの主人はそんな風貌ではないが、役に合う俳優の都合がつかなければ、がんばってもらおう）。呪われた部屋がある。気を失った女はベッドに横たわっているほかない。そこに、特殊メイクをしたボリス・カーロフが現れる。「グァーッ！」ボリスが言う。「ヒィーッ！」女が言う。「何事だ？」トーズフッディ警部が一階から叫ぶ。ボリス・カーロフは転落してマンホールに消える。銃声が轟き、ボリス・カーロフは転落してマンホールに消える。女はまだ震えている。男が女を抱き寄せる。お約束のエンディングだ。

今の状況を映画にたとえるのは、我ながらいい考えだと思ったが、階段を下りきったところで、頭の中で自分とかくれんぼをしているようなものだと気づいた。暗い、冷たいものが頭の中を這いまわり、ぼくはそれから逃げようとして懸命に足掻くばかりだ。アイヴァン・クルヴァ、その妻、祭壇の部屋、斧。この家には幽霊がいて、デイジーは一人で眠っていて――

「ハム・アンド・エッグはいかがですか」

「いったいなんだと――」

声に驚いて振り向くと、興行師がいた。

「ご夕食の話です。天気は荒れておりますし、奥様はまだおやすみになっていたほうがよろしいでしょう。家内が夕食を支度しますので、ご一緒にいかがかと」

彼の鼻に感謝のキスをするところだった。

居間に案内された。興行師夫人は想像したとおりの女《ひと》だった。年恰好は四十代半ば、痩せぎすでおとなしそうだ。居間はこざっぱりとして居心地がよかった。自分たちが使う部屋は実にきれいにしてある。ぼくは興行師に少なからぬ敬意を抱きはじめていた。仕事からは想像しがたいが、非凡な感覚の持ち主のようだ。また、夫人の料理の腕も非凡だった。

雨音は激しさを増した。嵐の中、狭いが明るい部屋にいるのは心地よいものだ。気がおけない。キーナン夫人は――興行師はホーマー・キーナンと名乗った――ディジーに少しブランデーを持っていくよう、ぼくに言った。遠慮していると、ブランデーという言葉を聞きつけたか、そのものを嗅ぎつけたか、キーナンはまず試してみるようぼくにすすめた。上質のピーチ・ブランデーを、ディジーのぶんにと半ガロン入りの水差しに少し取ると、彼は三つのグラスに注ぎ分けた。食事が進むうちにもう一杯、さらにもう一杯。酒は暗い考えを追い出すのに、かなり有効だった。それでも、わずかに残りはしたが。ぼくはホーマー・キーナンに話しかけた。退屈な会話になるとしても、頭に入りこんだ虫に脳を喰われるように、黙って不安を堪えているよりは、ずっといい。

「カーニバルが解散して、私は見世物の興業を畳みました。身のまわりを片付けて家内と相談したところ、ひところに落ち着いて暮らしたい、と言われました。旅から旅のカーニバルの仕事なんて、たしかに長年できるものじゃありません。そんなとき、古い知り合いの革職人が、幽霊屋敷に仕立てるのにうってつけだと、この館を教えてくれました。アイヴァン・クルヴァという男が妻を殺したところで、犯行現場もそのままだ、というのです。私はこの館を手に入れ、博物館として保管する許可を州から得ました。もちろん幽霊なんぞ出やしません。作り事ですからね。それでも、始めてみたらお客が引きも切らず、週末には十時間も開けていることもあるくらいです。悪くはありませんよ。商売も、ここでの暮らしも――ブランデーをもう少しいかがですか。なあに、ご遠慮なさることはありません。この街道の先でメキシコ人が作っているんですが、なかなかでしょう」

急に怒りが沸き起こった。胸の底から。幽霊は作り事だと？　この男は何を言っているのか。あの部屋に入ったとき、殺しの臭いがした。ぼくは彼の想念を感じた。彼女の想念も。部屋には彼女の憎悪が残されていた。あれが幽霊でないのだとしたら、なんだと言うのか。部屋のすべてのものに黒い想念が結びつき、ぼくの頭の中で騒ぎつづけた。それは一人ベッドに横になっているデイジーまで結びつけようとした。頭がかっとなった。ブランデーに酔ったようだ。いや、それだけじゃない。デイジーのことを思うと不安に駆られて、いてもたってもいられなくなってきた。嵐の中、殺人事件があったばかりか、その凶器が保存されてさえいる家の一室に一人でいるのだから。すぐに彼女のそばに行かないと。怖ろしい光景が浮かび、ぼくは浮き足だった。

　ブランデー入りの水差しを手に、暗い階段を彼女のいる部屋まで急いだ。震えながら部屋に踏みこむと、彼女はすやすや眠っていた。寝顔は穏やかなばかりか、笑みさえ浮かべていた。幽霊も斧も夢には出てきていないようだ。その様子に、さっきまでの自分がばかばかしくなり、しばらくそばにいると気持ちが落ち着いてきた。

　居間に戻るまでのあいだに、酔っているのに気づいた。おかげで暗い思いは消え、ぼくは安心してきた。

　戻ると、キーナンはぼくのグラスにブランデーを注ぎ、ぼくが一息に空けるとすかさずまた注いだ。すっかりくつろいで、また話がはじまった。

　ぼくはよくしゃべった。酒のおかげで気分がほぐれていたからだ。日頃の暮らしのことも、これまでの仕事のことも、デイジーとのロマンスまで。思いつくまま、酔いにまかせて。

　酒の上での話はいつしか、教会での告解のようになった。ぼくとデイジーのあいだにあったこと。ばかげた喧嘩。彼女の口やかましさ。車や生命保険についての彼女の不平。ジーン・コーリーのことまで。ぼやくほど弱気になっていた。今回のドライヴが二度目のハネムーンのつもりで、それを思いついたのは、最悪の事態を避けたい一心からだったのも。

　キーナンは世事に通じた様子でぼくの話に耳を傾け、妻に感じるほんのささいな不満を口にしさえした。デイジーの怖いもの好きをぼくがこぼすと、彼は自分の妻が怖がりなことを笑いの種にした。幽霊の話は夫が作ったと知っていても、日が暮れてからは二階に行きたがらないのだと——幽霊が本当に出るかのように。

　キーナン夫人は夫に怒ってみせ、そんなことはない、と反論した。いつでも二階には上がっている、と。そう、いつでも。

「なら、今からどうだい？　真夜中を過ぎたところだ。こちらの奥さんに温かい飲み物でも差し上げるといい」キーナンの口調は、お祖母さんのお見舞いに行くよう赤ずきんに言いつけるようだった。

「お気遣いなく」ぼくは言った。「もう雨もあがったようですし、妻を起こしておいとまします。お話ししたように、ヴァロスに行きたいので」

「わたしが怖がっていると思う？」コーヒーポットを手に、キーナン夫人が言った。いくぶん酔っているようだが、手元も口調もしっかりしていた。

「いえいえ、そんな――」

「男の人って、自分の奥さんに文句を言ってばかりね。行ってくるわ」そう言うと、彼女はコーヒーを注いだカップを手に、背筋をまっすぐ伸ばして居間を出ていった。

これには焦った。

酔いが一気に醒めた。

「キーナンさん」ぼくは言った。

「なんですか」

「止めないと」

「なぜまた？」

「夜に二階に上がったことは？」

「ありませんな。用はないから。お客に怖がってもらうために、あえて掃除もしていませんし。行くのは開館のあいだだけですよ」

「あの話は本当に作り事なんですか」ぼくは尋ねた。

「どういうことですかな」

「幽霊はいるんじゃないんですか」

「ほう、面白いですな」

「キーナンさん、二階で妙な感じがしたと、さっき話したでしょう。あなたは慣れているから気づかないのかもしれないが、ぼくは感じたんです。ある女性の憎しみを。二階には憎悪があるんです！」思わず声が大きくなっていた。彼を椅子から引っぱりあげ、外に出そうとした。キーナン夫人を止めないと。ぼくは怖れていた。

「あの部屋には悪意が満ちていたんだ」午後に感じた、死んだ女の想念を――殺されたときの驚きと、殺されたあとに残った憎悪を、彼に説明した。死後にその場に留まり、成長していった憎悪。再び形を得れば、自分を殺した斧で誰かを殺すこともできる憎悪――。

「奥さんを止めてくれ、キーナンさん」ぼくは叫んだ。

「止めるんだ！」

「あなたの奥さんは大丈夫ですかな」興行師は笑った。ぼくに向けた目は酔っていた。「これまでお話ししないでいたことがあります。クルヴァの話はぜんぶ、作り事です」彼はウインクをしてみせた。ぼくは彼を廊下に出そうとしつづけた。

「絵空事です」彼は続けた。「幽霊のことだけじゃありません。そう――アイヴァン・クルヴァなんて人も、その妻もいない。殺人事件も起きていない。あの部屋の祭壇は肉屋の作業台です。あの斧は道具屋で買ってきた、ただの斧です。殺人もない、幽霊もない、だから怖いものは何もない。悪ふざけですが、それが私の仕事です。みんな嘘なんです！」

「しゃべってる場合じゃない！」暗い思いがまた沸き起こり、頭の中で誰かが歌う声がした。ぼくは彼を二階に引きずっていこうとした。もう手遅れだろうが、このままではいられない――

悲鳴が聞こえた。

ドアを閉める音が、廊下を走る音がした。階段の上でふたたび悲鳴があがったが、途中で途切れた。真っ暗だが、キーナン夫人の影が揺れるのが見えた。そして、そのまま階段を落ちてきた。転がるように。人間の体が落ちてくるというのに、ゴムボールが弾むような音がした。階段の下まで転がり落ちた彼女の喉には、斧が突き立っていた。

足が竦《すく》んで動けなかった。振り向くと、キーナンが立ったまま、死んだ妻を見下ろしていた。ぼくはまくし立てた。

「あの女にはもううんざりだったんだ――あんたにはこれっぽっちもわかるまい。ジーンも待っている。あいつには生命保険をかけた。ヴァロスに着くまでのあいだに、事故を装って殺すつもりだったんだ」

「幽霊はいません」キーナンがつぶやいた。何も聞こえていないようだった。「幽霊なんかいませんとも」ぼくは斧が刺さったキーナン夫人の喉を見下ろした。

「あんたの斧を見て、デイジーが気絶した。チャンスだと思ったね。一緒に酒を飲んで、あんたが酔ったところで、気づかれないようにあいつを運びだして――」

「うちのを殺したのは誰だ？」キーナンはつぶやいた。「幽霊なんかいないのに」

ぼくは自分が二階で感じたことを思い返した。死んだ女の憎悪がこの屋敷に残っていて、来る者を殺そうとしている。それが今夜、形を得て斧を手に取り、キーナン夫人を殺した。彼女が落ちる前に頭の中に聞こえた歌声が、また聞こえた。ぼくは言わずにはいられなかった。

「いるさ。デイジーの幽霊がね。様子を見に二階に上がったとき、ぼくが殺したんだ――その斧で」

アーカムハウスの住人たち

チルトン城の恐怖

The Horror at Chilton Castle

ジョセフ・ペイン・ブレナン Joseph Payne Brennan

宮﨑真紀 訳

ジョセフ・ペイン・ブレナン（一九一八―九〇）は、イェール大学の図書館で司書を勤めるかたわら、詩と西部小説を手がけていた。もとよりラヴクラフトのファンだった彼は、五〇年代に入るや怪奇小説に着手、「裏庭」や「沼の怪」などの秀作で注目を集めた。アーカムハウスからはこれらを収録した *Nine Horrors and a Dream*（1958）はじめ短編集二冊と、詩集一冊を上梓している。また、自らも五五年に出版社Macabre Houseを興し、怪奇小説誌 *Macabre* を編集、発行した。本作は、同社刊の短編集 *Scream at Midnight*（1963）に収録された。ラムジー・キャンベルをも恐怖せしめた逸品である。

その夏はヨーロッパでのんびり休暇を過ごし、できれば自分の家系を調べてみようと決めていた。まずアイルランドをめざし、キルケニーの町に行って、私の遠いアイルランド人の先祖で、古代オソリー王国のイー・ドゥアハ族の族長だったオブレネイン家にまつわる、さまざまな伝説や信頼性の高そうな民間伝承を掘り起こした。のちにブレナン家と綴られるようになったこの一族は、イングランドから派遣されたアイルランド総督ストラフォード伯爵トマス・ウェントワースによって土地を没収された。この盗人伯爵がのちにロンドン塔で斬首刑に処せられたことをここで報告できるのは、じつに喜ばしい。

その後、キルケニーからロンドンへ、さらにチェスターフィールドに向かい、ホルボーン家、ウィルカーソン家、サール家など母方の祖先について調査した。記録は不完全かつ断片的で、大きく欠けている部分が数多くあったが、地道な努力が少しずつ功を奏し、しまいにもっと北に足を延ばして、十二代チルトン伯爵ロバート・チルトン＝ペインの居城であるチルトン城近辺を訪れることにした。チルトン＝ペイン家は相当遠い親戚だが、それでも細い糸をたどれば過去にかすかなつながりはあるので、城を見ておくのも悪くないだろうと思ったのだ。

城の近くの小村、ウェクスウォルドに午後遅い時間に到着した私は、村にたった一軒しかない〈赤い鷺鳥〉亭という宿屋に部屋を取り、荷ほどきをすると、階下におりてパンひとかたまりとチーズ、麦酒《エール》の簡単な食事をした。

この簡素だが充分な食事を終える頃には夜の帳《とばり》が下り、それとともに雨が降りだして、風も強くなった。

その晩は宿でおとなしくしておくことにした。エールはたっぷりあるし、急いでどこに行くでもない。

部屋で手紙を何通か書いたあと、下におりてエールを一杯頼んだ。バーにはほとんど客がいなかった。バーテンダーは、いつも今にも眠り込んでしまいそうな顔をした恰幅のいい紳士で、感じはいいが無口だったので、私はそのうちチルトン城の身の毛のよだつ奇妙な伝説についてつらつら考え始めた。

伝説にはいくつか種類があったが、長年のあいだにもともとの話に尾鰭《おひれ》がついたに違いなく、つねに話の中心となるのは城のどこかにある秘密の間だった。そこには世にも恐ろしい光景が広がっており、チルトン＝ペイン家としてもとても世間に明かすわけにいかず、開かずの間にしているのだという。

入室を許されるのはわずか三人のみ。城の主《あるじ》たるチルトン伯爵、伯爵の家督を継ぐ嫡男《ちゃくなん》、それに伯爵の指名を受けた人物。従来この人物とはチルトン城の管理人である。部屋に入るのは一世代に一度だけだ。嫡男は、成人したあと三日以内に、伯爵と管理人にこの部屋に案内される。そのあと恐怖の部屋はまた封印され、次に扉が開かれるのは、その嫡男がみずからの息子をそこに連れていくときだそうだ。

伝説によれば、部屋に入ったあと、嫡男は以前とはまるで別人になってしまうという。誰もが陰気で引きこもりがちになり、顔には不安げな塞いだ表情を浮かべ、その憂《うれ》い顔は何をもってしても追い散らせない。昔、完全に正気を失い、城の小塔から身投げした者もいたらしい。

秘密の間にいったい何が隠されているのか、人々はあれこれ想像を巡らせてきた。ある説では、武装した敵に猛追され、ほうほうのていで逃げてきたガウアー家の人々の様子が語られる。チルトン＝ペイン家とガウアー家のあいだにはかねてより軋轢《あつれき》があったが、追いつめられたガウアー家の人々はチルトン城に匿ってくれと助けを求めた。伯爵は彼らを中に迎え入れ、奥の間に通すと、守ってやるから安心しろと言い置いた。伯爵は約束を守った。ガウアーどもを血祭りにあげようと意気込んで乗り込んできた敵軍は、すごすごと引き返す羽目になった。ところが伯爵は、鍵をかけた部屋にガウアーの人々を閉じ込めたまま、餓死させたのだ。部屋は、伯爵の息子がついに封印を解くまで、三十年間も放置された。彼が目にしたのは凄惨な光景だった。ガウアー家の人々はじわじわと飢え死にし、折り重なるように残された遺骨の様子からして、しまいには人肉食にもおよんだようだった。

別の説は、中世の頃に領主たちがそこを拷問部屋として使っていた、というものだ。人に効果的に痛みをあたえるべく工夫を凝らした、死を呼ぶ拷問器具は今も部屋にあり、今わの際《きわ》の苦痛に無残に体を歪めた最後の犠牲者たちの骸《むくろ》を、いまだにがっちりと抱え込んでいるという。

三つ目の説には、チルトン＝ペイン家の女性先祖の一人で、悪魔と契約したと噂されるスーザン・グランヴィル夫人が登場する。魔女だとして火炙《あぶ》りの刑を言い渡されたが、どうにかして逃げ延びた。結局いつ、どうやって死んだかさえはっきりしないが、どうやら秘密の部屋が彼女の末期《まつご》と関係しているようだった。

そうして気味の悪い伝説の数々について考えているうちに、嵐がいよいよ激しくなった。雨は宿屋の鉛枠の窓を絶え間なく叩き、今では遠雷の轟きさえときどき聞こえてくる。

しきりに雨が流れ落ちる窓ガラスを眺めながら肩をすくめ、もう一杯エールを頼んだ。

来たばかりのジョッキを口に運びかけたそのとき、バーのドアがいきなり開いて、雨風がどっと吹き込んできた。扉が閉まり、雨つぶの滴る分厚い外套に耳までくるまれた背の高い男が、カウンターのほうにのしのしとやってきた。帽子を取り、ブランデーを注文する。

ほかにすることもなかったので、私は男をじっくり観察した。髪に白いものがまじり、幾多の風雨に耐えてきた皺深い顔からすると、七十代ぐらいに見えたが、体は細いなりに強靭そうで、一筋縄ではいかない意志の力が漲《みなぎ》っている。何か悩みでもあるのか、考え事をするかのように顔をしかめつつも、冷ややかな青い目で、こちらを短いあいだながらあからさまにじろじろ眺めた。

男の地位や職業をこれと正確に言い当てるのは難しか

った。地元の農民かもしれないが、私にはどうもそうは思えなかった。上に立つ者ならではの空気がなんとなく感じられ、着ているのはたしかに庶民服ではあったが、私が目にした一帯の住人たちのものより仕立ても質もよく見えた。

ささいな出来事が会話のきっかけとなった。それまでになく大きな雷鳴が響き、男が思わず窓のほうを見た。その拍子に濡れた帽子をうっかり床に落としたのだ。私がそれを拾い、男がどうもと言った。それから天気についてありきたりな言葉を交わした。

男は普段は寡黙な人間だが、今は人との会話に慰めを求めたくなるくらい難しい問題を抱えている、という印象を受けた。今度ばかりは直感が間違っていたか、と思いつつも、今回の旅のこと、家系を調査するためにキルケニー、ロンドン、チェスターフィールドをまわったこと、そして最後に、チルトン＝ペイン家とも遠い親戚なので、チルトン城を見学したいと思っていることまで、長々と話した。

男がこちらを睨《にら》むとまではいかないが、少々怖くなるくらいじっと見つめていることにふいに気づいた。気づまりな沈黙がそのあと続いた。私は咳払いをし、その冷ややかな青い目がそこまでこちらを見据えるに至った原因は何だろう、と戸惑いながら思った。何かおかしなことを言っただろうか。

とうとう男も、私が困惑を募らせていることに気づいた。「ぶしつけに見つめてしまって申し訳ありませんでした」男は謝罪した。「だが、今のあなたの話で……」と言ってためらう。「あちらのテーブルに移って話しませんか」男は、部屋の奥のなかば陰になった小さなテーブル席を目顔で示した。

私は当惑しながらも好奇心をかきたてられ、うなずいた。私たちはおのおの飲み物を持って離れた席に移動した。

彼は、どう切り出していいか測りかねるかのようにしばらく顔をしかめていたが、ようやくウィリアム・カワスと申しますと自己紹介した。私も自分の名前を告げたが、男は依然として逡巡している。やがてブランデーをひと口飲むと、私を正面から見据えた。「チルトン城の管理人を務めています」

私は驚き、いっそう興味をそそられて、彼をまじまじと見た。「なんて嬉しい偶然なんだ」私は大声で言った。「では、明日、城を見学する手配をお願いできますか」

彼は私の言葉などほとんど耳に入っていない様子だった。「ああ、ええ、もちろん」うわの空で答える。

心ここにあらずといった彼の様子に、私は戸惑い、少々腹も立って、口をつぐんだ。

カワスは深いため息をつき、慌ててしゃべりだしたので舌がもつれた。「十二代チルトン伯爵ロバート・チルトン＝ペインが一週間前に一族の地下納骨堂に埋葬されました。跡継ぎである、まだ年若い十三代伯爵が成人したのがちょうど三日前。今夜、彼を秘密の間にどうしても案内しなければならないんです」

私は、信じられないという思いで彼を凝視した。私がチルトン城に興味があると聞いて、何でも真に受けるまぬけな観光客の一人だろうと高をくくり、ここはひとつ〝一杯食わせてやろう〟と思っただけなのではないか、と一瞬勘ぐった。

しかし、カワスが大真面目だということは、どう見ても間違いなかった。その瞳にはおふざけの色などこれっぽっちも見当たらなかった。

私はかろうじて言葉をかき集めた。「じつに奇妙な偶然だ。信じられませんね！　あなたが現れる直前、その秘密の間にまつわるさまざまな伝説について考えていたところだったんです」

彼の冷たい目が私のまなざしをとらえた。「今眼前にあるのは伝説ではありません。現実です」

恐怖と興奮で背筋がぞくっとした。「あなたがたはそこに行くんですね……今夜」

管理人はうなずいた。「ええ。私と若い伯爵と、それにもう一人」

私は彼を見つめる。

「普通は伯爵自身が付き添います。それが習わしですから。ところが彼は身罷《みまか》ってしまわれた。伯爵は亡くなる直前、嫡男と私とともに部屋に行く者を選んでほしいと私に指示なさいました。条件は男性であること、そして、できれば血縁者であること」

私はエールをあおり、口をつぐんでいた。

カワスは続けた。「若伯爵以外には、城には年老いた御母堂、ベアトリス・チルトン夫人と、寝たきりのおば上がいるだけです」

「では、伯爵は誰を想定していたんですか」私はおずおずと尋ねた。

管理人は眉をひそめた。「国内に住む男性のいとこが何人かいるんです。そのうち誰かは葬儀に来るだろうと思っていたのでしょう。ところが誰も現れなかった」

「それは残念でしたね」私は言った。

「ええ、それはもう。ですから、血縁者のお一人であるあなたにお願いしたい。どうか、若伯爵と私とともに秘密の間にご同行いただけないでしょうか」

　私は鈍くさい田舎っぺみたいにむせた。窓に雷光がひらめき、雨が表の石畳にざっと叩きつけるのが聞こえた。体の奥で氷の羽根がはたはたとしばらくはためいていたが、それが静まったときようやく声を絞り出した。

「でも……血縁と言っても、とても遠いんです。家系図の片隅にかろうじて入れてもらっているだけなんですよ。ものすごく薄い血筋なんだ！」

　管理人は肩をすくめた。「だが苗字を名乗っている。それに、少なくとも数滴はペイン家の血が混じっています。この切羽詰まった状況では、それで充分です。ロバート伯爵だって、きっと同意してくださいますよ、もし口がきけるなら。来てくださいませんか」

　その冷たい青い目の強烈な圧力からは、とても逃れられなかった。必死に言い訳を探している私の心の動きを、逐一追いかけているかのように見える。

　とうとう観念した私は依頼に応じた。こうしてこの男と出会ったのはそもそも運命だったような、私がチルトン城の秘密の間を訪れることは、なぜか最初から決まっていたことだったような気がし始めていた。

　それぞれグラスを空にしたあと、私は部屋に上がって雨具を身につけた。嵐を見越した格好で階下に行くと、太ったバーテンダーは、今やひっきりなしに轟くすさまじい雷をものともせずに、スツールに腰かけたまま鼾《いびき》をかいていた。ウィリアム・カワスとともにその居心地のいい部屋を後にしたとき、私は彼が羨ましくなった。

　いざ外に出ると、案内役は、申し訳ありませんが城まで徒歩で行かなければなりません、と言った。これからやらなければならないことについて頭の中で整理するため、一人でじっくり考える時間がほしくて、あえて歩いてきたもので、と彼は説明した。

　篠《しの》突《つ》く雨と強風と雷の轟音で、会話もままならなかった。私は管理人の背中を見ながら一列で歩いた。彼は、どこをどう行けばいいか知り尽くしているかのように、暗闇の中を平気でずんずん大股で進んでいく。

　村の通りをわずかに歩いただけで脇道にぶつかり、それはすぐに細い小径になった。激しい雨のせいで滑りやすく、今にも転びそうだった。

　ふいに小径がのぼり坂になり、ますます歩みがおぼつかなくなった。たちまち意識をすべて足元に集中しなければならなくなる。たびたび雷の閃光が走るのがありがたかった。

　一時間は歩いたような気がしたが、実際には数分だったと思う。とうとう管理人が足を止めた。

彼の横に立ったとき、そこが平らな岩場だと知った。管理人が前方に続くのぼり坂を指さし、「チルトン城です」と言った。

しばらくはのっぺりとした闇しか見えなかった。だがそのとき雷光がぱっと輝いたのだ。

古びて亀裂の走る、背の高い銃眼付きの城壁の向こうに、長方形の四つの角に塔の聳《そび》えるノルマン様式の巨大な箱型の城が垣間見えた。塔には狭い窓がいくつか口をあけ、まるで瞳の細い悪魔の目のようだ。雨風で風化した巨大な建物は、緑というより黒く見える蔦になかば覆われている。

「これはまた、ずいぶん古く見えますね」私は言った。

ウィリアム・カワスはうなずいた。「アンリ・ド・モンタルジが一一二二年に建てたものです」そう言うと口をつぐみ、傾斜をのぼりだす。

城壁に近づくにつれ、嵐はさらに荒れ狂った。横殴りの雨と強風のせいで、もはやとうてい話などできなかった。私たちはうつむき、よろめきながら坂をのぼった。

聳え立つ城壁の前にようやくたどり着いたとき、壁の厚さと高さに舌を巻いた。敵軍に包囲されても、攻城砲やら破城槌やらの攻撃に充分抵抗できるよう、築かれたのだろう。

木製の巨大な跳ね橋を渡りながら、暗い濠《ほり》の奥に目を凝らしたが、水が張られているのかどうかはわからなかった。塀にある低いアーチ状の入口をくぐると、そこは砂利敷きの中庭だった。叩きつける雨が細い流れをいくつも作っているほかは、がらんとしていて何もない。

管理人は早足で砂利を踏み進み、先ほどとはまた別の塀にあるアーチに私を導く。その向こうには少し小さめの方庭がまたあり、蔦の絡まる古城そのものの基部が庭の奥に広がっていた。

板石敷きの通路を進むと、オーク製の重厚な扉があった。年月とともに黒ずみ、いくつも穴の開いた鉄製の帯で補強されている。管理人がこの扉を開けると、そこは城の大広間だった。

手彫りの長テーブルが四台、揃いのベンチとともに、広間のほぼ端から端まで伸びている。長いこと掃除されていないのか、汚れた張り出しのランプ受けが、天井を支える彫刻の施された石造りの柱から突き出している。壁沿いには鎧《よろい》、紋章入りの盾、斧槍、槍、紋章旗、そして、城一つひとつが独立国家のようなものだった、血で血を洗う年月のあいだに蓄積された戦利品の数々がずらりと並んでいる。それが唯一の光源らしい、揺れる蠟燭の光のもとで見ると、整然と並ぶその陰鬱な展示はやけに不気味だった。

ウィリアム・カワスは手を振ってみせた。「チルトン城の歴代の城主は、長年剣の力で生き延びてきたのです」

彼は大広間を奥まで進み、また別の薄暗い廊下に入っていった。私も無言でついていく。

カワスは歩きながら抑えた声で話した。「若き後継者のフレデリック様は体があまり丈夫ではないんです。お父上を亡くしたことに大きなショックを受けていて……今夜迎える試練のこともひどく恐れています。でも、避けられないとわかっている」

百合の紋章が彫られ、金属製の渦巻き模様で装飾された木製のドアの前で立ち止まり、暗い謎めいた視線を私にちらりと送ると、ドアをノックした。

誰何《すいか》する声が聞こえ、カワスが自分だと伝えると、すぐに重い閂《かんぬき》が上がってドアが開いた。

往時のチルトン＝ペイン家の人々が不屈の戦士だったとしたら、若き跡取りである十三代伯爵フレデリックの血管を流れるその血は、ずいぶんと薄まってしまったようだった。目の前にいるのは青白い顔をした痩せ細った若者で、落ち窪んだ暗褐色の瞳は何かに取り憑かれ、恐怖に打ち震えているように見えた。服装も芝居がかった大時代的なものだった。暗緑色のベルベットの上着とズボン、緑色のサテンの腰帯、首元と手首には白いレースの縁飾りがあしらわれている。

彼は、どこか気乗りのしない様子で私たちを中に招き入れ、ドアを閉めた。小さな部屋の壁は、狩りや中世の戦《いくさ》の様子が描かれたタペストリーでびっしり覆われている。窓か、どこか隙間から入り込んでくる風でつねに揺れていて、不穏にもそれら自体生きているかのようだ。部屋の隅には古風な天蓋《てんがい》付きのベッドがあり、別の隅に瑪瑙《めのう》のランプののった大きな書き物机が置かれている。

管理人が簡単に私を紹介し、なぜ私が彼らに付き添うことになったかについても説明したあと、あの部屋を訪れる覚悟はできましたか、と伯爵閣下に尋ねた。

もともと色白ではあるが、今や伯爵の顔からは完全に血の気が失せていた。それでも彼はうなずき、先に廊下に出た。

ウィリアム・カワスが先頭に立ち、伯爵がそれに続き、私がしんがりを務める。

廊下の突き当たりにある蜘蛛の巣だらけの倉庫から、カワスが蠟燭、鏨《たがね》、つるはし、大金槌を集め、革袋に入れると肩に担いだ。それから、棚にあった木の枝をまとめた松明《たいまつ》を手に取った。それに火をつけ、炎が安定するまで待つ。灯りとしては充分だと思ったらしく、私たちについてこいと合図をした。

すぐ近くに、地下へ続く石造りの螺旋階段があった。管理人は松明を掲げ、階段を下り始めた。私たちも無言でそれに続く。

その長い螺旋階段は五十段はあったはずだ。お下りるにつれ、石段が冷たく湿っていく。空気も冷えていったが、すがすがしい寒さではなく、黴《かび》や湿気の臭いが重くたちこめていた。

階段をおりたところにトンネルがあった。真っ暗で、しんと静まり返っている。

管理人は松明を掲げた。「チルトン城はノルマン様式ですが、サクソン人の廃墟の上に築かれたと言われています。この地下のトンネルもサクソン人がこしらえたようです」彼は顔をしかめながらトンネルをのぞき込んだ。「あるいは、もっと昔の住民によるものかも」

管理人はつかの間そこでぐずぐずしていた。どうやら聞き耳をたてているようだ。そして、こちらをちらりと見てから、トンネルに入っていった。

私はぶるぶる震えながら伯爵に続いた。凍りつくように冷たい澱《よど》んだ空気が、骨の髄にまで染みとおる。足元の岩がしだいにぬるぬるし始めた。何か光がほしいと切に願ったが、歩くたびに上下する、管理人の松明が投げかけるちらちらした灯りのほかに光源はなかった。

トンネルの途中で管理人が足を止めた。また耳を澄ましているのだとわかった。しかしあたりにはまったき静寂が満ちており、私たちはまた進みだした。

トンネルの突き当たりにはまた下におりる階段があった。十五段ほど下ると、城の基盤である硬い岩盤をくり抜いたと思われる別の洞窟があり、そこに入っていく。岩壁には白い硝石がこびりついている。ひどい黴臭さだった。冷たい風がそれとは別の悪臭を運んできて、何の臭いかはわからないが、ひときわ嫌な臭いだ。

とうとう管理人が立ち止まり、松明を持ち上げ、肩から革袋をするりと下ろした。

私たちは、石材のようなものでできた壁の前に立っていた。硝石で汚れ、じめじめと湿っていたが、城に入ってから目にした何より新しく作られたものだとはっきりわかる。

ウィリアム・カワスはこちらを振り返り、私に松明を手渡した。

「しっかりと持っていてくださると助かります。蠟燭もあるにはありますが……」

管理人は言葉を濁し、革袋からつるはしを取り出すと、壁に打ち下ろし始めた。壁は頑丈そうだったが、やっと穴があいたところで大金槌に持ち替え、するとそれまでより作業がはかどりだした。私が松明を差し出して交代しましょうと持ちかけても、彼は首を横に振り、一人で壁を壊し続ける。

そのあいだ、若伯爵はひと言も口をきかなかった。緊張した蒼白な面持ちを眺めるにつけ、気の毒になったが、私も私で不安がぐんぐんふくらんでいた。

管理人が大金槌を下ろすと同時に、ふいに静寂があたりを満たした。壁の下の部分がゆうに二フィートほど残っているのがわかった。

カワスはかがみ込んで様子を調べた。「強度は充分だ」どういう意味かはよくわからない。「あとで壁を作り直すためにこれはそのままにしましょう。跨《また》いでいけばい い」

その奥の闇を、彼は無言で丸々一分は見つめていた。とうとう革袋を肩にかつぐと、私の手から松明を受け取り、ぎざぎざした壁の基部を跨ぎ越した。私たちもあとに続く。

室内に入ると、トンネル内で気づいたあの不快な悪臭が一気に襲いかかってきた。波のごとく次々に押し寄せてきて、私たちはみな、むかむかしながらあえいだ。

管理人は咳き込みながらなんとか声を絞り出した。

「しばらくしたら収まります。今あけた入口付近にいてください」

臭いは依然として強烈だったが、やがて多少は呼吸ができるようになった。

カワスが松明を持ち上げ、闇の奥を見透かした。私も彼の肩越しにおそるおそるのぞき込む。

何の音も聞こえず、初めのうちは硝石がところどころに浮いた壁と湿った石の床しか見えなかった。だがほどなく、部屋の奥の片隅、松明の揺らぐ光の環の少し向こうに、炎のごとく輝く小さな赤い点が二つ見えた。松明の光できらめいた二つの赤い宝石、真紅のルビーだと自分に言い聞かせる。

しかしすぐにそれが何かわかった。いや、直感したのだ。あれは二つの赤い眼《まなこ》で、こちらを揺るぎないまなざしで見つめているのだ、と。

管理人は小声で言った。「ここでお待ちください」

隅の方に近づき、途中で足を止めると、松明を持った腕をいっぱいに伸ばした。一瞬、無言で立ち尽くす。そして、震える息を長々と吐き出した。

再びしゃべり始めたとき、さっきまでと声が違っていた。それは低い囁きに過ぎなかった。「こちらに来てください」声が妙に虚ろに響いた。

私はフレデリック伯爵に続き、管理人をあいだに挟んで並んだ。

部屋の遠い隅の石の台座にしゃがんでいるものを見たとき、そのまま気が遠くなりそうになった。私の心臓はかなりの時間、文字どおり動きを止めた。四肢からすっと血の気が引き、眩暈《めまい》がしてよろめいた。本当なら悲鳴をあげても不思議ではなかったのに、喉が詰まって声が出てこなかった。

石の台座にうずくまっているそれは、地獄から這い出てきた何かのようだった。こちらを射抜くかのごとく見据える悪意滴る赤い眼は、その壮絶な生きざまを物語っているが、しかしそうして生き永らえているとはいえ、萎《しな》びた黒い体は墓場から掘り返された骸にも似て、なかばミイラ化していた。遺骸じみたその体軀には、朽ちかけたぼろ布がわずかにしがみついている。おぞましい灰白色の頭蓋骨から、申し訳程度の白髪が垂れていた。口の役目を果たすらしき萎《しお》れた裂け目は、赤い汚れか何かの染みで覆われている。

怪物はこちらをじっと観察しているが、その邪悪さたるや、とても人間のものとは思えなかった。真紅の双眸《そうぼう》を見つめ返すことなどとてもできない。言語を絶するほどよこしまなそのまなざしの炎で魂が焼かれてしまう、誰もがそんな気がしたはずだ。

脇を見ると、管理人がフレデリック伯爵を支えてやっているのが目に入った。若き跡取りはその腕の中でぐったりしていた。伯爵は恐怖でどんよりした瞳でその恐ろしげな化け物を見つめている。私自身恐怖に震えながらも、彼が憐れになった。

管理人はまたため息をつき、さっきと同じ陰気な低い声であらためて話しだした。

「目の前にいるのはスーザン・グランヴィル夫人です。一四七三年にこの部屋に連れてこられ、鎖で壁につながれました」

背筋を戦慄が走った。奈落の底からやってきた魑魅《ちみ》魍《もう》魎《りょう》を前にしているかのようだ。

その魔物に性別はないように私には見えたが、名前を耳にしたからか、赤く汚れた皺だらけの口を歪めて、ぞっとするような冷笑を浮かべた。

そのとき初めて、魔物が壁に鎖で拘束されていることをおのれの目で確認した。強堅そうな二重の足枷《あしかせ》は年月を経てすっかり黒ずみ、そのせいで見えなかったのだ。

管理人は、機械がしゃべっているかのように無感情で続けた。「グランヴィル夫人はチルトン＝ペイン家の母方の祖先です。悪魔と取引していたため、魔女として火刑に処されることになりましたが、かろうじて逃亡した。しかし結局、一族の手の者に捕えられたのです。ここに運び込まれて鎖でつながれ、そのまま死を待つ身となりました」

彼はつかのま口をつぐんだが、さらに続けた。「しかし、もう遅すぎた。彼女は闇の主たちとすでに契約を交わしていたのです。言葉にできないほど忌まわしい契約で、子孫たちに悪夢と苦痛に満ちた生涯を送る、恐るべき運命をあたえることになりました」

管理人は、眼を真紅に輝かせる黒ずんだ存在のほうへ松明を振った。「かつては美しい人でした。だから死を憎み、恐れたのです。彼女はとうとうおのれの不滅の魂、そして子孫たちの骸を、この世で永遠に生きる体と交換することにした」

私は悪夢の中で彼の声を聞いていた。それははるか彼方から響いてくるかのようだった。

管理人はまた話しだす。「もし契約を破ったら、とても口には出せぬ恐ろしい結末が待っているのです。子孫たちは、罰について知ったが最後、誰も契約を反故《ほご》にする気にはなれませんでした。そうして彼女は五百年近くのあいだ、ここで暮らし続けてきたのです」

話はそれで終わりかと思ったが、まだ続きがあった。

管理人は上に目を向け、その呪われた部屋の天井のほうに松明を掲げた。「この部屋は一族の地下納骨堂の真下にあります。男子の伯爵が亡くなると、表向きは、遺体はその納骨堂に安置されますが、会葬者が去ると納骨堂の仮床が横にすっと動き、遺体がこの部屋に落下する仕組みになっているのです」

見上げると、四角い落とし戸が確認できた。

今や管理人の声はかろうじて聞こえる程度だった。

「毎世代に一度、グランヴィル夫人は食事を与えられます――永眠した伯爵の遺骸です。それが、口にはできない契約の条件であり、けっして破るわけにはいかないのです」

私は言いようのない恐怖に駆られながら、目の前にいる魔物の薄気味の悪い口がなぜ赤く汚れているのか、ようやく理解した。

管理人は自分の言葉を裏づけようとするように松明を下げ、吸血鬼を思わせる怪物がいる石の台座のふもとの床を火明かりで照らした。

そこには、まだぬらぬらと血で濡れた、成人男性の骨や頭蓋骨が散らばっていた。少し離れたところに別の人骨があり、そちらは時を経て茶色く変色し、ぼろぼろに砕けていた。

若きフレデリック伯爵が悲鳴をあげ始めたのはそのときだった。ヒステリックな金切り声が部屋を満たす。管理人が彼を激しく揺さぶっても、恐怖に満ちた、神経を逆撫でするような悲鳴はやまなかった。

台座の上の化け物は赤い不穏な目でしばらく若伯爵を眺めていたが、ついに声を漏らした。獣の甲高い鳴き声のように聞こえたが、笑ったつもりだったのかもしれない。

そのとき突然何の前触れもなくそれが台座から滑り下り、若伯爵にいきなり飛びかかろうとした。しかし壁とつながった黒ずんだ鎖のせいでせいぜい一、二ヤードしか前に出られず、がくんと後ろに引き戻された。それでも何度も何度も飛びかかってきて、そのたびに身の毛のよだつような地獄の歓声をあげる。

カワスは怪物のほうに松明をぐいっと突き出したが、それはものともせずに、鎖をぎりぎりまで引っ張ってくり返し飛びかかろうとする。悪夢の部屋には、伯爵の悲鳴と怪物の獣じみた甲高い笑い声がわんわんと反響していた。この地獄の控え室から一刻も早く逃げ出さない限り、私の心も崩れ落ちてしまいそうだった。

もっと気の弱い男なら、おのれの命と正気を守るため、とうに投げ出していたに違いないこんな試練の場にあっても、管理人は踏ん張り続けていたが、その鉄の意志さえ揺らぎだしたように見えた。彼は、何度も乱暴に飛び出そうとする怪物の向こう側の、鎖が壁に固定された箇所に目をやった。

管理人が何を考えているかわかった。何百年ものあいだ錆や湿気に蝕まれてきたあの留め具は、いったいいつまでもつのか？

急に何か思いついたように、彼は上着の内ポケットに手を伸ばし、何かを取り出した。松明の光でそれがぎらりと光った。銀の十字架だ。つかつかと歩きだし、かつては美しきスーザン・グランヴィル夫人だった、くり返し襲いかかってくる怪物の歪んだ顔めがけ、それを突きつけた。

怪物は、伯爵の悲鳴さえ凌駕《りょうが》する苦悶の声をあげ、慌てて後ずさりした。台座の上で身を縮め、打って変わっておとなしくなってしまった。萎びた口の震えや赤い目に燃える憎悪の炎だけが、それがまだかろうじて生きている証だった。

ウィリアム・カワスは暗い声でそれに呼びかける。

「おぞましき魔物め！　われわれが部屋を出て壁を再びふさぐあいだ、もしその台座から離れるようなことがあれば、おまえにこの十字架を必ずや食らわせてやる」

管理人を睨む赤い眼は、文字をいくら組み合わせても描写しきれない、底知れぬ憎しみをたたえていた。実際に炎がたぎっているようにさえ見える。それでもそこには別のものも読み取れた――恐れだ。

私はふいに、その呪われた部屋に静寂が下りていたことに気づいた。しかし、それはつかの間のことだった。伯爵はついにわめくのをやめていたが、もっと恐ろしいことが始まったからだ。笑いだしたのだ。

低い声でくすくす笑っているだけだったが、あの大声の悲鳴よりぞっとした。無意識に漏れるその小さな笑い声は、いつまでも止まらなかった。

管理人が振り向き、部分的に壊された壁のほうを指し示した。私はそちらへ近づき、壁の残りを跨ぎ越した。背後では管理人が若伯爵を引っぱって歩かせていた。伯爵は老人のように足を引きずりながら、一人でくすくす笑っている。

管理人が前もってトンネルのどこかに置いておいたらしい漆喰《しっくい》の袋と水の入った樽を運んでくるのを待つ時間が、永遠にも思えた。彼は松明の灯りを頼りにセメントを準備し、さっきはずした石板を使って壁をふさぎ始めた。

管理人が作業するあいだ、若伯爵はトンネルの床にぴくりともせずに座り込み、静かに笑っていた。

部屋の中も静まり返っている。一度だけ、鎖が岩にぶつかる音が聞こえた。

管理人はようやく仕事を終え、私たちは彼の案内で硝石の浮いたトンネルを、それから冷たい石段を引き返した。伯爵はとても自力では階段を上がれず、管理人が苦労して一段ずつ引き上げてやった。

壁板代わりにタペストリーに囲まれた自室に戻ると、フレデリック伯爵は天蓋付きのベッドにどさりと腰を下ろし、小さく笑いながら床を眺めていた。たとえ大仰な医学書にはそんなことはありえないと書かれていたとしても、実際に彼の黒髪は一夜にして白髪に変わっていた。管理人は彼にグラスに入った何かの液体をなんとか飲ませ、ベッドに寝かせた。鎮静剤がたっぷり溶かしてあったに違いない。

それから私は近くの寝室に案内された。この忌まわしい城からすぐにでも遁走したいくらいだったが、外では今も嵐が荒れ狂い、一人で迷わず村までたどり着けるはずがなかった。

管理人は悲しそうに首を横に振った。「伯爵閣下の寿命が縮まったのではないかと心配です。昔から体の弱い閣下のことですから、今夜の出来事で正気を失い、回復が見込めないほど衰弱してしまったかもしれません」

お気持ちはお察しします、本当に恐ろしいことです、と私は伝えた。管理人の冷ややかな青い瞳が私の目を見つめる。「可能性の話ですが」彼は言った。「もし若伯爵がお亡くなりになるようなことがあったら、あなたが……」とためらう。「あなたご自身が……」そして、ようやく言いきった。「後継者の一人と見なされるかもしれません」

それ以上聞きたくなかった。私は遮《さえぎ》るようにおやすみなさいと告げると、管理人を部屋から追い出して鍵をかけ、少しでも眠ろうとしたが、うまくいかなかった。

結局、眠気はいっこうに訪れなかった。熱に浮かされたように、脳裏に光景が浮かぶ。あの封印された部屋にいる赤い目の魔物が戒めから脱け出し、壁を破り、ぬるぬるした冷たい階段を這い上がって……。

夜も明けきらぬうちに、私は部屋の鍵をそっと開け、こそ泥さながら抜き足差し足で冷たい廊下を、そしてだだっ広い大広間を震えながら進んだ。砂利敷きの中庭を抜け、黒々とした濠を渡り、大急ぎで村へ続く坂道をおりた。

正午までまだ時間があったが、私はすでにロンドンに向かっていた。運が味方をしてくれたらしく、翌日には大西洋を渡る定期船に乗ることができた。

二度とイギリスに戻るつもりはない。チルトン城とそこに永遠に閉じ込められたあの存在とは、少なくとも大洋一つ分の距離をこれからもつねに保つつもりだ。

アーカムハウスの住人たち

洞窟

The Cave

ベイジル・コッパー　Basil Copper

熊井ひろ美訳

アーカムハウスの刊本にはイギリスの作家のものも数多い。ダーレスと親交深いアルジャーノン・ブラックウッドはじめ、W・H・ホジスン、C・アスキス、H・R・ウェイクフィールド、ラムジー・キャンベル、ブライアン・ラムレイらの著書が並ぶ。ベイジル・コッパーはダーレス死後の七三年に登場、短編集と長編を各二冊、上梓している。本作は「灰色の家」（『幻想と怪奇10』所収）と同じく、イギリスでの第一短編集 *Not After Nightfall*（1967）の収録作。アーカムハウスでは第二短編集 *And Afterward, the Dark*（1977）に収録されている。チロル州の長閑な山中を恐怖に陥れたのは何か？

「恐怖とは未知のもので、それでいて、相対的なものなんだ」とウィルソンは言った。「それがきみにとって意味することと、わたしにとって意味することは違う。人の気質がおおいにかかわっていて、高さを怖がる者もいれば、暗さを怖がる者もいるし、非論理的な物事を怖がる者もいる」

ダイニング・クラブの小人数の面々は身じろぎをして、期待の眼差しでじっと見つめた。誰も返事はしなかった。

背中を押されて、ウィルソンは話を続けた。

「フィクションの中では、非論理や謎や不気味さに関することは、劇的に演出されなければならない。舞台装置《ミザンセーン》は、暗闇や嵐や流れる雲など、ヴィクトリア朝ゴシック小説に出てくるあらゆる仕掛けで設定される。実生活はそういうものではなく、恐怖はたいてい、聖書にもある通り、真昼に襲ってくる。そしてこれが、なによりも恐ろしいタイプの恐怖なんだ」

わたしは新聞を置き、ペンダーもそれにならった。室内にいる半ダースほどの面々が、中央にある大きなマホガニーのダイニングテーブルに集まり、暖炉脇の心地よい椅子に座っているウィルソンと向き合った。

「とくに覚えている一例があって、どの論理的なパターンにも当てはまらない」とウィルソンは言った。「けれども、真昼の恐怖を示す完璧な例なんだ。疑う余地のない証人から、じかに聞いた話だ。それはただ単に、ジル・サンローシュという名の中年の農夫が、フランス中部エポワス村の丘の中腹で、八月の申し分ない天気の真昼に、小麦畑の真ん中で完全に気が狂ったというだけのことだった。日射病ではないし、畑にはなにもなく、実のところ、ある一点がなければ、まったく謎の出来事になっていたはずだ。

その男は『小麦の中のなにか』についてぺらぺら喋《しゃべ》ることができて、この不運な男を囲む小麦の中で風が一定のパターンに従って大きくうねるのを見たという証人も三人現れた。しかも当日、風は全然吹いていなかった」

ウィルソンは再び間を置いて、自分の言葉が効力を発揮するようにした。思い切って意見を言う者は誰もいなかったので、彼は一見つじつまの合わない回想を再開させた。

「あえて言うなら、それが謎だね。そして、フランスの小麦畑で好天の真昼にサンローシュを狂気に駆り立てたものはなにか、ついにわからずじまいだった。だが地元の人々は、谷のあちこちで『風のなかでうなりながらうろついている悪魔』のことを話していて、実のところ地元の教会の一つには、そのような意味の中世の碑文が残っている。

こういう田舎の迷信には真実の種が含まれているもので、フランスのその地方では『司祭の垣根が薄い』という生き生きとした言い回しを使っていた。この比喩には、本当に魅了されてしまった。まるで、実物の聖職者が生きた鎖としてこの地方の山や谷に張り巡らされて、悪魔をまさしく締め出していたかのようだ。

実際に悪魔がジル・サンローシュの前に現れたのかどうかはさっぱりわからないし、本人がそう思っただけかもしれない。でも、その八月の暑い午後に恐怖のせいで彼の正気が失われたことについては、わたしの考えでは疑う余地はない。かのモーパッサンはいつだかの作品で、恐怖が人間の心に及ぼす影響を印象的に説明している。それは山小屋の一夜を描いた話で――泊まり客にとってはすさまじい恐怖の夜だったが——夜が明けてみると論理的な説明がつく。窓の外に現れたぞっとするような顔は飼い犬の顔にすぎず、残りの話は孤立した山小屋の雰囲気と本人の恐怖がもたらしたものだったんだ。

若いころにこの物語を初めて読んだとき、強い感銘を受けたよ」ウィルソンは話を続けた。「そしてその後たびたび読み返してきたが、それは自分の経験と驚くほど似ているからでね——やはり山での話で——さらにまた、説明はつかないけれども、人生で最も恐ろしい感覚が伝わってきた。ただしわたしの場合、具体的な出来事としては、ほとんどなにも見ていないし経験もしていないんだが、その経験の根底にある事実は本当に恐ろしく、続いて起こった出来事がそれをはっきり示したんだ」

いまでは室内には期待に満ちた深い沈黙が広がり、暖炉の火のはぜる音がかろうじて聞こえるだけだった。ペンダーはウイスキーのデカンターを急いでわたしに回し、自分のグラスを再び満たして、その後われわれはウィルソンにひたすら集中した。ウィルソン本人は、片手で頭を支えながら、暖炉の火をじっと見つめていた。

「わたしはオーストリアのチロル地方で、長期の徒歩旅行の第二部に出発していた」と彼は言った。「これはすべて、何年も前の話だ。当時はまだ若く、おそらく二十九歳ぐらいかな。たくましくて体格も良く、原野を八時間歩いても疲れなかった。あらゆる意味で健康良好で、想像を好んだり、病的な空想のたぐいにふけったりすることは一切なかった。

そのころは長い休暇をよく楽しんでいて、少なくとも二カ月は、あの高山の爽快な空気の中で過ごすつもりだった。わたしは意気揚々として、三週間にわたる過酷なハイキングのあとで体調は万全、おまけに恋の初期段階にあったんだ。

休暇初日のインスブルックで、のちに妻になる若い娘と出会い、一週間後に行き先が分かれるとき、何週間かあとで再会できるよう段取りをつけていた。それまではもっとへんぴな谷を探検して、いくつかの古い教会の彫刻を写真に撮るつもりだった。

わたしは一日の大半を費やして山麓の丘の広大なスロープを苦労して登り、崩れた岩につまずき、松や樅《もみ》の深い森の中をまごつきながら縫うようにして進んだ。午後遅くになるころには、自分のいる場所がほとんどわからないということを痛感していた。その日の朝に向かおうとした村は、地図によれば次の谷にあるはずだったのに、目の前には緑色の松の木の頂が地平線まで整然と並んでいるだけだ。スロープをぐるっと一周している間に、谷の入り口を通り過ぎてしまったのは明らかなようで、さらにどんどん登り続けるか、いまいる場所で野宿をする以外に選択肢はほとんどなかった。だが野宿をするには、装備が足りなかった。食料は少ししかなく、グラウンドシート一枚と毛布二枚が背中に縛り付けてあるだけだった。

腹を決めるのに、それほど時間はかからなかった。日が暮れるまでにはまだ何時間もあるんだから、森の暗がりを離れて開《ひら》けた場所にひとたび戻れば、日なたを歩くことになる。丘のてっぺんになにが待ち受けているのか見てみようと決心し、とりあえず十分ほど休憩して、煙草を吸い、景色に見惚れた。ポケットの中にチョコレートが半分残っていたので、それで元気をつけて最後の半マイルを登った。意気込んでとまではいかないが、少なくとも気分は明るくなっていた。

丘のてっぺんで木がまばらになってくると、嬉しいことに、別の谷に明らかに通じている小さな道が偶然見つかった。荷馬車しか通れないような細いでこぼこ道だが、それでも文明のしるしは励みになり、地図の助けを借りて自分の位置を知ることができた。どこで道を間違えたのかがすぐわかり、いま見つけた道を進めば、当初向かうつもりだった村の西隣の村に着くだろうと考え、実際その通りだった。

森の陰気な暗がりを出られて嬉しかったし、高地の道の広々とした高台の雰囲気の中で、前方の地面に日の光が揺らめくのを見ているうちに、すっかり元気を取り戻した。一時間以上歩き続けて、道が再び谷に向かって下り始めたころ、下の松林の間から高い教会の木製の尖塔が突き出ているのが、とうとう見えた。さらに一、二分後には、三十軒か四十軒ほどのかなり大きな集落が、夕明かりの中に広がっていた。

だが、村へ下りていく途中で、道端に〝ホテル《ガストホフ》〟と書かれた大きな看板が立っているのが目に留まった。道から引っ込んだところに重い木の門があり、開け放たれている。私道はジグザグに進んでいて、角を曲がって数歩歩くと、シャレー風の大きなホテルが見えてきて、薄れゆく日差しの中で松材の建物が明るく輝いていた。正面の手入れの良い芝生は、燃えるような色彩の花々で囲まれている。この場所から見下ろす谷の眺めは絶景で、もう歩かなくて済むという期待と同じくらいにそれが決め手となって、その晩はここに泊まることにした。

宿代はおそらく高そうだが、眺めだけでもその価値はあるだろう。残念ながら、望みは叶わなかった。外の扉の呼び鈴を繰り返し鳴らすと、ブリュンヒルデ（ワーグナーの歌劇

「ニーベルングの指環」の女主人公）に似た恰幅の良い女性がロビーに現れて、ブロンドの髪をひっつめて大きなお団子にした彼女は首を横に振った。だめです《ナイン》、と彼女は言った。このゲストハウスは今シーズンの営業をもう終えております、と言うんだ。

　これはショックだった。しかも、もっと悪いことが待っていた。その女性は管理人のような人らしく、わたしがたどたどしいドイツ語で促すと下手な英語で説明してくれたが、村のホテルも休業中だという——シーズンの終わりだったからだ。宿を探してみてもいいだろうが、見つかるかどうかはかなり疑わしいと言われた。ホテルは二軒しかなく、その片方のオーナーがホテルを閉めて家族で休暇を過ごしにスイスへ出かけたことを、彼女自身が知っていたんだ。

　このころには、ホテルの前にいる女性のそばに獰猛なウルフハウンド（かつて狼狩りに使われた大型の猟犬）のつがいが近寄り、脅すようにうなり続けていた。敷地内でこの犬たちに出くわしたのでなくてよかったとわたしは思い、女性にそう話すと、冷ややかな笑みが返ってきた。これからどうすればいいだろうか、とわたしは尋ねた。彼女は肩をすくめた。ときどき下宿人を置いている一、二軒の家に頼んでみるのが最善策だろうという。警察に助言を求めてみるのもいいそうだ。

　礼を言ってすでに私道を引き返している途中で、わたしは女性に呼び戻された。彼女は謝り、あたしったらなにを考えていたのかしら、と言った。森の中をもう少し歩いてもかまわないなら、シュタイナー《ヘル・シュタイナー》さんがきっと泊めてくれるらしい。ちょっと質素なところですがね……再び肩をすくめた。

　彼女はホテルの花壇の間を曲がりくねって進む小道を指差して、その道は当然ながら、松林の中を急勾配で下っていた。泊まり先はどうやら、半ば宿屋で半ば民家といったところで、中年のドイツ人夫婦が取り仕切っている。かなり奥まったところにあるとはいえ、ここから四分の一マイルしか離れていないので、シーズン中はホテルからあふれた客のための別館代わりに使われている。ヘル・シュタイナーは客を回してもらえるようホテルと取り決めをしているわけで、金銭的な側面もあるし、人里離れた宿屋にお客が増えるのもきっと嬉しいだろう。女性はここでまたしても謝り、あたしは別の地区の人間で、姉の代理でここにいるだけでして、そうでなければあのゲストハウスのことを早く思い出していたはずなんです、と言ってきた。わたしは再び礼を言った。すると彼女は、わたしがさっき見つけた道は、村の手前で弧を描いてヘル・シュタイナーの宿屋に通じていると教えてくれた。このホテルの敷地内から例の小道を通っても行けるし、さっきの道でも行けるわけだ。

わたしは別れの挨拶をして、さっきの道で行くことにした。暗い小道を通るのは気が進まず、日も沈みかけていて、遠くからかすかに響く水の音のせいで物悲しい夕方になっていた。それに、人気《ひとけ》のない開《ひら》けた場所であのウルフハウンドたちに出くわしたくはなかったので、手を振って女性に別れを告げた。

その五分後、道を下った先で例の分岐点が見つかり、そこからさらに数百ヤード進んだところで、木々の間からやっと明かりが見えた。もう夕暮れ時で、あの水の音が大きくなっていた。苔の生えた小道を縫うようにして進むと、頑丈に建てられたガストホフが見えてきた。伝統的なシャレー様式で、彫刻を施したポーチがあり、軒が大きく張り出している。

ヘル・シュタイナーとマルタのご夫妻がこのガストホフのオーナーで、二人とも感じが良く、シーズンも終わりなのにわたしを歓迎してくれた。ご主人のほうは中年の終わりごろ、背が高く猫背で、黄褐色の口髭はだらりと垂れ下がっていて、料理用ストーブのそばによく何時間も座り、印刷のかすれた地元紙の記事を全部読んでいた。新聞紙を目に近づけて、ポケット拡大鏡を使って小さな活字をじっくり読むんだ。

そこに載っている情報は一つ残らず、小さな広告まで目を通していたようで、最後にレンズをパチンと閉じるときはいつも残念そうで、もう読むものがなくなったことにがっかりしていた。おそらく十五歳は年上で、控えめで無口だった。目立たないところで影のように飛び回っていたが、それでもかなりうまくいっていて館内は申し分なく清潔だし、食事は時間通りで料理の質も素晴らしかった。

シュタイナー家で過ごしたのはわずか三日間だったが、シュタイナーの目の奥になにかトラブルが潜んでいるかのように見えたのはたしかで、一度か二度、彼が誰も見ていないと思っているときに、妙な姿勢になって、いつの間にか新聞を膝の上に落として、首を傾げているところを目撃した。まるで誰か、またはなにかの音に耳を澄ませているかのようだった。

実のところ、このゲストハウスは、村も坂の上の立派なホテルも目と鼻の先にあるのに、寂しそうで孤立しているように見えていて、それはおもに、斜面が張り出しているせいで上のホテルから切り離されているのと、深く生い茂る森林地帯に囲まれているからだった。

そのため、ここはじめじめして物悲しいような感じがして、最初の晩に寝室の窓の鎧戸を押し開けたとき、どこか下のほうで流れ落ちる水の音が夜の静けさの中に響くのを聞いて、ひどく悲しい気分になった。けれども、それ以外では、不都合な点はなにも見当たらなかった。シュタイナー夫妻はほどよく朗らかだし、料金は手頃だし、食事はすでに言ったように最高だし、全体的に見て、こんなところを拠点にして散策と探検を続けることができて幸せだとわたしは思った。

一週間滞在するつもりだったんだが、いろいろなことが重なって不可能になってしまった。詳しくはこれから説明しよう。シュタイナー家で迎えた最初の朝、わたしは朝食後すぐに出発して、近辺の調査に取りかかった。村は後回しにして、このゲストハウスが建っている森林地帯の分厚い岩棚に集中することにした。

この岩棚は山腹に斜めに伸びていて、最終的には崖のような台地になっていた。下を見ると、村とその向こうの森の素晴らしいパノラマが広がっていて、上を見ると、さらに森があり、例の大きなホテルが建っている。明るく晴れた日で、森をようやく抜けて、苔むした地面のあちこちに岩が露出した土の上を自由に歩くことができ、わたしはかなり満足した。そんなふうに一時間かそこら歩き回るうちに、とうとう切り立った崖に出て、谷全体を見渡す絶景を眺めることができた。

景色の美しさに半ばぼうっとしながら、その場をあとにしようとしたとき、風景の中に派手で目立つ色の箇所があって、目を引きつけられた。松と樅の深緑一色のこの一帯では珍しく、赤茶色に心がざわついたので、足の向きを変えて、それがなんなのか見に行った。すると、不快なショックを受けた。そのとき、その場所で、そんなものに出くわすとは、まったく思っていなかった。わたしの目を引きつけたのは、血の色だったんだ。

大きな血しぶきとしたたりが岩場に広がっていたので、かなりおびえながら少し歩いて近づいた。数ヤード先の大きな岩の反対側に、若い山羊の死骸が横たわっていて、まだ死んで間もないのは明らかだった。わたしは実のところ、かなり不安な気分でまわりを見回した。最初、この山羊は岩場から落ちたんじゃないかと思ったからだ。だがすぐに、それが間違いで、山羊の喉は引き裂かれ、胸は無惨に噛みちぎられていることがはっきりとわかった。

これは明らかに大型の危険な動物の仕業だったので、わたしは太い枝を折ったもので武装してゲストハウスへ戻ることにしたわけで、それについて弁解はしない。途中で一人の男性に出会い、服装から見て羊飼いらしきその男に、わたしは自分が発見したものについて伝えた。男は青くなり、相当長いこと悪態をついた。『このけだものには、しばらく前から悩まされてるんですよ』と彼は言った。まあ、ひどいドイツ語訛りの英語から聞き取れた限りでは、だがね。さらに彼は、この数カ月の間に近くの家畜の牛まで群れから引きずり出されていると話した。そしてわたしに礼を述べて、村当局に注意するつもりだと言った。

ゲストハウスに帰り着いたわたしは、いつもの和やかな雰囲気が嬉しかった。ちょうど昼食がテーブルへ運ばれるところで、ヘル・シュタイナーはいつものように、大きな料理用ストーブの中でちろちろ燃える火の横で新聞を読んでいた。

泊まり客はほかにいなかったので、わたしは食事を大きな梁のある台所でシュタイナー夫妻と一緒にとることにして、毎晩楽しく過ごしていた。ご主人は英語をかなり自由に使いこなせたから、こちらとしても、会話するのは負担にならなかったんだ。

わたしは歩いたせいで食欲が増していたため、もりもり食べ始めた。メイン料理を食べ終わったあと、満足してビールをちびちび飲み、ヘル・シュタイナーと話し始めた。ところが、山羊の死骸の件を話に出したとき、思いがけないことになった。シュタイナーは真っ青になり、口をぽかんと開けたまま、わたしをじっと見たんだ。このいくぶんばつの悪い状況から解放されたのは、背後でガシャンという大きな音がしたおかげだった。シュタイナー夫人《フラウ・シュタイナー》がデザートを取りに行っていて、台所の床でボウルが粉々に割れていたんだ。

お詫びの言葉やらモップ掃除やらデザートの作り直しやらで、あのささやかな事件はいったん目の前から消えた。食事の終わりにその話題に戻ったとき、シュタイナーは明らかにわざと気楽な口ぶりで、家畜が襲われる被害は相次いでいて、地元の猟師たちもいまのところ獣を仕留めることができていないという話をした。さっきはその山羊がうちの家畜かもしれないという事実にぎょっとしたけれど、家の下の牧草地に完全に囲い込んであるからそんなはずはない、とのことだった。

わたしは、あまり詮索好きだと思われたくなかったので説明を受け入れたが、心の中では相変わらず、シュタイナーは嘘をついていると確信していた。老夫婦の驚きぶりは、彼らが言うような事件にしてはあまりにも大げさだったものの、わたしには関係のない問題なので、もうほうっておくつもりだった。ところが、この一件はずっと頭から離れず、昼食後、山羊を見つけた場所からあわてて逃げたことが少々恥ずかしくなって、もう一度探検に行くことにした。シュタイナーのホテルを囲む納屋などの間を通り抜ける途中で、以前ご主人が薪を割っていた台を見かけたわたしは、台に刺さっていた小さな手斧をほとんど無意識につかみ、自分のベルトに差した。

必要とあれば武器として役に立つはずで、意気込みはおおいに高まった。そしてとうとう、不気味な体験の現場に再びたどり着いた。血痕はまだそこにあり、日に当たって乾いて黒くなっているが、山羊は消えていて、おそらく森林官が片付けたんだろう。あるいは、それを殺した獣が、わたしの出現で動揺して、わたしが宿に帰ったあとで獲物を隠して回収したのか？　そう考えるとこちらが動揺してきたので、自分の勇気に驚きながら斧を取り出し、死んだ獣が引きずられた跡があるかどうか、円を描くように探し始めた。

最初はうまくいかなかった。血痕は途切れて、ときどき血しぶきが飛んでいるだけだからだ。だがそのとき、うねるような筋がちりの中に残っているのが見つかり、どうやら山羊の後ろ脚がつけた跡のようだ。山羊は死にかけてもがきながら動いた方角へ、引きずり戻されていた。そのぼやけた引っかき跡を見たとき、首筋の毛がかすかに逆立つのを感じて、正直に言うと、素早くあちこち見回してから、斧を強く握りしめた。

追跡はとくに得意ではないが、残された跡から見て、襲った獣はそれほど大きくはなさそうだった。そうでなければ、山羊を地面から持ち上げて運んだはずだ。その意見が正しいことは、わたしのインドでの経験が証明してくれた。虎が成熟した雄牛を地面から持ち上げて運ぶのを目撃したからで、虎は桁外れの力持ちで、ひとたび雄牛の背中の中央にしっかり噛みつけば、とてつもない力で持ち上げることができたんだ。

けれども、広大な丘のどこを見ても動物の気配はまったくなく、木の枝が静かに揺れているだけで、慈悲深き世界に日の光が降り注いでいた。地面の引っかき跡は徐々になくなり、茂った草地にぶつかったとき、跡はとうとう消え失せた。でも、山羊が引きずられていった方角はすでに見当がついていて、遠くの崖と岩場のあるあたりがこの探索の終点になるような気がしたので、そこに向かって進み続けた。

もう二マイルほどは歩いていて、とうとう目的地にたどり着いたとき、日はかなり傾いていたけれど、不安になるほどではなかったのは、日没までにまだ数時間あったからだ。ここに一時間半くらいはいられるだろうと思った。この状況で、どんな種類の獣を相手にすることになるのかわからないので、日のあるうちに長い林道を通って宿屋に着くのが賢明だと判断したわけだ。

それでも、この探索は、もう少しで期待外れに終わるところだった。引きずった跡はどこにも見当たらず、ずっと前に消えたきりだし、岩がちな小さな丘の頂上の周辺一帯を調べても、山羊の影も形も見えない。目の前の険しい絶壁に少し近づき、しばらく歩くうちに、小さな峡谷の中に入っていることに気づいた。斧を握りしめて最後の角を曲がると、そこは行き止まりだった。なにかが通った形跡はまったくなかったが、それも当然のことで、谷底はほぼ全体が固い岩でできていたからだ。

来た道を戻ろうとしたとき、洞窟の暗い入り口が見つかり、山積みになった岩や石屑の向こうに半分だけ見えていた。近づいてみると、途方もなく大きいことがわかった。陰気な入り口はおそらく四十フィートぐらいの高さがあり、その上はがっしりした崖で、先端が張り出している。洞窟の前は帯状の砂地になっていて、わたしは少しの間そこに立ち、目の上に手をかざしながら、暗闇の向こうを見透かそうとした。立っている位置からは、なにも見えない。

わたしは、もう少しだけ躊躇した。どこからも音は聞こえず、鳥の声が静寂を破ることさえなく、父なる太陽は穏やかに下を照らし、澄んだ金色の光ですべてを輝かせている。斧を再び握りしめてから、大急ぎで、意図したよりもかなり興奮しながら前へ進んだ。こうしてわたしは、洞窟の入り口までもう少しのところにやってきた。暗闇までの距離はせいぜい六フィートで、この近さになると、湿った空気の層が押し寄せてきた。

それは奇妙な感覚で、まるで冷たい水風呂に入ったような気分だった。背中は日が当たって暖かかったが、顔と体の前面すべてが、腐敗の湿気と黴《かび》臭さを感じていた。近づくときに入り口の片側に寄ったので、山羊の死体が闇の中に半分だけ入った状態で横たわっているのが見えるようになった。頭は食われていたが、体のほかの部分は手つかずだった。ほかにも見えたものがあって、洞窟の入り口の薄暗がりの中に、小さな動物の骨がいくつかと、肉の切れ端が散らばっていた。なにかの大腿骨があり、もっと奥には胸郭が転がっているのがわかった。

まだ好戦的な気分だったので、再び前へ進んだが、斧を持った手がそこで脇に落ちた。ひとたび闇の中に入ると、じっとりとしたものと、ひんやりとしたものに、すっぽりくるまれてしまうんだ。もうなにも見えず、なにも動いていないのに、洞窟の奥が地中深くまで広がっていることが、見えたというよりも感じられた。そしてそのとき、思い切ってその中に入って正気を失わずにいることなんて、どうやってもできないとわかった。それがわかると、ほっとした気分になった。四歩後ろに下がることができたので――この場所に背を向ける勇気はなかった――わたしは再びすがすがしい日の光の中に立った。

そのとき、洞窟の内側から、引っかくような音がごくかすかに聞こえて、なにかがわたしをじっと見ているのが、たしかにわかった。張り詰めた神経が切れそうになったけれども、パニックに陥ってしまったら命にかかわる。わたしを屈服させようとしている恐怖から身を守る手段は貧弱な斧しかなかったが、それを握り続けるだけの体力と精神力はあったので、一歩ずつ後ろに下がりながら、その不吉な場所を出て正気の世界に向かった。

数百ヤード離れて、草地が岩場に接している地点の近くまでたどり着いたとき、わたしは誰の目にも滑稽な姿に見えたはずだが、そこで決定的な出来事が起きて、プツンと神経が切れてしまった。それ自体は取るに足らない出来事なのに、わたしの意志を麻痺させて、焼けつくような恐怖の戦慄をはらわたに送り込まれるように思えたんだ。

洞窟のある一帯のどこかから、低く、乾いた、耳障りな咳が聞こえて――咳は一度きりで、特別なことはなにもなかったんだが――わたしにとって恐ろしかったのは、人間が半ば押し殺しながらこっそり咳をした音のようだったからだ。そのとき、なにかが壊れた。わたしはあの音に再び向き合うことができなかったので、くるりと向きを変えると、斧を前で振り回しながら必死で駆け出し、正真正銘の恐怖にすぐ後ろまで迫られて、頭の中がドクドク脈打ち、心臓がドキドキ激しく打つまで走り、とうとう半マイル先の岩の上に崩れるように倒れた。

日はもう、だいぶ傾いていた。あとをつけてくるものはなかったが、まだ森の中をかなり歩く必要があったので、ちょっと一息ついたあと、さっきよりは穏やかな気分で再び出発し、やがてようやく宿屋に着いて、自分の部屋という安全な場所に戻ることができた。

その晩は、夕食に下りるのが遅くなった。なにを発見したのかをシュタイナー夫妻に打ち明けるのは賢明かどうか、長いこと考え込んでいたからだ。朝の夫妻の反応があまりにも激しかったので、どんな成り行きになるか心配だった。結局、フラウ・シュタイナーが部屋に引き揚げるまで待ってから、ご主人に話をした。彼はいつものように台所の椅子に座ってパイプをふかしていて、わたしが食後のブランデーを飲み終わるまで礼儀正しく待ち、後片付けをしようとしていた。

　ご主人は顔面蒼白になったものの、驚くほど落ち着いていて、この発見の及ぼす影響について二人でしばらく話し合った。彼は、朝になったら行政当局に知らせるつもりだとわたしに言った。山羊や牛の被害が続くようなら、おそらく銃による駆除を手配してもらえるだろう。もちろんわたしは、この件のより陰気な側面について、なんとも思っていなかった。彼に話したのは、洞窟を見つけたことと、そこが牛殺しをやらかした獣のねぐらのようにも思えるということだけだった。

　だが、ヘル・シュタイナーの態度の問題は、まだ残っていた。わたしの印象では、夫婦ともに、家畜にこれほどの被害を与えている奇妙で邪悪な生き物のことをよく知っていて、ひそかに怖がり、自分たちでなにか行動を起こすつもりはないようだった。その晩遅く、自分の部屋でさらによく考えたとき、二人もわたしと似たような経験をしたのかもしれないと感じた。洞窟での出来事と、あの暗くて息苦しい森の雰囲気全体を思い出せば、彼らがとくに悪いとは言えなかった。

　ともあれ、わたしには関係のないことだった。単なる通りすがりの他人で、まもなくここを出発する予定なんだから。この宿屋はきわめて快適だったが、山歩きはもういやというほど堪能したので、立ち去りがたい気分になっているところだった。あの大きな森の中を黄昏時にとぼとぼと歩いて帰るとき、美味しい食事が待っていることを、優しい笑顔と寝心地の良いベッドが約束されていることを知っているのは嬉しいものだ。こんなたぐいの考えに元気づけられて、じきに眠りに落ちた。

　翌朝、わたしはグラフシュタインまでぶらぶら歩くことにした。この村は、中央ヨーロッパのあちこちに一千くらい散らばっている小さな村と同じようなタイプで――木造の家が密集していて、小さな広場《プラッツ》が中央にあり、見事な彫刻で飾られた大きな十四世紀の教会を中心にすべてが回っていて、役場があり、ホテルが二軒あり、商店街が一つ二つあるが、店の一部は観光業を利用するため、残念ながら近代化されてしまった。

　わたしはその村にいる間、一軒しかないコーヒーショップで本当に美味しいコーヒーとペストリーを味わったあとで、小さな警察署を訪ねた。ここで、山羊と洞窟の件について地元の巡査部長に報告したんだ。ご協力いただけてありがたいと言われたので、大縮尺の地図上で場所を教えたが、彼の態度からは、重要なこととみなされているようにも、ごく近い将来になにか手を打ってもらえそうにも思えなかった。この種のことは、そのあたりの森では珍しくないのですよ、と言われてしまったんだ。

わたしは昼食のためにゲストハウスに戻る前に、教会にちょっと立ち寄った。カメラを持っていたので、実に素晴らしい彫刻のクローズアップ写真をせっせと撮影した。牧師は不在だと言われたものの、写真撮影のために少々お邪魔することは、管理人からすぐ許可をもらうことができた。こうした昔の彫刻は大部分が作者不明なんだが、その腕前は本当に信じられないほどで、作品の美しさと精巧さにわたしはまたしてもぞくぞくして、気分が高まった。

祭壇に面した最前列の座席の見事な彫刻の写真を半ダースほど撮影して、カメラのフィルムが終わった。わたしの理解できる限りでは、聖書のヨブ記の場面を描いたもののようだったが、そのうちの一つにかなりのショックを受けた。それは非常に不快な彫刻で、非常に精巧に仕上がっているのに、その結果はきわめて悪意のこもった不気味な代物なんだ。みなさんはたぶん、ノートルダム大聖堂のガーゴイルを思い出すだろう。昔の石工たちはあんな形で、彼らを取り巻く闇の力を表現してさらけ出していたわけだ。

まあ、これも同じ種類のものだったんだが、百倍は強化されていたよ。古い教会の暗さと静けさのせいだったのかもしれないが、わたしはタイム露出（シャッターの自動装置を用いないで手動でおこなう露出のこと）をするためにカメラを設置しに行ったとき、自分の手が震えていることに気づいた。その彫刻は、不格好な頭のむかつくような生き物を表現していて、信じがたいほどやせ細ったそいつはまっすぐに立ち、体の大部分はありがたいことに、葦か稲らしき草で覆われていた。

長い首には醜い巨大なこぶがあって、歯は猪のように湾曲して尖っていて、目は蛇のようだ。鉤爪のような二本の手には、人間の体をつかんでいる。セロリをかじるように頭を食いちぎったばかりで、これから頭を吐き出してから本番の食事を始めようとしているところだということが、巧みに表現されている。

この忌まわしい生き物を見てどれほどの嫌悪感を抱いたか、口ではとても言えない。ダークウッドの枠の中で動き出しそうにも見えるほどで、題材を実に見事に描き上げた作者は、ちょっとした天才だ。いま使ったような平凡な言葉では、あの瞬間のわたしの印象を伝えることはできない。でも、忌まわしくてもそうでなくても、この彫刻はフィルムに収めなければならないし、イングランドに戻ったらもっと詳しく知りたくなるはずだとわかっていた。

そこでわたしは急いで撮影の準備を完了させて、ボタンを押し、タイム露出の機構の音が終わるまで待ってから三脚と機材を分解することにした。機構が停止して露出が終わると同時に、教会の奥のどこかから大きな音がした。どういうわけか、わたしはぎょっとしてしまったんだが、聖堂番が――この役職をドイツ語でなんと呼ぶのであれ――万事順調なのを確かめるために入ってきたのかもしれないと思った。

けれども、この邪魔のせいでわたしはかなり不安になったので、急いで道具を片付けて教会の通路を戻り、外に出た。驚いたことに、建物内にはほかに誰もいなかったらしく、あの音の原因も見つからなかった。教会の中で落ちたものはなにもなさそうだったが、昼食の時間に遅刻していたので、急いでグラフシュタインを出て自分のホテルに戻った。

その日の午後は何通か手紙を書き、それを投函するため夕方早くに村までちょっと出かけたのを除けば、取り立ててなにもしなかった。夕食の前に一、二時間ほど部屋で横になり、再び起きたときにはかなり暗くなっていたので、寝過ごしてしまったと思った。だが、腕時計の夜光文字盤をちらっと見ただけで、まだ八時半だとわかって安心した。いつも食事をするのは早くて九時か九時半だから、時間はたっぷりあった。

明かりはまだつけていなかったので、少しの間わたしは窓際に立って、谷を見下ろした。月のきれいな夜で、眼下に松林が広がり、さらにはるか下のほうには教会の尖塔が突き出ていて、まるでデューラー（アルブレヒト・デューラー（一四七一―一五二八）ドイツルネサンスの代表的な画家・版画家）の古い版画のようだった。

窓から離れようとしたそのとき、シュタイナー家の大きな牧羊犬が、ホテルの横で吠え始めるのが聞こえた。犬はまだ窓を開けて外を見たが、なにも見えなかった。犬はまだうなっていて、そこでホテルを囲む藪の中から、パリパリ、カサカサという、ごくかすかな音が聞こえてきた。犬はその音を追いかけようとはしなかったが、いきなり遠吠えのように甲高い声で鳴き始めて、するとシュタイナーが悪態をつきながら外に出て、犬を平手で叩き、中に戻れと怒鳴るのが聞こえた。

さっきの音は少しの間続き、いまではさらに遠ざかり、かすかに耳障りで不気味なカサカサというその音は、誰か、またはなにかが、確たる目的と目標をもって進んでいるかのようだった。それはゆっくりと尾根を越えて去っていき、静かな夜が戻ってきた。わたしはこれでかなり落ち着かなくなったが、なぜ落ち着かないのか本当はわからず、結局は夕食をとるために下へ行った。

食事はいつものように素晴らしく、高い梁のある暖かい台所で、真鍮や白鑞《しろめ》のぴかぴか光る表面で火明かりが揺れるのを見ていると、この宿に泊まれて幸せだとまたしても思い、にぎやかな夜を過ごした。今夜のわたしはどういうわけか、中央の巨大なテーブルの空いた場所にルートマップやノートなど調査のための資料を広げていて、夕食後にこの作業を続けたいと思っていた。

もう十時半ごろになり、わたしはせっせと資料を片付けて、自分の部屋に持っていく準備をした。フラウ・シュタイナーはもう寝ていたが、ご主人はいつものようにわたしのそばに残ってパイプを吸い、新聞を読んでいて、わたしが部屋に帰るのを認めなかった。

『そこでおやりなさい』ご主人は陽気にそう言って、資料を置いたままにしておくよう手で促した。わたしは、記録やルートの準備に真夜中までかかるかもしれないと言い張った。すると彼は、どうせ自分はもう寝るところなので、部屋に戻る前に必ず明かりを消してくれれば、好きなだけいてかまわないと言うだけだった。

これは好都合だった。秋の夜は肌寒いので、台所の暖かい空気のほうが自分の部屋より好ましい。それに加えて、ヘル・シュタイナーはケーキとサンドイッチの皿をボトル半分のビールとともにわたしのほうへ押し出してきて、あからさまにウインクをしながら立ち去った。こうしてその晩、このガストホフの台所で作業をすることになったわけで、一階にいたのはわたしだけだった。

犬は裏手の建物のどこかに閉じ込められていて、事実上わたしはこの世でひとりぼっちになっていた。このホテルの奇妙な特徴の一つに、シュタイナー夫妻がここに住んでいる間は、冬でも夏でも台所口の鍵をかけないという事実があった。正面の入り口と裏口は毎晩きちんと鍵をかけられていたが、どういうわけか、台所口はそこから除外されていたんだ。

たしかに、台所口は大通りや村に面していて、正式な入り口よりも便利ではあったんだが、そうする意味はよくわからなかった。本当の説明として思い浮かんだのは、台所口の扉を固定する手段は大きな角材しかないという点で、扉枠の両側に取り付けられた金具にはめる仕組みだった。もしかすると、毎晩それを持ち上げてはめて毎朝外すのが面倒で、その習慣はすたれてしまったのかもしれない。そして、さらにどういうわけか、シュタイナー夫妻は普通の鍵を取り付けるのを忘れていたんだ。

それはともかく、そうしてわたしは黙々と作業を続け、炎の暖かさを満喫し、本当に美味しい夜食とビールを堪能した。記録を書き終わり、次の休暇に歩くルートにもじゅうぶん詳しくなった。このころには真夜中近くになっていて、いくらか疲れを感じ始めていた。

わたしは伸びをしてから、料理用ストーブの火をかき立てに行こうとしたが、そのときかすかな物音に気づいた。じっと耳を澄ませた。宿屋の中からではなく、外から聞こえてくる。あまりにも弱々しくて、最初は聞き分けられなかったんだ。水がチロチロ流れる音でもなければ、通りすがりの村人の足音でもない。腕時計をもう一度見てみると、そうした素朴で早寝の人たちが出歩くには、いずれにしてもあまりにも遅すぎる時間だとわかった。

音を聞き漏らさないよう忍び足で歩いて——なぜそうするのか、自分でもよくわからなかったが——台所を横切り、窓のそばに立った。少し経つとまたあの音がして、さっき上の階の窓から見下ろしたときに森の中から聞こえたカサカサという音と同じように不快だった。

みなさんにわたしの状況を想像していただけるかどうかわからないし、こうしてロンドンの真ん中にいる今夜、あの場面を再現するのは難しい。カサカサという音か引っかくような音か、どう呼ぼうとも、その音は苦痛なまでにゆっくりと慎重で、体のひどく不自由な人が二本の杖を頼りに歩くときの音に似ているようだ、とわたしは思いついた。一瞬静かになったあと、すぐに引っかくような音がして、まるで二本の杖が痛々しいほど地面を引きずり回されているときのようなんだ。その瞬間、ホテルの裏手のどこかから、犬の苦しげな遠吠えが響いた。

それでもう、緊張していたわたしは、本当に参ってしまった。犬の声で安心するどころか、汚らわしい不自然ななにかが外にいて中に入りたがっているのを犬は知っているということだ。この考えが頭に浮かぶと、わたしはあわてて扉を見て、当然鍵をかけるつもりだった。普段は神経質とか臆病とかではないのに、その晩はなにかに支配されていて、いつもの自分ではなかったんだ。

角材は明らかに大きすぎて重たくて、騒々しい音を立てずにはめることはできなかったし、おまけに、なにかがわたしをその場に釘付けにしていて、行動できないようだった。

電灯はまだついたままで、ほっとさせてくれる近代的な光が、すべてのものを明るくくっきりと浮かび上がらせていた。わたしは窓の端に立って、外から影が見えないようにしていたが、外にいるのが誰であれ——なんであれ——ここにいるのが誰なのかをじゅうぶん知っているような気がした。そしてわたしは、どんな大金を積まれようと明かりは消さなかったはずで、その理由はあまりにも明らかで説明のしようがない。

　引っかくような音が繰り返されて、わたしの過敏な神経にとっては、音がいっそう近くなったように思えたので、再びあたりを見回し、なにか武器はないかと探したが、見つからなかった。それからしばらく静かになったあと、家の外から、洞窟で耳にしたあの不快な押し殺したような低い咳が聞こえた。犬がまた哀れっぽく鳴いたとき、わたしの参った神経は燃え立ち、きしむ音とともに扉の大きな古い木製の留め具が持ち上がり始めた。

　今度は素早く行動を起こした。外になにがいるのかわからなかったが、それと向かい合ったら気が狂ってしまうということだけはわかっていた。扉に飛びつき、留め具に全体重をかけて、無理やり押し下げた。こちらの圧力は抵抗されなかったが、少し経つと留め具が上がり、抵抗できない力で押し上げられた。ぞっとするような一秒ほどの間、扉は実際に一インチ、もしかすると二インチは開き、そこでわたしは恐怖を力に変えて、扉を叩きつけるように閉めて、全体重をかけて留め具を押さえつけた。

　できることはすべてやったのに、またしてもそれが持ち上がるのが感じられた。でも今度は、不揃いな石を張った床の煉瓦に足を踏ん張り、外にいるなにかが入ってくるのを防ぐために全力を尽くした。まだひどく怖かったけれど、あの最初のすさまじい恐怖、脳から意志をすべて奪い取る恐怖はいくらか減っていて、ごくわずかに押し返されたとき、あたりを見回して助けになるものを探した。

　すると、壁の隅にあの角材が置いてあるのが目に入った。四フィートしか離れていない。わたしは扉を枠組みに押し戻して、その一番下に片足を押しつけながら、巨大な角材をぐいっとつかみ、恐れを力に変えて引き寄せた。扉に押し返されたせいで足が床の上を滑り、角材の先端が台所の壁をこすりながら真鍮製の大きな寝床用あんかをひっくり返し、それが石の床に落ちて、ガシャンとものすごい音がした。そのおかげで事態が収拾したんだと思う。なぜなら、わたしが知らぬ間に巻き込まれていたこの格闘は、これまで無音の中で執念深く続けられていたからだ。

　扉が一瞬だけ大きく開いたが、そのとき犬が、ガシャンという音に興奮して、怒って吠え始めた。それと同時にヘル・シュタイナーが騒がしさに目を覚まし、階段の上から怒鳴った。二階の明かりがぱっとついて、扉の圧力が次第に消え去ると、わたしは扉に倒れかかり、ヒステリックなほどの力で角材を金具に叩きつけるようにはめた。その後、脚から力が抜けて、台所の床に倒れてしまった。

それからの出来事をぐだぐだ語ってみなさんを退屈させるつもりはない。驚きおびえた様子のシュタイナー夫妻、犬の一時的な錯乱、わたしの喉を落ちていくブランデー、ご主人夫妻に対する支離滅裂な説明。言うまでもないが、その晩はもう誰も眠れなかった。わたしたちは、目についた中でとくに重い家具を三カ所すべての扉の前に積み上げて——これだけでさえ、こんな状況ではかなりの決意が必要で——わたしは自分の分担の仕事をするだけで精一杯だった。

その晩に出くわしたような恐怖は、ほかでは一度も感じたことがない。手足は水になり、意志はすべて奪われる。ありったけの精神力を振り絞ってようやく、魂を体に戻し、〝二重に釘付け〟にしておくことができた。そんな言い方で、意味が通るだろうか。少し落ち着きを取り戻したあと——結局それは思い違いで、おもにブランデーのせいだったんだが——さっきも言ったように、シュタイナーと二人ですべての扉と窓の戸締まりをした。それから最上階の部屋に避難して、建物中の明かりをつけっぱなしにしておいた。シュタイナーは、銅製の鍋や台所用品を階段のあちこちに置くという名案を思いついた。そうすれば、なにかが階段を上って近づいてきたときに、前もって警報が届くからだ。

それから彼は、とてつもなく大きなスポーツ用ライフルを三挺も持ってきて——一挺はむしろラッパ銃（十七〜十八世紀ごろの銃口がラッパ状に広がった短銃）に似ていたが——三人全員で一番頑丈な扉の寝室に閉じこもった。夜明けまで四時間以上待つ必要があったが——もう一時半ごろになっていた——わたしが台所で倒れて大騒ぎになったあとは、ありがたいことにあんな音が外から聞こえてくることはなかった。

わたしたちはみじめな時間を過ごし、ほとんどささやき声で語り合って、外のほんのわずかな物音にもぎょっとした——夜風の吹く音から、一番上の窓ガラスに枝がかすかに当たる音まで。わたしの説明のあと、会話の中でこの状況がはっきり口にされることはなく、遠回しに触れられるだけだったので、わたしはシュタイナー夫妻がみずから話すつもりのないことまで知っているのをますます確信した。

奥さんが一度、「こんな遠くまで来たことなんて、前はなかったのに」とつぶやくのが聞こえ、するとご主人が奥さんの腕をつかみ、奥さんは黙り込んだ。わたしのほうも、この状況の恐ろしい事実をひとりで抱えていた。神の創りたもうた生き物の中で、人間のやり方で扉の留め具を持ち上げるだけの機転と知恵をもつものはどれなのか？　類人猿か猿か？　そうかもしれない。でも、この森の中でそう考えるのは、ばかげている。

　鹿など別の種類の動物でも、角が引っかかったとき偶然に留め具が持ち上がることはあるだろうが、扉の反対側にいたなにものかは、人間と同じくらいやすやすと留め具を上げていた。そして、わたしの理性へのあの無言の邪悪な侵略とともに加えられた圧力には、恐るべき力と意図があった。しかも人間の仕業ではないことは、最初から確信していた。

　わたしはとうとうあきらめて、部屋の隅に座り、途切れ途切れに眠った。壁を背にして、立てた膝に頭を載せ、シュタイナーの旧式なライフル一挺を握りしめたまま。夜明けは六時ごろで、寝ていたので見ていないが、夜が明けたと気づいたとき、戦時中でもこれほど感謝したことはなかった。日常の音が、だんだんはっきりと聞こえてくるようになった。雄鶏の歌う声、豚たちのブーブー鳴く声、雌鶏たちの小さく騒ぐ声、そしてようやく、年老いた牧羊犬が再び目覚めてワンワンと吠え、夜の恐怖が消え失せたことを伝えていた。

　それでもわたしたちは、七時を過ぎるまで、一階に足を踏み入れる勇気がなかった。まず、すべての方角の窓を開けてみたが、不安にさせるものは見当たらなかった。そこへ、農場の荷馬車がきしみながら通りかかり、一人の男が上に乗り、もう一人が轅《ながえ》（馬車の前方に長く突き出ている二本の棒で、その間に馬をつなぐ）の横を歩いているのを見たとき、わたしたちはとても恥ずかしくなり——とりわけシュタイナー夫妻は、いつもなら六時前に外へ出て家畜の世話をしていたので——三人全員ですぐ階段を下りた。とはいえ喋りながらで、いささか騒ぎすぎていた。

　明かりはまだついていて、銅製の鍋も動かした形跡はなく、すべてが元のままで、わたしが超人的な努力で扉にかんぬきを掛けようとしたときにひっくり返した寝床用あんかまで、疑いようのない事実としてそこにあった。シュタイナー夫妻が台所を整頓して朝食の準備をしている間に、わたしは勇気を奮い起こして扉のかんぬきを外し、外に足を踏み出した。実を言うと、別の荷馬車が近づく音が聞こえるまで待ってから、虚勢を張ってよろよろと巨大な角材を持ち上げて地面に下ろし、日の光の中に足を踏み入れたんだ。

　前の晩の悪夢は、存在しなかったのかもしれない。朝の爽やかな空気を吸い込み、荷馬車に乗っている二人の立派な御仁にこんにちはと言ったあと、この十二時間で二度目のショックが待っていた。厚さ一インチの扉越しにわたしに抵抗していた力は決して幻ではなく、そして、扉の外に立っていたなにものかの奇妙な足跡も幻ではない。わたしはよろめき、倒れそうになった。

できれば想像してみてほしい。あの秋の朝、あのアルプスのふもとの丘でわたしの目に飛び込んだ足跡を。あれに似たちっぽけな跡は、きっと太古の昔から見られてきたんだろう。扉の前にあるのは、単なる二つの穴にすぎなかった。その跡はかなり小さく、六インチほど離れていた。むしろ杖の石突の跡のようにも見えたが、わずかに細長く、楕円形になっている。地面のこの二つの細長い小穴をじっと見つめていると、しまいには気が狂いそうになった。

神の創りたもうた獣でこんな足跡を残すものはいないはずで、扉からあとずさりすると、さらに足跡があるのが見えた。洞窟のある一帯まで歩いたときに通った森の小道に沿って、宿屋に向かって進み、宿屋から引き返す足跡が残っている。かすかな引っかき跡で、足跡どうしがつながっていた」

長い沈黙が室内に広がった。ウィルソンは急に話をやめて、暖炉の火の奥をじっと見ていた。

「もしかしたら、鹿の足跡じゃないかな?」話が再開される兆しがないので、ついにペンダーがおずおずと言った。

ウィルソンは、もどかしそうに首を振った。「ありえない。わたしは鹿の足跡をよく知ってるんだよ、きみ。鏡に映る自分の顔と同じくらいにね。足跡は二つ揃っていたとさっき言ったが、言い換えればそいつは、まあ、それがなんであれ、後ろ脚で立っていたか——ことによると、二本しかない脚で立って——扉を開けようとしていたわけだ。

わたしはその足跡を少したどってみたが——徐々に消えていて、ほんの少ししかたどれなかった。そのとき、あとでなにが起こったかを思えば、かなりばかなまねをしてしまったのかもしれない。かっとなりパニックを起こして、小道に沿って進み、その悪魔じみた足跡を全部、重いウォーキングブーツでわざと消したんだ。

とはいえ、シュタイナー夫妻には本当に義理があると感じていたので、午前中のほとんどを費やして、この宿屋で暮らすのを思いとどまらせようとした。さっき見た足跡のことをそれとなく伝えようともしたんだが、言葉がうまく出てこなかった。当然ながら老夫婦は、一生住むつもりの家を手放してこの年で引っ越そうなどとは、夢にも思わなかった。

『ですけどね、ヘル・ウィルソン』とご主人は言った。

『無茶をおっしゃらないでくださいよ。住んでるのはわしらなんですから』たしかに一理あったが、それでもわたしは、ここを出るよう頼むのをやめる気にはなれなかった。ご夫婦のことがひどく心配だったからだ。知り合ってからの短い間、非常に親切にしてもらったんだ。でも結局、頼んでも無駄だとわかった。とはいえ、上のホテルにいるようなウルフハウンドをつがいで買うこと、それから——まずなによりも——台所の扉に立派な差し錠を取り付けることは勧めておいた。

最後の勧めを聞いたシュタイナーは、もう少しで本音を漏らしそうになった。いまにも泣き出すかのような顔でわたしを見て、こう言ったんだ。『差し錠は役に立たないんです、結局のところ、ああいう代物には』そこで奥さんの表情に気づき、黙ってしまった。それがこの話題に関する彼の最後の言葉で、その後は二度と口にしなかった。当然わたしは、あんな夜を過ごしたガストホフにこれ以上とどまりたいとはまったく思わなかったので、午前中に荷造りを済ませていた。シュタイナー夫妻はよくわかってくれたが、午後の早い時間に別れの挨拶をして、リュックサックをかつぎ、再び森の中へ出発するとき、わたしの心は重かった。

立ち去る前にもう一度だけ頼んでみることにして、『せめて、村当局が狩猟隊を組織して、あの洞窟の中を空にするよう取り計らってください』と言った。彼は悲しげな様子でわたしを見て、手を振って別れを告げた。最後の言葉はこうだった。『ありがとうございます、お客様《マイン・ヘル》。助けようとしてくださるお気持ちは、わかっておりますよ」わたしはコースを変更して、あの洞窟から少なくとも八マイルは西を通過する予定だったので、村に向かって出発して徒歩旅行を再開し、その後はこれといった事件もなかった——少なくとも、この話の核心にかかわる範囲では」

ウィルソンは再び間を置き、黙ってグラスを空にした。「話が中途半端で終わるのではという心配はご無用」と彼は言った。「これには続きがあって恐ろしい話なんだが、本来ならわたしは、あのままほうっておくべきだった。だけど残りの休暇の間、あの老夫婦のことと、ゲストハウスの寂しさと、あの忌々しい洞窟と、あれほどの恐怖の夜をもたらした事態の本質について、ずっと考えていた。

わたしはあそこに戻るという間違いを犯し、それによって、恐怖の記憶に罪悪感が加わってしまったんだ。イングランドに帰国する途中で少し遠回りして、通りかかったときに一日だけ立ち寄った。連れが三人いたんだが、この話とは関係ない。とはいえ一人は、すでにほのめかした通り、それから一生、わたしの関係者になるんだがね。彼女たちをカフェに残して、忘れもしないあの丘を登ってホテルへ向かった。途中で巡査部長に出くわして、あたりが活気づいていた。車などが次々とやってくる。

どうしたのかと尋ねると、彼は実に落ち着いてあっさりと、あの老夫婦が殺されたと言った。想像しうる限り、最も野蛮かつサディスティックなやり方で。寝室に立てこもったあと、文字通りずたずたに引き裂かれ、しかも――なによりも無残なことに――首を切られて、頭は見つかっていないという。わたしは教会の彫刻を思い出し、胸が悪くなった。この恐ろしい出来事が起きたのはわずか二日前で、森の徹底的な捜索がおこなわれたが、無駄に終わった。わたしたちはこのとき、小さな警察署まで戻っていた。わたしはもう、丘を登り続ける気がなかったからだ。三週間前の出来事を思い出し、頭の中で、十万個もの後悔を一から数え始めた。

それでもわたしは警察に腹を立てていて、自分の感情を分析するならば、シュタイナー夫妻にも腹を立てていた。わたしは巡査部長に、この状況にしてはいささか乱暴な口調で、洞窟についての忠告に従ってくれたのかと尋ねた。あの中に潜んでいると思われるけだものを退治するために、実際に狩猟隊を編成してくれたのか？　実際あのけだもののせいで、シュタイナー夫妻は死んだのでは？

彼は口ごもりながらわたしを見て、真っ青になった。もちろん、なにもおこなわれていなかった。この問題は完全に見落とされていた――村当局と、とりわけ警察は、殺人のことを考えなくてはならなかったからだ。でも、彼は典型的なドイツ人の手際の良さを発揮して、すぐさま狩猟隊の編成に取りかかり、二時間後には射撃の達人およそ四十名から成る重装備の一団が、村から続々と出発した。

わたしも一緒に行くべきだったのに、なぜか正面から向き合うことができなかった。シュタイナー夫妻の死に、すっかり呆然としていたんだ。でもわたしたち――つまり、わたしと友人三人――は、その晩ある村人の家に泊めてもらった。狩猟隊はもちろんあの洞窟の一帯をよく知っていて、日が暮れるよりもずっと前に戻ってきた。巡査部長は再び会ったとき、妙に口が重かった。彼によると、あそこは悪い場所なのだという。

狩猟隊の人々は、入り口からあまり奥へ進もうとはしなかった。何マイルも迷路が続いていると聞いていたからだ。朝になったらダイナマイトを持ってきて、守備隊駐屯の町から軍の専門家を一人呼び、入り口をふさぐ予定だという。巡査部長は、まるでわたしが彼と同僚たちを臆病者と非難しようとしているかのように、すまなそうにこっちを見た。でも、彼を責める気にはなれなかった。わたしもまったく同じだったじゃないか？　そして、それは実行された。山腹全体を崩して、あの代物がなんであれ、封じ込めたんだ。手紙で連絡はとり続けていて、わたしにわかる限りでは、あの地方はのどかなままだ」

ウィルソンはまた話を急にやめて、グラスを再度満たした。「そこで、振り出しに戻る」と彼は言った。「恐怖の問題だよ。人生で一度も経験したことのないような、再び向き合うことなど、とうていできなかった恐怖。今日に至るまで、その理由はわからない。しかしそれでも、わたしはなにも見なかった――地面の二個の穴を勘定に入れない限り。そして、ほとんどなにも感じなかった――扉にあのとてつもない圧力をかけられたこと以外は。ほとんどなにも聞かなかった――夜のくぐもった咳の音と、かすかな引っかき音以外は。死を連想するほどのことではない。それでも、悪魔のようななにかに、シュタイナー夫妻は殺されてしまったんだ」

「で、それ以上のことはわからないのか？」ほかの誰かが尋ねたが、陰になってよく見えなかった。

「仮説しかない」ウィルソンはそう言って、まだらになった火明かりの中で顔を上げた。「家に帰ってから、フィルムを現像した。すべて完璧に撮れていたのに、一枚だけ、教会内の写真なんだが、真っ白で、まったくなにも写っていなかった。そして、なにが写っていなかったか、きっとみなさんにはおわかりだろう。でも、もしわたしの仮説が正しければ、彼らの態度に説明がつく」

再び長い沈黙が広がった。

やがて、「ブランデーを回してくれ、ペンダー」とわたしは言ったが、意図したよりもかなりきつい口調になっていた。

アーカムハウスの住人たち

深淵

The Depths

ラムジー・キャンベル

Ramsey Campbell

若島正 訳

ラムジー・キャンベルは一九六四年、アーカムハウスから初の短編集 *The Inhabitant of the Lake and Less Welcome Tenants*を上梓した。ラヴクラフトに私淑した十六歳の少年は、ダーレスの助言を得て、同書でクトゥルー神話の新たな舞台をイギリスに設けた。以後、半世紀を超えて、彼は恐怖の物語を語り続けている。本書では一九八二年の短編集 *Dark Companion* を初出とする本作を収録する。現実的な恐怖を描きつつ超自然の恐怖を模索していた、当時の作者の内面をうかがわせる一作だ。この不安に満ちた短編は、作家生活三十年の節目にアーカムハウスから出版された傑作選 *Alone With the Horrors*（1993）にも収録された。

マイルズが出てくると、充血した目の犬を連れている女が通りかかった。女は家をちらりと見ると、鼻歌を歌いながら、同じ軽蔑のまなざしをマイルズに向けた。まるでリードがリモコンになっているみたいに、犬がうなりはじめた。マイルズとこの家を一緒くたにしているのだろう。

そうだったらいいのに、と思いたくなるところだった。それはとにかく一種のつながりなのだから。マイルズはウエスト・ダービーの村をぶらぶら歩きながら、頭の中ではアイデアを探していた。夕方の空からパステルカラーが失せていた。モリバトが狭い並木道を闊歩している。母親が「もう二度とこの庭から出ていったらだめよ」と大声を出している。車道を掃いている女がバッグス・バニーの歌を歌っている。仲よく並んだ二台の車のむこうには、ビールポンプまで完備したバーのあるリビングが見えていて、夫婦が「ベートーベン・グレイテスト・ヒッツ」のアルバムを聴いている。

　マイルズはクラウン亭の裏手にある、ボウリング用の芝生の端に置かれたテーブルでビールを飲んでいた。ボウルの音が聞こえるのを除けば、夏の夕べは彼の頭の中と同じくらいに空っぽだ。それでも、このアイデアはもともと、彼にとっても出版社にとっても期待どおりになりそうなものだった。頭がくらくらするまで紅茶を飲んだり、タイプ用紙をにらんでいてもタイプライターが答えの出ない難題を突きつけてにらみ返してくる、そんな日々とはもうおさらばだと。インスピレーションがいかに当てにならないものか、今頃になって気づくとは。

　どういう問題があるのか、予見しておく必要があったのかもしれない。持ち主たちの話では、その家にはなにもおかしなところがないということだった――ぽつんと建っていて、口には出さないが隣人たちが毛嫌いしているのをべつにすれば。そこで何が起こったかを知っていたら、その家を買うことは決してしてなかったはずだ。そこに住むと罪を背負い込んだみたいにまわりから思われるのはどうしたことだろうか。

　それでも、その理不尽さは犯罪そのものの理不尽さに比べればたいしたことではなかった。前の持ち主は銀行の支店長で、仕事になんの不満も持ってなかった。その妻は小さなブティックを経営していた。夫婦仲も円満なように見えた。二人を知っている人間は誰でも、夫が妻に対してしたことを信じられなかった。マイルズが取材した人間はみな、その件に関して話そうとはしなかった。黙っていれば事件が起こるのを防げたかもしれないとでも思っているみたいに。

　誰もいなくなった芝生は闇に滲んでいた。「閉店ですよ」と、まだ外に客がいることに驚いてバーメイドが言った。マイルズは薄い模様が入ったジョッキを持ち上げ、顔をしかめながらビールをごくりと喉に流し込んだ。下調べをすればするほど、今度の本は見込みがなさそうに思えてくる。

　さらに悪いことに、テレビのインタビューに答えて、完成間近だと言ってあったのだ。とはいえ、番組が放送されるのは数か月先なので、そのころには殺人事件が起こった場所についての本もかなり進行しているかもしれない――ただ、それは出版社に約束した本ではないし、同じくらい興味を惹くかどうか自信がなかった。

　コテージとコテージのあいだにある、アーチをくぐった道のむこうには、長くて薄暗い家々が眠っていて、明かりのついた窓がアーチの中に浮かんでいた。雑草が茂っている土地には、図書館建築予定地という立て札。村の十字架塔の柱に囲まれた灰色の像。パブの増設部分の屋根では、犬を模したガーゴイルが吠えはじめていた。製材所だというふれこみのコテージには、どうも糞尿の臭いがする。頭の中ではそうしてメモを取っていたが、どうしてもひっかかりは収まらなかった。

視線をセフトン卿の領地のむこうに伸ばして、カントリル・ファーム（一九六〇年代の中頃に造成された住宅地。公共設備の開発が遅れたため、この作品が発表された七〇年代後半には失業者が多く犯罪が頻発する地域として知られていた。それに対して、ウェスト・ダービーは富裕層が住む地域だった）の高層住宅《タワー・ブロック》を眺めてみた。窓が夜に空いた明るい小さな穴になって、不規則な列を成している。頭の中がくたびれかけそうになっていると、一瞬、その明かりの不安定なパターンが、彼の問題を解決するためにはどうしても解読しなければならない暗号のように思えた。だが、そこにどういう関係があるというのか。こうした殺人事件がカントリル・ファームとか、リバプール各地に散在するコンクリート打ちの兵舎で起こったのなら、まだ理解できたかもしれない。しかし、ここウェスト・ダービーではさっぱりわけがわからない。

人影のない囲い地に入ると、軒下で物音が聞こえた。鳥が巣作りをしているのだろうが、まるでこの静かな家が秘密の考えごとをしているような気がしてくる。薄笑いを浮かべながら門を押して開けようとして、彼は思わず手を引っ込めた。白い門に赤くべっとりと。

ペンキだった。誰かが書いた「サディスト」という見苦しいなぐり書きが、ポタポタと滴《しずく》を垂らしている。消すのは隣家に任せよう——ここにそれほど長居はしないのだから。彼は家の中に入った。

一瞬ためらって、暗闇に耳をすました。電気をつけたら、なにも逃げ出さなかった。玄関ホールはただのホールで、蛇腹のような階段が続いている。キッチンのメタルとビニールは「アイデアル・ホーム」の展示みたいにピカピカだ。リビングに敷かれた濃い緑の毛皮のラグには、ふっくらとしたコーデュロイの家具セットが鎮座している。彼の本が並んだ本棚こそないものの、まるで住宅展示場に逗留しているような気分になる。

しかしここ、キッチンからリビングへと行くあいだで、すべてが起こったのだ——ここで、銀行の支店長が徹底的に妻を人間と思えないような姿にしたのだ。マイルズはがらんとした部屋に立ち、当時の様子を想像してみた。彼女はなにも考えられなくなっていたのか、それとも何をされていようと自分の中に閉じこもることはできなかったのか？　彼女の夫は、肉切り包丁を自分の喉に突き刺して壁に激突する瞬間まで、自分が何をしているのかわかっていたんだろうか？

考えてみてもだめだった。犯行現場に立ってみると、事件のすべてはマイルズにとって文字どおり想像を絶した。それは犯人と被害者にとってもそうだったのかもしれない、そう思うと一瞬不安になった。マイルズは二階へ上がっていくときに、出版社に提示する妥協案を練っていた。『殺人者の家』？『暗黒の場所』？　もしかするとそれほど悪くはないのかも。

電気を消すと、暗闇がホールから二階へと上がってきた。ベッドに横になって、頭上でカーテンが風に吹かれてはまた収まる影を眺める。彼は門に触れていた。それは肉体のように感じられた。それがざっくりと裂けて、彼の手がめり込んだ。そのイメージは不愉快だったが、遠くの出来事のように思えて、彼は眠りへと引きずりこまれていった。

激しいパニックに襲われて目を覚ますと、部屋はずいぶん暗くなっていたように見えた。

どこが変なのか気がつくまでは、動く気になれなかった。影は頭上で凍りつき、カーテンは鉛板のように垂れ下がっている。口の中は金属の味がして、血を連想させた。暗闇の中に誰かいるのは間違いない。最悪なのは、何かやってはいけないことがあることだ――しかし、それが何なのか、さっぱり見当がつかなかった。

必死になってああでもないと考えはじめたときに、それこそやってはいけないことだと気づいた。湧きあがる想像はあまりにも残虐で、頭がぶるぶるとふるえだした。そいつを追い払い、自分が考えたのを否定しようとした。そしてそいつを闇の中に追い返そうと、電気の紐をつかんだ。

明かりは消えかかっているのだろうか？　部屋は薄闇に浸されているように見えて、その薄汚れた液体の沈殿物が目にまとわりついた。明かりは事態を悪化させるだけで、べつの想像が胆汁のように、ひとつ、またひとつと湧いてきた。それはこの家で起こった残虐行為よりむごたらしいものだった。この家から逃げ出さなくては。

彼はスーツケースをバタンと倒し――ワードローブを使わずに、服はそこに入れたままにしていたのは助かった――踊り場まで引きずっていった。スーツケースがたてる音で総毛立ちながら、階段を中途まで下りたところで、ノートをリビングに置き忘れてきたことに気づいた。

彼は廊下でためらった。すっかり目が覚めているはずはない。足元のカーペットが濡れているような感じがするのだから。頭蓋骨はやわらかくて穴だらけのような気がして、脳を守ってはくれない。ノートを取り戻さなくては。ドアを肩で押して開けながら、やみくもに部屋の中へと入っていった。

中央の漆喰《しっくい》でできた花から蜘蛛のようにぶら下がっている照明が、どっしりした肘掛け椅子に置いてあるノートを照らし出していた。ここで起こったことは、すべて椅子に染み込んでいるのだろうか？　もし椅子に触れたら、いったい何があふれ出してくるのか？　しかし頭の中では、もっとおぞましいことが渦巻いていた。彼はノートをつかむと、あわてて廊下に駆け出した。息が切れそうだった。

眠りこけている家並みの中で、彼の車が鋸《のこぎり》のような耳ざわりな音をたてた。整然とした衛生的な軒並みが、まるで自分を追放したような感じがした。とにかく運転に集中しなければならないので、頭の他の部分には耳をふさいでいられる。リバプールを抜けていく道は、競技場みたいに不自然なほど明るかった。マージー・トンネルをくぐるとき、実体はないが、息がつまりそうな重荷が頭の上に乗っかったような気がした。ようやくトンネルから出てきても、暗闇に突入しただけだった。

寝ているあいだは悪夢を見ないが、ハッとして目を覚ますと決まって悪夢が待ちかまえていた。まるで真っ暗な穴から這い上がろうといつももがいていて、そのたびに、穴の先には何があるかを忘れているみたいだった。チリ紙同然のカーテンの隙間から、陽がぎらぎらと射し込んでくるが、頭の中までは届かない。結局、そんなふうに目覚めるのにもうそれ以上耐えきれなくなって、バスルームに転がり込んだ。

顔を洗って、髭を剃っても、まだ垢だらけのような気がした。きっと寝不足のせいだろう。彼は机に座って、そのむこうをぼんやり眺めた。ネストンの粗仕上げをした家並みは雲ひとつない空のようにぎらついていて、輪郭がナイフの刃先のようだ。隣家の排水溝は、まるで誰かが飲み物の残りをストローで啜っているような音をたてている。そうしたすべては、彼の想像ほど鮮明ではない――しかし、そういうものじゃないか。

一時間経っても、まだ一文字も書けなかった。悪夢が群がって、頭の中から他のことをみんな追い出してしまうのだ。考えることすら努力が必要で、皮膚は何かに感染したような、何かがうじゃうじゃしているような感じだった。

ふとした思いつきが彼を救った。悪夢を書きとめてやれば、両方の問題を一挙に解決できるのではないか？

ウェスト・ダービーの家で悪夢を見たので——どうしてかは知らないが、悪夢はあの家が作り出したような気がするので——本の中でそれを論じてみたらどうか？

彼は疲れた目がふさがってしまうまで走り書きした。書いたものを読み返してみると、身体が火照るくらいに恥ずかしくなった。よくこんなものが想像できたな。猥褻というものがあるとすれば、こいつはまさしくそれだ。ぎりぎりまで捨てていたアイデアを書きとめるわけには絶対にいかない。ノートを破り捨てたい衝動に駆られたが、引き出しの奥に突っ込んで目の届かないようにしてから、忘れてしまおうと急いで外に出た。

遊歩道の端に腰を下ろして、ディー・マーシュのむこうを眺めた。熱波のせいで、ウェールズの丘陵は煙が積み重なったように見える。ここがまだ行楽地だとでも思っているのか、家族連れが散歩していた。親に注意されて、子供が用心しながら遊んでいる。マイルズを警戒しているらしい。おそらく彼の緊張ぶりや、太ももに指が食い込んでいる様子を感じ取っているのだろう。本を早く書き上げて、やればできるところを見せなくては。

どこの通りも、一卵性双生児のような粗仕上げをした家の列が並んでいて、それが彼を家路へと追いたてていった。彼にはそれがひとつの生命体になった細胞の群れのように思えた。たとえ書かなかったとしても、飢えることはない——とにかく、しばらくのあいだは——それでも、貯金を取り崩すことになると、いつでも不安になる。目立たない程度に貯金が増えるのは安心で、成功の護符だ。彼は道を間違えてしまい、歩いて戻らなければならなかった。そのときでも、ここが自分の家のある通りだと確信するまでに、通りの名前を二度見することになった。

彼はリビングに座り込み、夕食を作る気も起こらないほど疲れ果てていた。耐えられないほどぎらつく直前に凍てついた、ヴァン・ゴッホの風景画が壁で脈打っていた。本棚に並んだ自分の小説を眺めていると、マイルズはすっかり勢いを失ってしまったなという気になった。最後の悪夢が、どうしても書いてくれと相変わらず要求していて、むりやりにそれを頭の奥に押し込んだ。それくらいだったらなにもアイデアが浮かばないほうがまだましだ。

目が覚めると、悪夢は去っていた。疲れてはいるがすっきりした気分だ。時計を見ると、もう何時間も寝ていたことになる。読書番組が始まる時間だ。テレビのスイッチを入れて、電気をつけようとしたとき、暗闇の中、部屋のむこうから自分の声が聞こえた。

テレビに出ているが、だからといって安心はできない。なにしろ一度だけのインタビューが放映されるのは何か月も先のはずだから。まるでそのあいだの時間を寝過ごしてしまったようだ。灰色の画面に自分の顔が浮かび上がると、彼は悪態をつきながら腰を下ろした。本が出版される頃には、誰もこんなインタビューを憶えていないだろう。

総合司会と編集が、別の作家をもう呼び出していた。おいおい、マイルズの出番はたったのこれだけか？　ウエスト・ダービーの家に彼が入っていくところをカメラが追い、近所の連中がにらみつけて、頭を振っていたのを思い出した。これではとうとう検閲でばっさり切られたみたいだ。

いや、彼がまた出てきた。「犯罪小説家のジョナサン・マイルズは、自分の想像力がもうたよりにならないと感じています。なんとか新しいアイデアを探そうと必死になって、彼は昨年殺人事件が起こった家に数週間住んでいました」。マイルズはもうすっかり頭にきていたが、その先がさらにひどかった。創作過程に関する彼の見解はまったく使われず、まるでヒッチコックの『サイコ』の予告編みたいに、カメラを従えて家中を案内するシークエンスだけが使われていたのだ。「視聴者の方々は、これを見て趣味が悪いと思われるでしょうが」と司会が仏頂面で言った。「どうぞご安心ください。問題の殺人事件は、マイルズ氏が思っているほど、話題になったわけでもなければ、よく知られていたわけでもなかったのです」

マイルズが画面をにらんでいるうちに、番組が終わって、労働争議のために『アイデアはどこから』は予定を早めて放送されたことをアナウンサーが説明していた。それからニュースの時間。そのどれもが、マイルズの気分と同じくらいにひどいものばかりだった。幼児殺害、と見出しにはあった。警視総監の言では、こんなひどい事件はこれまでに出くわしたことがないという。マイルズは罪悪感が混じった憤りを感じた。この事件のせいで、きっと自分の本は注目されないだろう。

身を乗り出し、口をポカンとあけたのはそのときだった。きっと聞き違えたのか、もしかすると不眠症の幻聴か。ニュースキャスターは胸像がしゃべっているみたいに現実離れしていたが、それでも途切れない声は慎重で、心配そうで、容赦がなかった。「赤ちゃんは電子レンジの中で発見されました。泣き声を聞いた近所の人たちが家に押し入りましたが、どこにいるのか見つけるのが間に合いませんでした」。キャスターが語っている光景よりもっと恐ろしいのは、それはマイルズが最後に見た悪夢であり、書きとめるのをやめたものだという事実だった。

偶然の一致ではなかったのだろうか。グウゼン、グウゼン、と列車が口走り、それがロンドンまでずっと続きそうだった。もし、これから起こる出来事をどういうわけか予言できたとしても、知りたくなかった。とりわけ、新しい悪夢ができつつあるのを感じる、いまはなおさらだ。

彼はその悪夢がはっきりとする前に抑え込んだ。出版社との打ち合わせのために、雑念を追い払う必要があったのだ。心を落ち着けようと、窓の外を眺めた。木々は通り過ぎるときに振り向いて、葉叢《はむら》の下をのぞかせた。ホームでは通勤客の列が一人ずつ、身を屈めて荷物を手にしていた。まるで風船みたいに、列車に引っぱられた太陽は、雲の中を抜けていった。

ユーストン駅で降りて、群衆がうじゃうじゃしているランダムなパターンから逃れると、ゆっくりと出版社まで歩いた。ビル街は塩のかたまりのようにぎらぎらして、空気中の水分をぜんぶ吸い取ってしまったようだった。身体が火照って、垢だらけのような気がして、最悪の事態に直面したくもなければ、遅刻したくもなかった。「そのうちロンドンに来ることがあったら、いろいろとしゃべらないか」という、ヒューゴ・バージェスの何気ない言葉遣いには不吉なところがあったのだ。

ロビーを見晴らす台座にいる受付嬢にマイルズは待たされつづけて、汗が出てきた。やがてエレベーターから現れたヒューゴは、申し訳なさそうに笑みを浮かべていた。どうしても言わなければならないことがあって、それで前もって謝っているのだろうか？「テレビに出てるのを見たんだろ」とヒューゴはオフィスに入ってから言った。

「まあね」

「わたしだったら気にしないな。テレビの連中ときたら、嫉妬心のかたまりだから。番組で本の話をする時間が嫌で仕方がないんだよ。ときどき、本と張り合うのが腹立たしくて、ヨイショをすることで仕返しをしてるんじゃないかと思うこともあるくらいさ」ヒューゴは机に積まれた本や書類の山をかき分けていた。どうも電話器を探しているらしい。「ふと思ったんだがね、もうじき本を出したらいいんじゃないかと」つぶやきだった。

汗がこれほどあちこちからいっぺんに出てくるなんて、マイルズはこれまで気づいたことがなかった。「いろいろと問題があって」

バージェスは山積みの中から見つけ出したものをまじまじと見つめていた。「あった!」と彼は顔も上げずに言った。

マイルズは新しいアイデアのあらましをたどたどしく説明した。事前にバージェスに書いて送るほうがよかったか?「ウェスト・ダービーの事件は、単にネタが乏しくて」と彼は訴えた。

「まあ、たしかに水増しは好ましいことじゃない」ようやくバージェスが顔を上げた。その表情は好意的だった。「事実は多ければ多いほどいいんだよ。思うに、大衆はファンタジーから足を洗いつつある。いまじゃすっかり科学の時代だからな。読者は情報を得たと思いたがってる。書くことも、他の科学と同じで、できるかぎり正確でないと。そうだろう?」バージェスは山積みの中から光沢のある小冊子を取り出した。「ほら、これだよ。わたしに言わせれば、ファンタジーの最後のあがきというやつさ」

念入りに細部が描き込まれ、写真みたいにリアリスティックな、バラバラにされていると同時にレイプされている最中の女の子が表紙に描かれている。それは新雑誌『グロ』の表紙だった。パンフレットの中で編集者は「古いホラーのパルプ雑誌を一掃する季刊誌――こんなに大胆な雑誌があっただろうか」と謳っていた。

「きっと長続きしないな」とバージェス。「いまだと、たいていの人間はファンタジーを読んでますなんて恥ずかしくて言えない。こんな雑誌だとよけいにそう思うはずだ。きみが書こうとしているもののほうこそ、彼らが求めているものなんだよ――真実だとわかるものだ。そうすれば、自慰行為にふけっていると思わなくてすむ」

バージェスはやっと電話器を掘り出した。「車を呼ぶから、一緒にウエストエンドで昼食をとろう」

その後、二人はヒューゴのクラブで飲んだ。ヒューゴは新作の産婆役を務めるつもりなんだなとマイルズは思った。それから彼は一人で夕食をとり、ホテルのバーでしばらくくつろいだ。たえまなく流れるBGMの中で、バージェスの言葉が耳にこびりついていた。「いったいいつになったら、見本の何章分かを渡してくれるんだい……」

翌朝、驚いたことに気分がすっきりしていた。とりわけ、いったんシャワーを浴びるとそうだった。昼食をとりながら、彼はエージェントに胸の内を吐露した。「いつ原稿を渡せるか、本当にわからないんですよ。どれだけ下調べが要るかもわからないし」

「ねえ、ヒューゴのことは心配しないでちょうだい。わたしが話をするから。それが本のためだとわかれば、きっと待ってくれる」スージー・バーカーは彼の手を軽く叩いた。彼女の腕輪が銀のカスタネットのような音をたてた。「こうしてみたらどうかしら。ウェスト・ダービー事件のことを、見本で一章か二章まとめてみたら？　それだとヒューゴも喜ぶし、わたしも頑張って記事として売り込んであげる」

さよならのキスをした後、マイルズはチャリング・クロス通りを歩きながら、頭の中でその章を組み立てて、書店のウィンドウに自分の本はないかと探した。犯罪小説が積んであるウィンドウでは、マイルズ、マイルズ、と本が言っていた。隣のニューススタンドでは、「残虐行為の夜」と見出しが叫んでいた。

彼はフォイルズに逃げ込んだ。こっちのほうがいい。彼の本が棚の半分を占めている。ただし、初期のものは色あせて埃をかぶっているように見えるが。フォイルズを出ると、喜んでラッシュアワーの人混みに紛れることにした。しかし、売り子のプラカードで足が止まった。そこには「英国の恐怖の夜」と書いてあった。

どうでもいい、おれには関係がない。だったら、何が起こったのか、見てみてもかまわないだろう。べつにわざわざ一部買う必要はない。売り子がいちばん上のをひったくっても、その下に同じのがあるから、記事を読むことはできる。「昨夜は英国史上最悪の、殺人事件の夜になった……」

記事を半分も読まないうちに、群衆のざわめきが押寄せてきて、次第にわけのわからない不気味なものになってきた。奇怪なトランプ手品みたいに、新聞は次から次へとひったくられた。彼はまるで犯行現場から逃げ出すようにニューススタンドからこっそり離れたが、もう記事のどんな細部にも見憶えがあった。ロンドンへ向かう途中、想像を好き勝手にさせておいたら、自分でその記事を書くこともできただろう。彼は新聞が報じなかったことまで知っていた。つまり、被害者のうちの一人が、自分の身体の一部を食べるように強要されたということも。

数週間経っても新聞はまだ大騒ぎだった。穏健派は複数回に及ぶ殺人事件がお互いに無関係で動機もなく、暴力沙汰など犯罪の前科がない者たちのしわざだと指摘したが、ほとんどの新聞はそれでよけいに騒ぎたてた。犯人の写真を載せるにしても、手に入るなかで最も不愉快なものを使い、法律がいかに無力か、そして社会規範がいかに崩壊しているかを示す証拠として、この犯罪を提示したのである。世論調査では死刑制度の即時復活を支持する意見が多数を占めた。「こういう男が罰せられなくていいのか」という見出しが、まるで引用のような顔をして載っていた。マイルズはくやしさと罪悪感で身体が火照った——自分が犯罪を防げたと感じていたからだ。

ロンドンから帰宅するとすぐに、悪夢が戻ってきた。鬱々と考えすぎたせいで頭はずきずきしていて、もう抗《あらが》いようがなかった。わかっているのはただひとつ、なんとかして悪夢を片付けてしまわないと、ということだけだ。悪夢はいっそうひどくなっていた。これまでよりも切迫して、さらにおぞましいものだった。

まるで霊感を受けたようにそいつをなぐり書きしてから、真っ黒になったページを呆然と見つめた。この程度では収まらない。頭の中が疼《うず》くような感覚、頭皮に何かが蠢《うごめ》いているような感覚は、これっぽっちもやわらいでいない。今度こそアイデアをふくらませ、存分に想像力を働かせないと、悪夢が頭の中に癒着して爛《ただ》れてしまう。

昼間はずっと、そして夜は半分の時間を書くことと紅茶を飲むことに費やしているうちに、いったい自分が何をしているのかわからなくなった。次から次へと登場人物を創り出し、実在する人々の断片からフランケンシュタインみたいに組み立てては、被害者役にしろ加害者役にしろ、嬉々として延々と続ける残虐行為を演じさせるだけだった。

書き終わると、頭が錆びた空き缶になったようだった。立っていられたら吐いていたかもしれない。自分が書いた文章に視線を落とすと、嫌悪のうなり声をたてながら原稿を床に叩きつけた。「翌朝、彼は自分が何をしたのか思い出せなかった——しかし、ポケットに手を突っ込んでやわらかいものに触れると、引き抜いた手にはべっとり血がついていた……」

錯乱したのを忘れようと必死になって、転げるように踊り場から寝室へと向かった。翌朝、目が覚めると、ベッドに入ったとたんに眠ってしまっていたことに気づいて驚いた。そこに横になって、吐き出すものを吐き出した気分でいると、疑いようのないほど強烈なアイデアにとらえられた。もしそれを書かなかったら、現実に起こってしまうだろう。

でも彼は書いてしまった。それはもう彼の一部ではない。それどころか、どう感じているにせよ、もともと彼の一部では決してなかったのだ。そう思うとすっきりして、責任から解放された気分になった。そして死刑復活を掲げる新聞を屑籠に突っ込んで、仕事をしようと机を整理した。

いつでも書き出せるというときほど楽しいことは他にない。紅茶を淹れている合間に、家の中を歩きまわり、日光を浴び、悪夢から解放され、活力がみなぎるのを味わった。隣の家ではシェービングフォームの髭をつけた男が、臆病なサンタクロースみたいに姿を隠した。

マイルズは席について書きはじめる前に最初の段落を組み立てていたが、それはすらすら書けるコツで、いつも役に立つのだった――ところが一週間経っても、まだその章を出版できる段階にするのに苦戦していた。下調べをしたなかで大切だと思ったことのすべて――ウエスト・ダービーの家に滞在することで、おそらく元の殺人の原因となった、狂気そのものの源を探り当てたという思い――を表に出すわけにはいかなかった。そんなことを活字で言おうものなら、書いた当人も気が狂っていると思われるからだ。それどころか、それを書こうと思っただけで、すでに真に迫っているとは思えなくなっていた。

もうその記事を目にするのが耐えられなくなって、タイプで清書したものをスージーに送りつけた。彼女は次の日に電話をくれた。それくらい早いと脈があるのかも。何を書けなかったかはよくわかっていたので、何をやり遂げたか、自分でも気づいていなかったのか？

「いいこと、ジョナサン、言いたくないんだけどね」スージーは挨拶が終わるとすぐに切り出した。「これはあなたのいつものレベルに達してないわ。率直に言うけど、こんなものは屑籠行きにしてもう一度やり直したほうがいいわよ」

「え」かなりの沈黙の後、彼は「わかった」としか言うことを思いつかなかった。

「疲れてるみたいね。たぶん、それが問題なんだわ」答えがないので、彼女は言った。「スージーおばさんの言うことを聞いてちょうだい。二週間、なにもかも忘れて、休暇でどこかに行ってみたら。頑張りすぎたのよ――この前会ったときには疲れてるように見えたし。ヒューゴにはわたしから説明しとくから。帰ってきたら、あなたが書く予定の記事に興味を持たせるように話してみる」

彼女は大丈夫だからと言わんばかりにしばらくおしゃべりをしていたが、その後で彼は呆然と電話器を見つめていた。自分がどれほどこの記事が売れることを当てにしていたか、思い知らされた。印税はまあいい、思ったほどの額になったためしがないから。安心できる小切手というものを最後に受け取ったのはいつのことだったか？　休暇で出かけるわけにはいかない、それだけのことをしたような気がしないだろうから。贅沢をしていることで気をもんで時間をつぶすなら、まったく休暇とは言えない。

しかし、それだと自分を不当に扱ってはいないか？　売れるネタがあるのではないか？

彼は頭の中でアイデアをゆっくりと転がしてみた。まるで何かがその下から這い出してくるかもしれないとでもいうように――しかし実際には、それに対する反論をなにも思いつかなかった。悪夢を書き出してみると、そこから力が失われていた。いまではただの物語になっているのだ。雑誌の住所を教えてもらおうと、ヒューゴにダイヤルをまわしているときには、もうペンネームを思いついていた。

二週間、彼はアングルシー島を歩きまわった。目に映るすべてが幻覚を見ているように鮮明だった。草むした海岸線の亀裂のむこうには、結晶化して砕けるように海が輝いていた。そして海のむこうには、ウェールズの丘陵と霧がお互いを作り出しているように見えた。浜辺は貝殻で飾った茶色い堅パンのような岩でできている。ガラスのような水たまりの深いところではイソギンチャクが触手を広げている。夜が来ると彼は平たい岩の上で横になり、星がうじゃうじゃと群がりはじめるのを眺めた。

第一稿でテーマがはっきりしたので、散歩をしながら頭の中で原稿の手直しをした。記事は三日で書き上げて、これなら出版できると確信した。この殺人事件をこれほど詳細に描いたものはないし、隣人たちの態度も説明している。彼らはこの家で起こった出来事すべてを大げさに否定する必要があり、彼をいけにえの山羊として使って追放し、自分たちには関係がないと言い張っているのだ。

スージーに原稿を送ってしまうと、心地よい疲労感を覚えた。ネストンの家並みは夕暮れで銀色に染まり、水平線は灰になりつつあった。字が読めなくなるほど部屋が暗くなると、ベッドに入った。眠りに落ちていくときに、隣家の排水溝の泡だつ音が聞こえてきた。

しかし、その泡が液体というよりは肉体に似た灰色っぽい物質を形作るのはなぜなのか？　それはタールよりもゆっくりねっとりしていて、形になるのに時間がかかる。その発生源が上昇してきて、彼と向かい合う。その表面がぶるぶるふるえていて、いまにも破裂しそうになったとき、目が覚めた。

身体が火照って垢だらけのような気がして、なんとなく恥ずかしかった。その夢は最後に聞いたものの歪曲で、それだけのことでしかない。それで眠りが妨げられることはない。しばらくして、彼は必死になって夢にしがみついていた。夢見心地は慰められるものだし、頭の中に群がっているアイデアよりずっと好ましい。どうして垢だらけのような気がするのか、ようやくわかった。

眠りの中で自己を失うわけにはいかなかった。悪夢はそこに埋め込まれていて、詳細かつ正確で、おぞましかった。明かりをつけると、隔絶されたような気がした。夜が窓という窓をふさいでしまったのだ。一人きりで悪夢と一緒にいるのは耐えられない――しかし、悪夢から解放される方法はただひとつしかない。

次の夜、目が覚めると机で眠り込んでいた。最後に書いた一行が目に飛び込んできた。「数時間後、彼は座り込んで、まだ黙々と嚙んでいた……」ぬるくなった紅茶を一気に飲むと、血のように錆びた味がした。まわりのものが遠くにあるようで、それを取り戻そうと思うと頭の中を空にするしかない。手の中でペンがはねて、ページにインクを散らかした。

翌朝、スージーが電話をかけてきて、彼は机ではっと目を覚ました。「あなたの記事はとてもよく書けてるわ。これだったらきっとうまくいく。それでと、ヒューゴに見せるから、残りの章の概要を箇条書きにして渡してくれる？」

マイルズはすっかり目が覚めて、寝ているあいだに頭の中で何が起こったかを知って啞然とした。「できない」と彼はつぶやいた。

「何か話したい問題でもあるの？」

それさえできたら！　しかし、仕事をほとんどやり終えてから、眠っているあいだに、またべつの新しい悪夢が頭の中に蝟集《いしゅう》してきて、書いてくれとわめいていることを話すわけにはいかなかった。おそらく今度は決して終わることがないだろう。

「よかったら、会いに来てちょうだい」とスージー。

頭の中が空っぽにしてほしいと叫んでいるのに、どうしてそんなことができるだろう？　しかし、もしむりやりにでも机を離れないと、二度とそうする機会はあるまい。「わかった」と彼は沈んだ声で言った。「明日行く」

明日が来たとき、机のランプを消せばいいだけだった。書き終わるまではほど遠かった。サッカーファンでごった返す列車の中、やっとの思いで座席を見つけることができた。缶ビールをあけるプシュッという音。ビールの匂いで空気が錆びつく。列車は轟音をたててトンネルを抜けたが、マイルズはまだ自分のトンネルの中にいて、そっちのほうがはるかに暗くて圧迫感があるのだった。周囲では応援歌を合唱していたが、ノイズに埋もれた周波帯のように遠くに聞こえた。彼は書いているものを誰にものぞかれないように、ブリーフケースに隠れて書いた。

　ロンドンに着いたときにはまだ書き終わっていなかったが、もうどうでもよかった。車輪のおしゃべり、絶えまない合唱、ドクドクという血と頭蓋骨の中の悪夢のせいで、すっかり無感覚になっていた。ユーストンでしばらく座り込んだ。白いタイルがぎらぎらと氷のようで、大きな声が頭上で響いていた。

　スージーは彼を見るなり「医者に診てもらった?」と訊ねた。

　精神科医でもどうにもならない。「大丈夫」と彼は言って、明るい偽りの笑みの背後に隠れた。

「新作にどんな可能性があるか、考えてみたのよ」と彼女は昼食の席で言った。「五十年の間隔を空けて、ほぼ同じ殺人が二度起こった、エジンバラのあの家なんかどうかしら。二回目の犯人は、最初の事件のことを知らなかったといつも言ってたけど……」

　どう見ても、彼女はアイデアで彼を蘇らせようとしていた。しかし、ループして果てしなく続く映画のように、勝手に再生した悪夢は、頭蓋骨に他のものを寄せつけなかった。被害者の女性はなんとか片手を振りほどいて、身を守ろうとしていた。

「それからたしか、犯行現場で煉瓦を集めていた、サットンのあの女の人がいたわね。その煉瓦を使って犯罪博物館のミニチュアを作るつもりだったそうよ。その人がどうなったか、調べてみる価値がありそうね」とスージーが言うかたわらで、男がバタバタ暴れる手の手首をつかんだ。「それから、もっと幅を広げたいんだったら、肉屋の鉤《ミートフック》殺人事件の被害者たちの母親がいるわ。彼女の子供たちからだと偽装した手紙をまだいまでも受け取るんですって」

　男はいま、手首をしっかりとつかまえていた。ゆっくりとじらすように、粘土にできたひび割れのように青白い薄笑いを浮かべて、男は——マイルズはかろうじて息を呑み込んだ。頭も、レストランのどの音も、ドンドンと響いてくる。「良さそうなアイデアですね」と、スージーを黙らせるために彼はつぶやいた。

　オフィスに戻ると、印税が届いていた。彼女はすぐに小切手を切った。それが治療になるとでも思っているみたいに。その小切手をブリーフケースにすべり込ませたとき、列車で書いていたノートが彼女の目にとまった。

「見てもかまわない？」

どっと押し寄せた罪悪感が強烈で、パニックになるほどだった。「いや、何でもないんだ。ただの、いや」と彼は言いよどんだ。

数時間後、彼は歩いていた。ピンボールで遊ぶ男の子たちの背後で、男たちがうろうろしていた。マシンが花火のように光って、男たちのマスクに飛沫を浴びせた。ピカデリーで終日営業している薬局の前に、中毒者たちがたむろしていた。地下の男子便所では、飢えた若者が注射器から血を洗い流していた。リージェント通りから外れて、ソーホーがまるでゲームセンターのようにぎらぎらと輝いていた。オックスフォード通りでは、高価な服装の人影が、スキンヘッドを光らせながら、窓際で手首が骨折しているみたいなしぐさをしていた。

どうして歩いているのか、自分でもさっぱりわからなかった。人混みにまじれば気が紛れないかとでも思っているのだろうか？　だからますます必死になって他人の顔をのぞき込んでいるのか？　どの顔も安心させてはくれない。女は死体として申し分がないし、男はひそかな凶暴性を発散しているように見える。口の中が煙だらけの竜もいた。

彼はその女の子のそばを通り過ぎ、それに気づいて行動に出た。息を切らしながら、ディーン通りの角の人混みをかき分け、信号にもかまわず急いで通りを横切った。前方で身をかわしながらこっちを見ていることに彼女が気づく直前に、彼は彼女の明るくて鋭い目を見た。その目の、かよわい網の目になった血管や、鼻梁に散らばったそばかすも、首筋で血が脈打っているのも。彼女の姿は啞然とするほどくっきりとしていた。

そのとき彼女は横にかわした。何者かは知らないが、嫌な男だと思ったのだ。彼は手を伸ばしたが、彼女の腕をつかめなかった。それでもなんとかして引き止めないといけない。「やめろ」と彼は叫んだ。

それを聞いて、彼女は逃げ出した。彼は追いかけようとして、二人の警官に行く手を阻まれた。警官は彼に気づいていなかったのかもしれないし、制止しようとはしないのかもしれない。しかし時すでに遅しで、彼女はオックスフォード通りの人混みに消えていた。彼は振り向いて走り出し、あわててホテルに戻った。

部屋に着くと、すぐに書きはじめた。頭の中には熱い灰がつまっているような気がした。書くスピードがあまりにも速くて、自分でも何を言っているのかほとんどわからなかった。どれくらい時間があるのか？　手がびくついてふるえ、書いた文字のまわりはインクの唾だらけになった。

文の途中で、まったく不意に、頭の中が真っ白になった。ペンは痙攣《けいれん》を起こしたようにページを引っ掻いていたが、切迫感はなくなっていた。悪夢が去ったのだ。暗闇の中で、特徴のないベッドに横たわり、自分が間違っているのを願った。

朝になって、もうそれ以上我慢できなくなると、ロビーに下りていった。オックスフォード通りで見かけた女の子の顔が新聞紙からこちらをにらんでいた。写真に写った彼女の目はどんよりして非難がましかったが、彼だけにはそう見えたのかもしれない。記事も読まずに、二階に逃げ帰った。新聞が書ける以上のことをすでに知っていたのだ。

結局、彼はネストンに帰った。どこへ行こうが関係はなかった。必ず悪夢が追いかけてくるのだから。彼は周囲の現実から見捨てられた。自分の内部の、生傷のような頭に集中し、次に襲ってくる恐怖に感染するのを待っていた。

翌日、机の前に座った。向かい側の陽射しを浴びた家並みが、まるで空白のページのようにぎらぎらとにらみ返していた。書くことを考えるだけでも皮膚がチクチクした。散歩に出たが、効果はなかった。湿地のむこうでは、工場が空に向かって噴煙を吐き、草の葉が剃刀のように空気を切り裂いている。急降下してくる鳥は、翼を持ち悲鳴をあげるナイフのようだった。陽射しは暴力的で容赦がなく、風景から生き血を吸っていた。

悪夢が止む気配はなさそうだった。それを書き出して、さらに深くその中に絡め取られていくはめになるのか、それとも悪夢が現実に行動化されることになるのか、そのどちらかだ。いずれにしても、悪夢のなすがままで、手の施しようがない。

しかし、真実から目を背けてはいないか？　オックスフォード通りで逃したチャンスを与えてくれたのは、偶然ではなかった。そもそもの始めから、彼には介入することができたのだ。もしわかってさえいたらの話だが。その責任がどれほど気落ちさせるものであれ、無力よりましなのは間違いない。オックスフォード通りで現場を見たせいで、被害者全員が耐えきれないほどあまりにも人間らしく思えた。

じっと座って待つ。草むらの表面を青白い波が蛇行する。熱気の靄の中では、湿地から水があふれだしてくるように見える。頭皮が縮むような感じがしたが、それは神経過敏になっているのと、頭上で凝結しつつある嵐のせいだ。やがて雲が途切れることなく移動していくと、そこに黄昏の堆積物が残り、それにつきまとわれながら彼はとぼとぼと家に戻った。

いや、それ以上だ。悪夢が近くまでやってきている。あわてる気がした。皮膚は垢だらけのような気がして、不潔な感じがした。悪夢が近くまでやってきている。あわててガレージから車を出すと、家の外で運転席に座っている姿はまるで張り込み中の私立探偵みたいだった。手がハンドルをつかんでいた。頭は何かが蠢くような、何かがうじゃうじゃと群がるような気がしだした。

自己嫌悪に囚われてはいけない。悪夢は自分の内部から出てきたものじゃないと自分に言い聞かせ、必死に悪夢をつかみ、悪夢の導くままになろうとした。羞恥心で、全身に熱い油を塗られたような感じだった。やっと車は前進したが、それは逃げ出したいという衝動の行動化だったのだろうか？　これかあれか、どっちの道路標識に従えばいいのか？

長く見つめすぎて標識が無意味になったちょうどそのとき、どの道を行けばいいかわかった。直感は働きだすのをずっと待ちかまえていたが、いまこそそのときだと言っていた。明かりがついたカーテンが夜から矩形を切り抜いている、街灯のない通りを走り抜けて、さらに広い暗闇に出た。

気がつくとチェスターに向かっていた。道路脇の木々は巨大な案山子《かかし》で、葉の襤褸を得意げに見せびらかしている。灰色の雲が地虫のように蠢いて空を横切った。それは頭の中の蠢きとほとんど区別がつかなかった。彼は必死になって頭の中を浄化しようとした。

チェスターでは、月のような白と黒の木組みの建築のあいだに、ローマ城壁がそびえていた。夫婦連れが何組か、通りの上にある囲いになった店の並びに沿ってウィンドウショッピングを楽しんでいる。大通りに架かった橋には、時計がまるでお月様のような顔をした鳥みたいにとまっている。マイルズはこの川辺を歩いた日のことを思い出していた。ボートが雲のようにゆっくりと行き交い、小さな野外音楽堂ではブラスバンドが「風よ南へ吹け」を演奏していた。悪夢がこんな場所で起こるなんてことがあるのだろうか？

そうかもしれない。というのも、もっと深く町の中に入っていくようにと、悪夢が促していたのだから。しみひとつない通りを猛スピードで飛ばしていたので、もう少しで警察署を見過しそうになった。その青い看板を見て車を脇に寄せた。行くべき場所はここだ。犯罪が起こる場所を知っていると、どうにかしてわからせないと。

警察署からまだ何ヤードも離れたところで、アクセルを踏む足がおぼつかなくなった。車が揺れ、ガクンと前進しようとしたが、それも無駄だった。警察署に近づくにつれて、直感が弱くなっていった。緊張のあまりに働かなくなったのか？　いずれにせよ、導くことができるのは自分しかいない。

車の向きを変えたとたん、焦燥感に襲われた。苦しくなるほどだった。急きたてられて、彼はチェスターの中心部から出て、小さな家や店が建ち並ぶ通りへと疾走した。そこはまるで、人目につかないようにと、屋根裏部屋に突っ込まれた家具みたいに埃だらけに見えた。そこは人通りがなく、いるのはただ一人、足首まであるオーバーを着て足を引きずって歩いている男だけで、まるでズタ袋に頭を載っけたようだった。

車が路地の入口にさしかかると、マイルズはブレーキを踏んだ。鍵束をひっつかみ、ドアをバタンと閉めて路地に飛び込んだ。二軒の店にはさまれた路地で、店のポスターはヴィクトリア朝の写真みたいに古くて変色していた。路地の壁は尖った闇のかたまりで、その上には縮こまった窓がのぞいていたが、彼はなにも見なくても行先がわかっていた。

自分の走り方があまりにも緩慢で、あまりにも体調が悪いことに気づいて、彼はショックを受けた。肺には錆のかたまりが詰まっているみたいだし、喉は生傷でザラザラしている。走っているというよりは、つんのめっているというありさま。五感がおおわらわになるなかで、来るのが遅すぎたと感じるまでには少し時間がかかった。

彼は精一杯に立ち止まった。足はでこぼこした石畳の上をすべり、手は壁に爪を立てた。聞き耳を立てはじめるとすぐに、そうしなければよかったと後悔した。暗闇の前方で、絶えまのないかすかな悲鳴が聞こえた。それは複数の口から出そうになっているようだった。被害者が一人しかいないことはわかっていた。

やがて彼は、路地の奥に黒い物体を発見した。実際には、それは二つの物体で、一つは石畳の上に横たわり、もう一つは立ち上がって、手にしたものが鈍く光っていた。次の瞬間に、光る人影は逃げ出し、足音を翼のようにはためかせながら狭い二つの壁のあいだを去っていった。

悲鳴はやんでいた。暗い物体はじっと横になったままだった。マイルズは勇気を奮って前に進み、自分が防げなかったものを見ようとした。そしてちらっと見るなり、よろけながらその場を離れていった。悲鳴をこらえて。

できるのは、残る恐怖を書き出すのを遅らせることだけだった。恐怖は頭の中でますます速く繁殖し、頭蓋骨がひび割れそうだった。彼は家までやみくもに車を走らせた。生垣と夜が溶け合って黒いかたまりになり、それが道路にこぼれだして縁を汚した。できることなら車をぶつけてしまいたい――しかし、その安堵は与えられなかった。悪夢が彼を追いたてて、また机へと引き戻したからだ。

ペンがたてる音、そして判別しにくい、ときどき自分の声だとわかる低いうめき声が、彼に付き添った。次の日、郵便受けのパタンという音がして、ペンを置いた。そうでなければ、自分を机から引き離すことはできなかったかもしれない。

包みには『グロ』の創刊号が入っていた。「お気にいっていただけますでしょうか」とは編集長の大言壮語。「この号はすでに一部の地域ではすでに販売禁止になっており、おかげさまで売り上げが飛躍的に伸びています。ご覧のとおり、貴作を次号掲載予定と宣伝させていただきました。掲載させていただくのを楽しみにお待ちしております」。表紙では、あの女の子がまだ身悶えしていたが、内容はもっとひどくなっていた。マイルズはたった一段落読んだところで、光沢紙のページをずたずたに破った。

こんなものを読んで楽しむ読者がどこにいる？　ネストンの粗仕上げをした家並みが罪のない笑顔を返した。鍵を掛けたドアのむこうで、隣人が何を読んでいるかわかったものではない。おそらく、やがてはそのうちの何人かが、彼のポルノじみた恐怖を嬉々として味わい、これはただの恐怖小説であり、ポルノではないのだと、自らに言い聞かせることだろう。ちょうど、これはただの小説であり、まったく現実とは関係ないのだと、彼が自分に言い聞かせたように――たしかにこれは彼とはまったく関係がない、ペンネームもそう言っている――

ネストンの家並みがにらみ返した。自信たっぷりで、おだやかな表情だ。自分たちにはなんの罪もないと信じきっている様子で、彼もそう思いたいところだった――そのときふと、いったい悪夢がどこから生まれたのかわかった。

それがどう役に立つのかはわからなかった。書けないスランプに悩まされはじめる以前は、物語が無意識から湧きあがってきて、書いてくれとせがむことがときおりあった。そうした物語はまさしく彼の頭が生み出したものだが、書くことによってしか振り払うことはできなかった――しかしいま、彼は世間に代わって悪夢に悩まされているのだ。

悪夢がこんなにおぞましいのも、あるいはひどくなる一方なのも、まったく不思議ではない。もし抑圧されて無意識へと押しやられた素材が、制御しにくい形で噴出するのはやむをえないことだとすれば、無意識が集合的ならその威力はどれほど強烈なものになるだろうか！　人々が犯罪と折り合いをつけることができずに、まったく非人間的なものだとか、まるで想像不可能なものだと否認してしまう、まさしくそのせいで、恐怖はさらにひどい形で再現し、誰彼となく取り憑くのだ。高層住宅での生活のパターンがどこかでウェスト・ダービー事件と関係しているのではないか、そう考えたことがあるのを思い出した。もちろん、そうだ。すべてが関係している。

そしていまや、抑圧されたものは彼に集中していた。それが彼から去っていく理由はまったく見当たらない。それどころか、さらに数が多くなり、さらに有無を言わせないものになってきそうだった。書き出すことでそれを解放しているのか、それとも書くこともまたひとつの否認なのだろうか？

抑圧されているものは、まだひとつだけ脳内に残っていた。それは頭蓋骨にできた腫れ物みたいな感触だった。突然、彼は他に何が起ころうと、それを書き出すことだけはとてもできそうにないことに気づいた。とうとう想像力が燃え尽きてしまったのか？　もう二度と、一語たりとも書けなくてもそれで満足だ。ヒューゴと話し合った新作もまた、ひとつの拒絶反応だったとふと思った。いま読んでいるものが現実にいる人々の話だとわかるだけで、それは自分のことじゃないと安心できるものだ。

彼は机にへたり込んだ。まるで肉体が砂利まみれの重荷になったようだった。動くものは頭の中に蔓延していく悪夢しかなかった。なんとかしてその悪夢を除去しないかぎり、決して去ってはくれないような気がした。現実に介入するのは二度失敗したが、だからまた必ず失敗すると言えるだろうか？　もし成功したら、事態が一気に好転することはないのか？

玄関のドアまで来たとき、電話が鳴った。スージーからだろうか？　何で頭の中がいっぱいになっているか、もし彼女が知ったら、二度と口を利きたくなくなるだろう。暗がりに電話が鳴っているのを無視して、彼は車に飛び込んだ。

頭蓋骨の痛みに突き動かされて、彼は暮れなずむ野原や村を抜けてバーケンヘッドに向かったが、そこで痛みに見捨てられたような気になった。痛みが消えたわけではない——頭はまるで歯槽膿漏のような感じだった——

しかし、もうそれが彼を導いてはくれないのだ。彼がゴールに到達するのを、何かが阻止しようとしているのか?

倉庫や工場やテラスハウスが並ぶ、がらんとした通りが何マイルも続き、煉瓦のように赤い板にはめったに窓が開いていない。ピーク時には、町の中心部はうじゃうじゃした人の群れで真っ黒になり、マージー・トンネルは延々と続くのろのろしたムカデのような車の列を飲み込んでいく。彼は動いては止まり、顔また顔を見つめた。

やがて彼は、手すりに囲まれた保険事務所が見下ろすハミルトン・スクエアで車を降り、埠頭に向かってとぼとぼと歩いた。彼の足音を別にすれば、通りは閑散としていた。どこへ行くのかはわからないが、そこに着く前に苦悩は癒やされるのかもしれない。それはどういう意味なのかはどうでもよかった。

もう暗くなっていた。ひび割れた舗道に面した家並みの端には、停泊中の船舶や、ぎらぎらした金属製の建物が見えた。アイアンメッシュでできた旋回橋の下では、ネオンの光の屑が油っぽい水面に浮かんでいた。彼は沈んだ線路に足を取られた。街角のパブでは、大勢の港湾労働者たちの声がした。不機嫌な、言葉にならない咆哮で、まるで警告のように聞こえた。ここに来ると、聞こえる声はアイリッシュ海を航行する船のむせび声だけだった。

やっと立ち止まったとき、自分がどこにいるのかさっぱりわからなかった。いま歩いている舗道は瓦礫のような土に侵食されていた。倒壊した建物の匂いがする。屋根のない家が腐った歯のように建っていて、それを照らしているのは稲妻のようにぎらついた街灯一基だけ。反対側の舗道にはまだ道が続き、ほとんどすべての思考を停止させる痛みにもかかわらず、ちょうど真向かいの通りこそ行くべき道だとわかった。

静寂。すべてはまだこれから起こるところ。その凪《なぎ》の状態で、考えるわずかなチャンスが与えられたようだった。もし、それを防ぐことができたとしたら? 犯罪のアイデアを抑圧することは、それがもっと悪い形で噴出することにつながるだけだ——だとすれば、犯罪そのものを抑圧するのは、どれほどもっと悪いことなのか?

それでも彼は前に踏み出した。この苦悩を何かで癒やさないと。彼は脇道の舗装部分に危なっかしくとどまっていた。というのも、その道には皮膚がなく、煉瓦と泥のかたまりだったからだ。家並みがすぐそばまで迫り、彼はその道に押し込まれそうになっていた。ドアや窓があるべき場所には新しい煉瓦の継ぎ当てになっている。

通りの奥は見通せないほど真っ暗だった。

そこまでたどりつくと、どうして真っ暗なのかわかった。高さが十フィートはある壁が、いちばん最後の家々と面一《つらいち》に建てられていたからだ。見上げると、割れガラスが光っているのが見えた。彼は壁とふさがった家屋に囲まれていた。荒涼とした場所のまっただなかで。

なんの前ぶれもなく――まったく無関係に思えた――彼は数年前に長篇小説の下調べで読んだものを思い出した。それは贖罪日に行われるモーセの儀式の話だ。イスラエルの民のありとあらゆる罪を背負った身代わりの山羊が荒野に放たれる。そしてもう一頭の山羊が生贄に捧げられたのだ。その二つのイメージが頭の中でこすり合わさった。彼にはその意味がつかめなかった――そしてそのとき、なぜそれが頭の中で大きな場所を占めているのか、気がついた。ずきずきする悪夢は消え去りかけていた。

すぐに壁から振り向くことができなかった――というのも、身の毛もよだつような恐怖を感じたからだ。この悪夢が彼を抜きにしては行動化できなかった理由は、こういうことだったのだ。煉瓦でできた通りに沿って、足音が近づいてくるのが聞こえた。

思い切って肩ごしにちらっと見ると、二つの人影があった。顔は闇で黒く塗りつぶされているが、手にしたものが鋭く光っていた。彼は壁をよじ登ろうとしたが、すでに肺が言うことをきかなかった。これですべてが終わる――眠れぬ夜も、脳内の毒も、責任を背負った悪夢も――しかし、すぐに悲鳴も出なくなるが、死ぬのにもっと時間がかかることはわかっていた。

アーカムハウス刊行物一覧（付：マイクロフト&モラン刊行の怪奇小説）

『幻想と怪奇』編集室

【凡例】

・刊行番号／タイトル／著者／編者・選者／装画者・装丁者／刊行年／本文頁数／初版部数／価格／種別　の順に記載。

・刊行番号はS・T・ヨシ著 *Eighty Years of Arkham House* (Sarnath Press, 2019) に準じた。

・装画者、装丁者名は本に明記されているもののみ記載。

・種別の「作品集」は、長編、中編、短編とりまぜて収録している例もあり「短編集」等の記載は不正確になるので、複数の作品を収録しているものはすべてこの呼称で統一した。

・初版部数は上記書に準拠したが、192以降は未記載のものが多く、Internet Speculative Fiction Database など他の資料で補足したが、確認できなかったものは未記載とした。

・邦訳書は、該当書を原書とした商業出版に限定した。

・熱心な研究者による、より詳細な資料の自主出版が進行中の由。情報は編集室Twitterなどで続報の予定。

【1：アーカムハウス刊行書籍・雑誌】

001　*The Outsider and Others*　H・P・ラヴクラフト　オーガスト・ダーレス&ドナルド・ワンドレイ編　ヴァージル・フィンレイ装画　1939　本文553頁　初版1268部　$5.00　作品集

002　*Someone in the Dark*　オーガスト・ダーレス　フランク・ユトパテル装画　1941　本文335頁　初版1115部　$2.00　作品集

003　*Out of Space and Time*　クラーク・アシュトン・スミス　ハネス・ボク装画　1942　本文370頁　初版1054部　$3.00　作品集

004　*Beyond the Wall of Sleep*　H・P・ラヴクラフト　オーガスト・ダーレス&ドナルド・ワンドレイ編　バート・トリンピー装画　1943　本文458頁　初版1217部　$5.00　作品集

005　*The Eye and the Finger*　ドナルド・ワンドレイ　ハワード・ワンドレイ装画　1944　本文344頁　$3.00　初版1617部　作品集

006　*Jumbee and Other Uncanny Tales*　ヘンリー・S・ホワイトヘッド　フランク・ウェイクフィールド装画　1944　本文394頁　$3.00　初版1559部　作品集

『ジャンビー』荒俣宏他訳　国書刊行会1977　＊原書より八編を収録

007　*Lost Worlds*　クラーク・アシュトン・スミス　クラーク・アシュトン・スミス装画（著者作彫刻の写真を使用）　1944　本文419頁　$3.00　初版2043部　作品集

008　*Marginaria*　H・P・ラヴクラフト　オーガスト・ダーレス&ドナルド・ワンドレイ編　ヴァージル・フィンレイ装画　1944　本文377頁　$3.00　初版2035部

＊共作・合作・断章、ラヴクラフトに関する随筆等を集めた拾遺集

009　*Something Near*　オーガスト・ダーレス　ロナルド・クライン装画　1945　本文274頁　$3.00　初版2054部　作品集

010　*The Opener of the Way*　ロバート・ブロック　ロナルド・クライン装画　1945　本文309頁　$3.00　初版2065部　作品集

011　*Witch House*　エヴァンジェリン・ウォルトン　ロナルド・クライン装画　1945　本文200頁　$2.50　初版2949部　長編

012　*Green Tea and Other Ghost Stories*　J・シェリダン・レ・ファニュ　ロナルド・クライン装画　1945　本文357頁　$3.00　初版2026部　作品集

013　*The Lurker at the Threshold*　H・P・ラヴクラフト&オーガスト・ダーレス　ロナルド・クライン装画　1945　本文196頁　$2.50　初版3041部　長編

『クトゥルーIII　暗黒の儀式』大瀧啓裕訳　青心社1983　→「暗黒の儀式」青心社文庫『クトゥルー6』1989所収

014 *The Hounds of Tindalos*　フランク・ベルナップ・ロング　ハネス・ボク装画　1946　本文316頁　$3.00　初版2602部　作品集

015 *The Doll and One Other*　アルジャーノン・ブラックウッド　ロナルド・クライン装画　1946　本文138頁　$1.50　初版3490部　作品集

016 *The House on the Borderland and Other Novels*　ウィリアム・ホープ・ホジスン　ハネス・ボク装画　1946　本文639頁　$5.00　初版3014部　長編四編収録
『〈グレン・キャリグ号〉のボート』野村芳夫訳　アトリエサード／書苑新社2016
『異次元を覗く家』団精二（荒俣宏）訳　早川書房1972→アトリエサード／書苑新社2015
『幽霊海賊』夏来健次訳　アトリエサード／書苑新社2015
『ナイトランド』荒俣宏訳　月刊ペン社1980→原書房2002

017 *Skull-Face and Others*　ロバート・E・ハワード　ハネス・ボク装画　1946　本文475頁　$5.00　初版3004部　作品集
『スカル・フェイス』鏡明他訳　国書刊行会1977　＊原書からの五編に「恐怖の庭」を追加

018 *West India Lights*　ヘンリー・S・ホワイトヘッド　ロナルド・クライン装画　1946　本文367頁　$3.00　初版3037部　作品集

019 *Fearful Pleasures*　A・E・コッパード　ロナルド・クライン装画　1946　本文301頁　$3.00　初版4033部　作品集

020 *The Clock Strikes Twelve*　H・ラッセル・ウェイクフィールド　ロナルド・クライン装画　1946　本文248頁　$3.00　初版4040部　作品集

021 *Slan*　A・E・ヴァン・ヴォクト　ロバート・E・ハベル装画　1946　本文214頁　$2.50　初版4051部　長編小説
『スラン』浅倉久志訳　早川書房1968（世界ＳＦ全集）→1977（ハヤカワ文庫ＳＦ）他訳有

022 *This Mortal Coil*　シンシア・アスキス　ロナルド・クライン装画　1947　本文245頁　$3.00　初版2609部　作品集

023 *Dark of the Moon: Poems of Fantasy and the Macabre*　オーガスト・ダーレス編　スミス−ウォリン・スタディオズ写真　フランク・ユトパテル題字　ゲイリー・ゴア装丁　1947　本文418頁　$3.00　初版2634部　詞華集

024 *Dark Carnival*　レイ・ブラッドベリ　ジョージ・バロウズ装画　1947　本文313頁　$3.00　初版3112部　作品集
＊日本で出版された『黒いカーニバル』（早川書房）は収録作品が異なる

025 *Revelations in Black*　カール・ジャコビ　ロナルド・クライン装画　1947　本文272頁　$3.00　初版3082部　作品集
『黒い黙示録』矢野浩三郎訳　国書刊行会1987

026 *Night's Black Agents*　フリッツ・ライバー・ジュニア　ロナルド・クライン装画　1947　本文237頁　$3.00　初版3084部　作品集

027 *The Arkham Sampler, Winter 1948*　オーガスト・ダーレス編　ロナルド・クライン装丁　1948　本文100頁　$1.00　初版1200部
＊小説、詩、エッセイ、書評などを収録した雑誌的な出版物。翌年までに季刊ペースで八点を出版。

028 *The Arkham Sampler, Spring 1948*　オーガスト・ダーレス編　ロナルド・クライン装丁　1948　本文100頁　$1.00　初版1200部

029 *The Arkham Sampler, Summer 1948*　オーガスト・ダーレス編　ロナルド・クライン装丁　1948　本文100頁　$1.00　初版1200部

030 *The Arkham Sampler, Autumn 1948*　オーガスト・ダーレス編　ロナルド・クライン装丁　1948　本文100頁　$1.00　初版1200部

031 *The Travelling Grave and Other Stories*　L・P・ハートリー　フランク・ユトパテル装画　1948　本文235頁　$3.00　初版2047部　作品集

032 *The Web of Easter Island*　ドナルド・ワンドレイ　オードリー・ジョンスン装画　1948　本文191頁　$3.00　初版3068部　長編

033 *The Fourth Book of Jorkens*　ロード・ダンセイニ　ロナルド・クライン装丁　1948　本文194頁　$3.00　初版3118部　作品集
＊1947年英国Jarrolds刊の米版

034 *... Roads*　シーベリー・クイン　ヴァージル・フィンレイ装画、本文挿絵　1948　本文110頁　$2.00　初版2137部
＊中編一編と挿絵八点を収める小冊子
邦訳「道」荒俣宏訳　『幻想と怪奇7　ウィアード・テールズ』所収　新紀元社2021　他に収録書あり

035 *Genius Loci and Other Tales*　クラーク・アシュトン・ス

ミス　フランク・ウェイクフィールド装画　1948　本文228頁　$3.00　初版3047部　作品集

『呪われし地《ロキ》』小倉多加志訳　国書刊行会1986　作品集

036　*Not Long for This World*　オーガスト・ダーレス　ロナルド・クライン装画　1948　本文221頁　$3.00　初版2067部　作品集

037　*The Arkham Sampler, Winter 1949*　オーガスト・ダーレス編　ロナルド・クライン装丁　1949　本文100頁　$1.00　初版2000部

038　*The Arkham Sampler, Spring 1949*　オーガスト・ダーレス編　ロナルド・クライン装丁　1949　本文100頁　$1.00　初版1200部

039　*The Arkham Sampler, Summer 1949*　オーガスト・ダーレス編　ロナルド・クライン装丁　1949　本文100頁　$1.00　初版1200部

040　*The Arkham Sampler, Autumn 1949*　オーガスト・ダーレス編　ロナルド・クライン装丁　1949　本文100頁　$1.00　初版1200部

041　*Something About Cats and Other Pieces*　H・P・ラヴクラフト　ロナルド・クライン装丁　1949　本文306頁　$3.00　初版2995部　拾遺集

042　*The Throne of Saturn*　S・ファウラー・ライト　ロナルド・クライン装丁　1949　本文186頁　$3.00　初版3062部　作品集

043　*A Hornbook for Witches: Poems of Fantasy*　リア・ボーディン・ドレイク　フランク・ユトパテル装画　1950　本文70頁　$2.10　初版553部　詩集

044　*The Dark Chateau and Other Poems*　クラーク・アシュトン・スミス　フランク・ユトパテル装画　1951　本文63頁　$2.50　初版563部　詩集

045　*Tales from Underwood*　デイヴィッド・H・ケラー　ロナルド・クライン装画　1952　本文322頁　$3.95　初版3500部　作品集

『アンダーウッドの怪』仁賀克雄訳　国書刊行会　1986　＊原書より十八編を収録

＊Published for Arkham House by Pellegrini & Cudahy

046　*Night's Yawning Peal: A Ghostly Company*　オーガスト・ダーレス編　ロバート・クレーン装画　1952　本文280頁　$3.00　初版4500部　アンソロジー

＊Published for Arkham House by Pellegrini & Cudahy

047　*The Curse of Yig*　ゼリア・B・ビショップ　ロナルド・クライン装丁　1953　本文175頁　$3.00　初版1217部　作品集

048　*The Feasting Dead*　ジョン・メトカーフ　フランク・ユトパテル装画　1954　本文123頁　$2.50　初版1242部　中編

「死者の饗宴」横山茂雄訳　『死者の饗宴』国書刊行会所収　2019　他訳有

049　*The Survivor and Others*　H・P・ラヴクラフト＆オーガスト・ダーレス　ロナルド・クライン装画　1957　本文161頁　$3.00　初版2096部　作品集

050　*Always Comes Evening: The Collected Poems of Robert E. Howard*　ロバート・E・ハワード　グレン・ロード編　フランク・ユトパテル装画　1957　本文86頁　$3.00　初版636部　詩集

051　*Spells and Philtres*　クラーク・アシュトン・スミス　フランク・ユトパテル装画　1958　本文54頁　$3.00　初版519部　詩集

052　*The Mask of Cthulhu*　オーガスト・ダーレス　リチャード・テイラー装画　1958　本文201頁　$3.50　初版2051部　作品集

053　*Nine Horrors and a Dream*　ジョセフ・ペイン・ブレナン　フランク・ユトパテル装画　1958　本文120頁　$3.00　初版1336部　作品集

054　*Arkham House: The First 20 Years 1939-1959*　オーガスト・ダーレス　フランク・ユトパテル装丁　1959　本文54頁　$1.00　初版815部　ノンフィクション

055　*Some Notes on H. P. Lovecraft*　オーガスト・ダーレス　ゲイリー・ゴア装丁　1959　本文42頁　$1.25　初版1044部　ノンフィクション

056　*The Shuttered Room and Other Pieces*　H・P・ラヴクラフト他　オーガスト・ダーレス編　リチャード・テイラー装画　1959　本文313頁　$5.00　初版2527部　拾遺集

057　*The Abominations of Yondo*　クラーク・アシュトン・スミス　ロナルド・クライン装丁　1960　本文227頁　$4.00　初版2005部　作品集

058　*Pleasant Dreams—Nightmares*　ロバート・ブロック　ゲイリー・ゴア装丁　1960　本文233頁　$4.00　初版2060部　作品集

『楽しい悪夢』仁賀克雄訳　早川書房1975　＊「影にあたえし唇は」「灯台」「地獄行き列車」の三編を除外

059　*Invaders from the Dark*　グレイ・ラ・スピナ　ゲイリー・ゴア装丁　1960　本文168頁　$3.50　初版1559部　長編

「闇からの侵入者」渋谷比佐子訳　『ウィアード・テールズ』1～5分載　国書刊行会1984～85

060　*Strayers from Sheol*　H・ラッセル・ウェイクフィールド　ゲイリー・ゴア装丁　1961　本文186頁　$4.00　初版1559部　作品集

061　Fire and Sleet and Candlelight　オーガスト・ダーレス編　ゲイリー・ゴア装丁　1961　本文236頁　$4.00　初版2026部　詞華集

062　*Dreams and Fancies*　H・P・ラヴクラフト　オーガスト・ダーレス編　リチャード・テイラー装画　1962　本文174頁　$3.50　初版2030部

＊夢に想を得た小説と夢に関する書簡を集める

063　*Lonesome Places*　オーガスト・ダーレス　クラレンス・J・ラフリン装画　ゲイリー・ゴア装丁　1962　本文198頁　$3.50　初版2201部　作品集

『淋しい場所』森広雅子訳　国書刊行会1986

064　*Dark Mind, Dark Heart*　オーガスト・ダーレス編　デイル・マン装画　ゲイリー・ゴア装丁　1962　本文249頁　$4.00　アンソロジー

『漆黒の霊魂』三浦玲子訳　論創社2007　＊原書のロバート・ブロック「闘牛の角の下で」を「影へのキス」に、カール・ジャコビ「水槽」を「カーバー・ハウスの怪」に変更

065　*100 Books by August Derleth*　オーガスト・ダーレス編（無記名）　ゲイリー・ゴア装丁　1962　本文121頁　$2.00　初版1225部　著作目録

066　*The Trail of Cthulhu*　オーガスト・ダーレス　リチャード・テイラー装画　1962　本文248頁　$4.00　初版2470部　作品集

『クトゥルーII　永劫の探究』大瀧啓裕・岩村光博訳　青心社1981→『クトゥルー2』青心社文庫1988

067　*The Dunwich Horror and Others: The Best Supernatural Stories of H. P. Lovecraft*　H・P・ラヴクラフト　オーガスト・ダーレス選　リー・ブラウン・コイ装画　1963　本文431頁　$6.50　初版3133部　作品集

068　*Collected Poems*　H・P・ラヴクラフト　フランク・ユトパテル装画　1963　本文134頁　$4.00　初版2013部　詩集

069　*Who Fears the Devil?*　マンリー・ウェイド・ウェルマン　リー・ブラウン・コイ装画　1963　本文213頁　$4.00　初版2058部　作品集

『悪魔なんかこわくない』深町眞理子訳　国書刊行会1986

070　*Mr. George and Other Odd Persons*　スティーヴン・グレンドン（オーガスト・ダーレス）　ロバート・E・ハベル装画　1963　本文239頁　$4.00　初版2546部　作品集

『ジョージおじさん　十七人の奇怪な人々』中川聖訳　アトリエサード／書苑新社2017

071　*The Dark Man and Others*　ロバート・E・ハワード　フランク・ユトパテル装画　1963　本文284頁　$5.00　初版2029部　作品集

072　*The Horror From the Hills*　フランク・ベルナップ・ロング　リチャード・テイラー装画　1963　本文110頁　$3.00　初版1997部　中編小説

邦訳「夜歩く石像」根本政信訳　『新編 真ク・リトル・リトル神話大系1』国書刊行会2007所収　他訳あり

073　*The Inhabitant of the Lake and Less Welcome Tenants*　J・ラムジー・キャンベル　フランク・ユトパテル装画　1964　本文207頁　$4.00　初版2009部　作品集

074　*Poems for Midnight*　ドナルド・ワンドレイ　フランク・ユトパテル装画　ハワード・ワンドレイ挿絵　1964　本文68頁　$3.75　初版742部　詩集

075　*Over the Edge*　オーガスト・ダーレス編　フランク・ユトパテル装画　1964　本文297頁　$5.00　初版2520部　アンソロジー　＊アーカムハウス創立二十五周年記念出版

076　*At the Mountains of Madness and Other Novels*　H・P・ラヴクラフト　オーガスト・ダーレス選　リー・ブラウン・コイ装画　1964　本文432頁　$6.50　初版3552部　作品集

077　*Portraits in Moonlight*　カール・ジャコビ　フランク・ユトパテル装画　1964　本文213頁　$4.00　初版1987部　作品集

078　*Tales of Science and Sorcery*　クラーク・アシュトン・スミス　フランク・ユトパテル装画　1964　本文256頁　$4.00　初版2482部　作品集

079　*Nightmare Need*　ジョゼフ・ペイン・ブレナン　フランク・ユトパテル装画　1964　本文69頁　$3.50　初版500部　詩集

＊Published for Arkham House by Villiers Publication

080 *Selected Letters: 1911—1924*　H・P・ラヴクラフト　オーガスト・ダーレス&ドナルド・ワンドレイ編　ロナルド・リッチ写真　ヴァージル・フィンレイ装画　ゲイリー・ゴア装丁　1965　本文362頁　$7.50　初版2504部　書簡集

081 *Poems in Prose*　クラーク・アシュトン・スミス　フランク・ユトパテル装画　1965　本文54頁　$4.00　初版1016部　詩集

082 *Dagon and Other Macabre Tales*　H・P・ラヴクラフト　リー・ブラウン・コイ装画　1965　本文413頁　$6.50　初版3471部　作品集

083 *Something Breathing*　スタンリー・マクニール　フランク・ユトパテル装画　1965　本文44頁　$3.00　初版500部　詩集

*Published for Arkham House by Villiers Publication

084 *The Quick and the Dead*　ヴィンセント・スターレット　フランク・ユトパテル装画　1965　本文145頁　$3.50　初版2047部　作品集

085 *Strange Harvest*　ドナルド・ワンドレイ　ハワード・ワンドレイ装画　1965　本文289頁　$4.00　初版2000部　作品集

086 *The Dark Brotherhood and Other Pieces*　H・P・ラヴクラフト他　オーガスト・ダーレス編　フランク・ユトパテル装画　1966　本文321頁　$5.00　初版3460部　拾遺集

087 *Colonel Markesan and Less Pleasant People*　オーガスト・ダーレス&マーク・スコラー　フランク・ユトパテル装画　1966　本文285頁　$5.00　初版2405部　作品集

088 *Black Medicine*　アーサー・J・バークス　リー・ブラウン・コイ装画　1966　本文308頁　$5.00　初版1952部　作品集

089 *Deep Waters*　ウィリアム・ホープ・ホジスン　フランク・ユトパテル装画　1967　本文300頁　$5.00　初版2556部　作品集

『海ふかく』小倉多加志訳　国書刊行会1986

090 *Travellers by Night*　オーガスト・ダーレス編　ジェイムズ・ディートリッチ装画　1967　本文261頁　$4.00　初版2486部　アンソロジー

091 *The Arkham Collector,Number 1 (Summer 1967)*　オーガスト・ダーレス編　1967　本文24頁　$0.50　雑誌

092 *The Mind Parasites*　コリン・ウィルソン　フランク・ユトパテル装画　1967　本文222頁　$4.00　初版3045部　長編

『精神寄生体』小倉多加志訳　早川書房1969→ペヨトル工房1988→学研M文庫2001

093 *3 Tales of Horror*　H・P・ラヴクラフト　リー・ブラウン・コイ装画　1967　本文134頁　$7.50　初版1522部　中編集

*「異次元の色彩」「ダンウィッチの怪」「戸口の怪物」を収録

094 *Strange Gateways*　E・ホフマン・プライス　リー・ブラウン・コイ装画　1967　本文208頁　$4.00　初版2007部　作品集

095 *The Arkham Collector, Number 2 (Winter 1968)*　オーガスト・ダーレス編　1968　本文28頁　$0.50　雑誌

096 *The Green Round*　アーサー・マッケン　ロナルド・クライン装丁　1968　本文218頁　$3.75　初版2058部　長編

「緑地帯」平井呈一訳　『アーサー・マッケン作品集成VI 緑地帯』所収　牧神社1975→沖積舎1995

097 *Selected Letters: 1925—1929*　H・P・ラヴクラフト　オーガスト・ダーレス&ドナルド・ワンドレイ編　ロナルド・リッチ写真　ヴァージル・フィンレイ装画　ゲイリー・ゴア装丁　1968　本文359頁　$7.50　初版2482部　書簡集

098 *Nightmares and Daydreams*　ネルスン・ボンド　ロナルド・クライン装画　1968　本文269頁　$5.00　初版2040部　作品集

099 *The Arkham Collector, Number 3 (Summer 1968)*　オーガスト・ダーレス編　1968　本文36頁　$0.50　雑誌

100 *The Arkham Collector, Number 4 (Winter 1969)*　オーガスト・ダーレス編　1969　本文36頁　$0.50　雑誌

101 *The Arkham Collector, Number 5 (Summer 1969)*　オーガスト・ダーレス編　1969　本文32頁　$0.50　雑誌

102 *Tales of the Cthulhu Mythos*　オーガスト・ダーレス編　リー・ブラウン・コイ装画　1969　本文407頁　$7.50　初版4024部　アンソロジー

103 *The Folsom Flint and Other Curious Tales*　デイヴィッド・H・ケラー　ロナルド・クライン装丁　1969　本文256頁　初版2031部　作品集

104 *The Arkham Collector, Number 6 (Winter 1970)*　オー

ガスト・ダーレス編　1970　本文24頁　$0.50　雑誌

105　*Thirty Years of Arkham House: 1939-1969*　オーガスト・ダーレス編　フランク・ユトパテル装丁　1970　本文99頁　$3.50　初版2137部　社史と刊行目録

106　*Demons and Dinosaurs*　L・スプレイグ・ディ・キャンプ　フランク・ユトパテル装画　1970　本文72頁　$4.00　初版500部　詩集

107　*Other Dimensions*　クラーク・アシュトン・スミス　リー・ブラウン・コイ装画　1970　本文329頁　$6.50　初版3144部　作品集

108　*The Arkham Collector, Number 7 (Summer 1970)*　オーガスト・ダーレス編　1970　本文40頁　$0.50　雑誌

109　*The Horror in the Museum and Other Revisions*　H・P・ラヴクラフト他　オーガスト・ダーレス選　ゲイアン・ウィルスン装画　1970　本文383頁　$7.50　初版4058部　共作集

110　*The Arkham Collector, Number 8 (Winter 1971)*　オーガスト・ダーレス編　1971　本文36頁　$0.50　雑誌

111　*Selected Poems*　クラーク・アシュトン・スミス　ゲイリー・ゴア装丁　1971　本文403頁　$10. 00　初版2118部　詩集

112　*The Face in the Mirror*　デニス・ヴァル・ベイカー　ゲイリー・ゴア装丁　1971　本文113頁　$3.75　初版2045部　作品集

113　*The Arkham Collector, Number 9 (Spring 1971)*　オーガスト・ダーレス編　1971　本文44頁　$0.50　雑誌

114　*Eight Tales*　ウォルター・デ・ラ・メア　ゲイリー・ゴア装丁　1971　本文108頁　$4.00　初版2992部　作品集

115　*Dark Things*　オーガスト・ダーレス編　ハーブ・アーノルド装画　1971　本文330頁　$6.50　初版3051部　アンソロジー

116　*The Arkham Collector, Number 10 (Summer 1971)*　オーガスト・ダーレス編　1971　本文48頁　$0.50　雑誌

117　*Songs and Sonnets Atlantean*　ドナルド・S・フライヤー　ゴードン・R・バーネット装画　1971　本文134頁　$5.00　初版2045部　詩集

118　*Selected Letters: 1929—1931*　H・P・ラヴクラフト　オーガスト・ダーレス&ドナルド・ワンドレイ編　ロナルド・リッチ写真　ヴァージル・フィンレイ装画　ゲイリー・ゴア装丁　1971　本文451頁　$10.00　初版2513部　書簡集

119　*The Caller of the Black*　ブライアン・ラムレイ　ハーブ・アーノルド装画　1971　本文235頁　$5.00　初版3606部　作品集
『黒の召喚者』朝松健訳　国書刊行会1986

120　*The Arkham Collector, Volume 1*　オーガスト・ダーレス編　1971　本文348頁　$10.00　初版676部　＊The Arkham Collector 1〜10の合本

121　*Disclosures in Scarlet*　カール・ジャコビ　フランク・ユトパテル装画　1972　本文181頁　$5.00　初版3650部　作品集

122　*The Rim of the Unknown*　フランク・ベルナップ・ロング　ハーブ・アーノルド装画　1972　本文291頁　$7.50　3650部　作品集

123　*Stories of Darkness and Dread*　ジョゼフ・ペイン・ブレナン　デニス・ティアニ装画　1973　本文173頁　$6.00　初版4138部　作品集

124　*Demons by Daylight*　ラムジー・キャンベル　エディ・ジョーンズ装画　1973　本文153頁　$5.00　初版3472部　作品集

125　*From Evil's Pillow*　ベイジル・コッパー　フランク・ユトパテル装画　1973　本文177頁　$6.00　初版3468部　作品集

126　*Beneath the Moors*　ブライアン・ラムレイ　ハーブ・アーノルド装画　1974　本文145頁　$6.00　初版3842部　長編

127　*The Watchers Out of Time and Others*　H・P・ラヴクラフト&オーガスト・ダーレス　ハーブ・アーノルド装画　1974　本文405頁　$8.50　初版5070部　作品集
＊ラヴクラフトの遺稿に基づいたダーレスの「死後合作」を収める。表題作はダーレスの死により未完。

128　*Collected Ghost Stories*　メアリー・E・ウィルキンズ＝フリーマン　フランク・ユトパテル装画　1974　本文189頁　$6.00　初版4155部　作品集

129　*Howard Phillips Lovecraft: Dreamer on the Nightside*　フランク・ベルナップ・ロング　フランク・ユトパテル装画　1975　本文237頁　$8.50　初版4991部　ラヴクラフトの伝記

130　*The House of the Worm*　ゲイリー・マイヤーズ　アレン・サーヴォス装画　1975　本文77頁　$5.50　初版4144部　作品集

131　*Nameless Places*　ジェラルド・ペイジ編　ティム・カーク装画　1975　本文279頁　$7.50　初版4160部　アンソロジー

132　*The Purcell Papers*　J・シェリダン・レ・ファニュ　フランク・ユトパテル装画　1975　本文241頁　$7.00　作品集

133　*Dreams from R'lyeh*　リン・カーター　ティム・カーク装画　1975　本文72頁　$5.00　初版3152部　詩集

134　*Harrigan's File*　オーガスト・ダーレス　フランク・ユトパテル装画　1975　本文256頁　$6.50　初版4102部　作品集

135　*Xelucha and Others*　M・P・シール　フランク・ユトパテル装画　1975　本文243頁　$6.50　初版4283部　作品集

136　*Literary Swordsmen and Sorcerers: The Makers of Heroic Fantasy*　L・スプレイグ・ディ・キャンプ　ティム・カーク装画　1976　本文313頁　$10.00　初版5431部　評論集

137　*The Height of the Scream*　ラムジー・キャンベル　ロン・フェンデル装画　1976　本文229頁　$7.50　初版4348部　作品集

138　*Dwellers in Darkness*　オーガスト・ダーレス　フランク・ユトパテル装画　1976　本文203頁　$6.50　初版3926部　作品集

139　*Selected Letters: 1932—1934*　H・P・ラヴクラフト　オーガスト・ダーレス&ジェイムズ・ターナー編　ロナルド・リッチ写真　ヴァージル・フィンレイ装画　ゲイリー・ゴア装丁　1976　本文424頁　$12.50　初版4978部　書簡集

140　*Selected Letters: 1934—1937*　H・P・ラヴクラフト　オーガスト・ダーレス&ジェイムズ・ターナー編　ロナルド・リッチ写真　ヴァージル・フィンレイ装画　ゲイリー・ゴア装丁　1976　本文437頁　$12.50　初版5138部　書簡集

141　*Kecksies and Other Twilight Tales*　マージョリー・ボウエン　スティーヴン・E・フェビアン装画　1976　本文207頁　$7.50　初版4391部　作品集

142　*The Horror at Oakdeene and Others*　ブライアン・ラムレイ　スティーヴン・E・フェビアン装画　1977　本文209頁　$7.50　初版4162部　作品集

143　*And Afterward, the Dark*　ベイジル・コッパー　スティーヴン・E・フェビアン装画　1977　本文222頁　$7.50　初版4259部　作品集

144　*In Mayan Splendor*　フランク・ベルナップ・ロング　スティーヴン・E・フェビアン装画　1977　本文66頁　$6.00　初版2947部　詩集

145　*Half in Shadow*　メアリー・エリザベス・カウンセルマン　ティム・カーク装画　1978　本文212頁　$8.95　初版4288部　作品集

146　*Born to Exile*　フィリス・アイゼンシュタイン　スティーヴン・E・フェビアン装画　1978　本文202頁　$8.95　初版4148部　長編

147　*The Black Book of Clark Ashton Smith*　クラーク・アシュトン・スミス　アンドルー・スミス装画　1979　本文143頁　$6.00　初版2588部

＊スミスの創作メモ、詩の草稿などを収める

148　*The Princess of All Lands*　ラッセル・カーク　ジョー・ウェール・ジュニア装画　1979　本文228頁　$8.95　初版4120部　作品集

149　*In the Mist and Other Uncanny Encounters*　エリザベス・ウォルター　スティーヴン・E・フェビアン装画　1979　本文202頁　$8.95　初版4053部　作品集

150　*New Tales of the Cthulhu Mythos*　ラムジー・キャンベル編　ジェイスン・ヴァン・ホランダー装画　1980　本文257頁　$11.95　初版3647部　アンソロジー

『真ク・リトル・リトル神話大系　6－I／II』国書刊行会1983→『新編 真ク・リトル・リトル神話大系　6／7』国書刊行会2009（改装版）

151　*Necropolis*　ベイジル・コッパー　スティーヴン・E・フェビアン装画　1980　本文352頁　$12.95　初版1539部　長編

152　The Third Grave　デイヴィッド・ケイス　スティーヴン・E・フェビアン装画　1981　本文184頁　$10.95　初版4158部　長編

153　*Tales from the Nightside*　チャールズ・L・グラント　マイケル・ウィーラン装画　アンドルー・スミス挿絵　1981　本文228頁　$11.95　初版4121部　作品集

154 *Collected Poems: Nightmares and Visions*　リチャード・L・ティアニー　ジェイスン・ヴァン・ホランダー挿絵　1981　本文82頁　$6.95　初版1030部　詩集

155 *Blooded on Arachne*　マイクル・ビショップ　ロン・ワロツキー装画　グレンレイ・チューター挿絵　1981　本文338頁　$13.95　初版4081部　作品集

156 *The Darkling*　デイヴィッド・ケスタートン　レイモンド・ベイレス装画　1982　本文259頁　$12.95　初版3126部　長編

157 *The Wind from a Burning Woman*　グレッグ・ベア　ヴィンセント・ディ・フェイト装画　デニス・ニール・スミス挿絵　1983　本文270頁　$13.95　初版3046部　作品集

158 *The House of the Wolf*　ベイジル・コッパー　スティーヴン・E・フェビアン装画　1983　本文298頁　$14.95　初版3578部　長編

159 *The Zanzibar Cat*　ジョアンナ・ラス　ジェイムズ・C・クリスチャンセン装画　デニス・ニール・スミス挿絵　1983　本文244頁　$13.95　初版3526部　作品集

160 *One Winter in Eden*　マイクル・ビショップ　レイモンド・ベイレス装画　アンドルー・スミス挿絵　1984　本文273頁　$13.95　初版3596部　作品集

161 *Watchers at the Strait Gate*　ラッセル・カーク　レニー・レドル装画　1984　本文256頁　$14.95　初版3459部　作品集

162 *Who Made Stevie Crye?*　マイクル・ビショップ　グレンレイ・チューター装画　ジェフリー・K・ポッター挿絵　1984　本文309頁　$15.95　初版3591部　長編
『誰がスティーヴィ・クライを造ったのか?』小野田和子訳　国書刊行会2017

163 *The Dunwich Horror and Others*　H・P・ラヴクラフト　オーガスト・ダーレス選　S・T・ヨシ校訂　レイモンド・ベイレス装画　1984　本文433頁　$15.95　初版（067の改訂第6版）4124部　作品集

164 *Lovecraft's Book*　リチャード・A・ルポフ　ジェフリー・K・ポッター装画　1985　本文260頁　$15.95　初版3544部　長編

165 *At the Mountains of Madness and Other Novels*　H・P・ラヴクラフト　オーガスト・ダーレス選　S・T・ヨシ校訂　レイモンド・ベイレス装画　1985　本文458頁　$16.95　初版（076の改訂第5版）3990部　作品集

166 *Tales of the Quintana Roo*　ジェイムズ・ティプトリー・ジュニア　グレンレイ・チューター装画　1986　本文101頁　$11.95　初版3673部　作品集
『すべてのまぼろしはキンタナ・ローの海に消えた』浅倉久志訳　早川書房

167 *Dreams of Dark and Light: The Great Short Fiction of Tanith Lee*　タニス・リー　マックス・エルンスト装画　ダグラス・スミス挿絵　1986　本文507頁　$21.95　初版3957部　作品集

168 *Dagon and Other Macabre Tales*　H・P・ラヴクラフト　オーガスト・ダーレス選　S・T・ヨシ校訂　レイモンド・ベイレス装画　1987　本文448頁　$18.95　作品集　初版（082の改訂第5版）4023部　作品集

169 *The Jaguar Hunter*　ルーシャス・シェパード　ジェフリー・K・ポッター装画・挿絵　1987　本文404頁　$21.95　初版3194部　作品集
邦訳『ジャガー・ハンター』小川隆・内田昌之訳　新潮社　1991　＊原書より八編を収録

170 *Polyphemus*　マイクル・シェイ　ハリー・O・モリス装画　ジョン・スチュアート挿絵　1987　本文245頁　$16.95　初版3528部　作品集

171 *A Rendezvous in Averoigne: The Best Fantastic Tales of Clark Ashton Smith*　クラーク・アシュトン・スミス　ジェフリー・K・ポッター装画　1988　本文472頁　$22.95　初版5025部　作品集

172 *Memories of the Space Age*　J・G・バラード　マックス・エルンスト装画　ジェフリー・K・ポッター挿絵　1988　本文216頁　$16.95　初版4903部　作品集

173 *Crystal Express*　ブルース・スターリング　リック・ライバー装画　1989　本文264頁　$18.95　初版4231部　作品集

174 *The Horror in the Museum and Other Revisions*　H・P・ラヴクラフト他　S・T・ヨシ校訂　レイモンド・ベイレス装画　1989　本文450頁　$18.95　初版4994部　作品集

175 *Her Smoke Rose Up Forever*　ジェイムズ・ティプトリー・ジュニア　アンドルー・スミス装画　1990　本文520頁　$25.95　初版4108部　作品集

176 *Tales of the Cthulhu Mythos*　H・P・ラヴクラフト他　ジェフリー・K・ポッター装画　1990　本文529頁　$23.95　初版7015部　アンソロジー　＊102の改編新版

177 *Gravity's Angels* マイクル・スワンウィック パブロ・ピカソ装画 ジャネット・オーリジオ挿絵 1991 本文302頁 $20.95 初版4119部 作品集

178 *The Ends of the Earth* ルーシャス・シェパード ジェフリー・K・ポッター装画 1991 本文484頁 $24.95 初版4655部 作品集

179 *Lord Kelvin's Machine* ジェイムズ・P・ブレイロック J・K・ポッター装画 1992 本文262頁 $19.95 初版4015部 長編

180 *Meeting in Infinity: Allegories & Extrapolations* ジョン・ケッセル エドヴァルド・ムンク装画 1992 本文309頁 $20.95 初版3547部 作品集

181 *The Aliens of Earth* ナンシー・クレス エド・パシュケ装画 1993 本文327頁 $20.95 初版3520部 作品集

182 *Alone with the Horrors: The Great Short Fiction of Ramsey Campbell 1961–1991* ラムジー・キャンベル J・K・ポッター装画・挿絵 1993 本文515頁 $26.95 初版3834部 作品集

183 *The Breath of Suspension* アレクサンダー・ジャブロコフ J・K・ポッター装画・挿絵 1994 本文318頁 $20.95 初版3496部 作品集

184 *Cthulhu 2000: A Lovecraftian Anthology* ジム・ターナー編 ボブ・イーグルトン装画・挿絵 1995 本文413頁 $24.95 初版4927部 アンソロジー

185 *Miscellaneous Writings* H・P・ラヴクラフト S・T・ヨシ編 ジェイムズ・ターナー装丁 1995 本文568頁 $29.95 初版4959部 拾遺集

186 *Synthesis & Other Virtual Realities* メアリー・ローゼンブラム ボブ・イーグルトン装画 メアリー・ローヘッド・ボーン挿絵 1996 本文280頁 $21.95 初版3515部 作品集

187 *Voyages by Starlight* イアン・R・マクラウド ニコラス・ジェインスケグ装画 1996 本文269頁 $21.95 初版2542部 作品集

188 *Flowers from the Moon and Other Lunacies* ロバート・ブロック トニー・パトリック装画 マーティン・ハーツェル装丁 1998 本文296頁 $22.95 初版2565部 作品集

189 *Lovecraft Remembered* ピーター・キャノン編 ジェイスン・C・エックハルト装画 1998 本文486頁 $29.95 初版3579部
＊ラヴクラフト回想文集

190 *New Horizons: Yesterday's Portraits of Tomorrow* オーガスト・ダーレス編 スティーヴン・E・フェビアン装画 1999 本文299頁 $24.95 初版2917部
＊ダーレスが一九六〇年代初期に構想したＳＦアンソロジー

191 *Dragonfly* フレデリック・S・ダービン ジェイスン・ヴァン・ホランダー装画・挿絵 1999 本文300頁 $22.95 初版4000部 長編

192 *Sixty Years of Arkham House: A History and Bibliography* S・T・ヨシ編 アレン・コーゾウスキー装画 1999 本文281頁 $24.95 書誌

193 *Arkham's Masters of Horror* ピーター・ルーバー編 トニー・パトリック装画 2000 本文444頁 $32.95 アンソロジー

194 *In the Stone House* バリー・N・マルツバーグ アラン・C・セーヴァス装画 2000 本文247頁 $25.95 初版2500部 作品集

195 *Book of the Dead: Friends of Yesteryear: Fictioneers & Others* E・ホフマン・プライス エリック・カールスン装丁 2001 本文423頁 $34.95 初版4000部 回想録

196 *The Far Side of Nowhere* ネルスン・ボンド アラン・フォア装画 2002 本文423頁 $34.95 初版2500部 作品集

197 *The Cleansing* ジョン・D・ハーヴィー トニー・パトリック装画 2002 本文319頁 $32.95 初版2500部 長編

198 *Selected Letters of Clark Ashton Smith* クラーク・アシュトン・スミス デイヴィッド・E・シュルツ&スコット・コナーズ編 ジェニファー・ナイルズ装丁 クラーク・アシュトン・スミス彫刻 本文417頁 $35.95 初版3000部 書簡集

199 *Cave of a Thousand Tales: The Life and Times of Pulp Author Hugh B. Cave* ミルト・トーマス キース・ミニオン装画 本文287頁 $33.95 初版2000部 評伝

200 *Other Worlds Than Ours* ネルスン・ボンド アラン・フォア装画 2005 本文580頁 $35.95 初版2000部 作品集

201 *Evermore* ジェイムズ・ロバート・スミス＆スティーヴン・マーク・レイニー編 トニー・パトリック装画 2006 本文237頁 $34.95 初版2000部 アンソロジー

202 *The Shunned House Facsimile* H・P・ラヴクラフト 2008 本文59頁 $60.00（特装版$995.00）限定100部（特装版17部）

＊1928年にRecluse Pressが製作、1961年にアーカムハウスがその一部を販売したチャップブックの復刻版。

203 *The Macabre Quatro* オーガスト・ダーレス ステファン・ジミアノウィッチ＆ロバート・ワインバーグ編 2009 作品集（全四巻）The Battered Silicon Dispatch Box & Arkham House & The August Derleth Society

Vol.1: "Who Shall I Say Is Calling?" and Other Stories: The Best Short Stories of August Derleth ボリス・ドルゴフ装画 本文328頁 $30.00

Vol.2: The Sleepers and Other Wakeful Things: The Ghost Stories of August Derleth マット・フォックス装画 本文339頁 $30.00

Vol.3: That Is Not Dead: The Black Magic & Occult Stories by August Derleth マット・フォックス装画 本文328頁 $30.00

Vol.4: August Derleth's Eerie Creatures A・R・ティルバーン装画 本文301頁 $30.00

204 *The Arkham Sampler: A Facsimile Edition* オーガスト・ダーレス編 2010 雑誌復刻合本（全二巻）Arkham House & The August Derleth Society

＊本リスト27〜30、37〜40の復刻版

205 *Baker Street Irregular* ジョン・レレンバーグ ローリー・フレイザー・マニフォールド装画 2010 本文404頁 $39.95 長編

【2：パンフレット】

P01 *August Derleth: Twenty Years of Writing, 1926-1946* オーガスト・ダーレス 1946

P02 *August Derleth: Twenty-Five Years of Writing, 1926-1951* オーガスト・ダーレス 1951

P03 *August Derleth: Thirty Years of Writing, 1926-1956* オーガスト・ダーレス 1956

P04 *Autobiography: Some Notes on a Nonentity* H・P・ラヴクラフト オーガスト・ダーレス註 1963 本文17頁 500部

＊Published for Arkham House by Villiers Press

P05 *AH 1939-1964: 25th Anniversary* オーガスト・ダーレス編（無記名）1964 本文12頁 出版目録

【3：マイクロフト＆モラン刊行の怪奇小説】

Mycroft & Moran は、オーガスト・ダーレスが1945年にアーカムハウスの中に作った探偵小説のレーベルで、1982年までに17点を刊行、うち12点がダーレスの著書で、1点を除きソーラー・ポンズものである。1998年に The Battered Silicon Dispatch Box がその名を引き継いで再開した。以下に同レーベルから刊行された怪奇小説を記載する。

MM01 *Carnacki, the Ghost-Finder* ウィリアム・ホープ・ホジスン フランク・ユトパテル装画 1947 本文241頁 $3.00 初版3050部 作品集

『幽霊狩人カーナッキ』田沢幸男他訳 国書刊行会1977→角川書店1994

『幽霊狩人カーナッキの事件簿』夏来健次訳 東京創元社2008（原書未収録の「探偵の回想」を追加）

MM02 *The Phantom-Fighter* シーベリー・クイン フランク・ユトパテル装画 1966 本文263頁 $5.00 初版2022部 作品集

『グランダンの怪奇事件簿』熊井ひろ美訳 論創社2007

MM03 *Number Seven, Queer Street* マージェリー・ローレンス フランク・ユトパテル装画 1969 本文236頁 $4.00 初版2027部 作品集

MM04 *In Lovecraft's Shadow: The Cthulhu Mythos Stories of August Derleth* オーガスト・ダーレス スティーヴン・E・フェビアン装画 1998 本文351頁 $59.95 作品集 The Battered Silicon Dispatch Box & Mycroft & Moran

《Le forum du Roman Fantastique》

長らく〝作者不詳〟だった「謎の男」

白沢圭

二〇二二年一二月に刊行された『新編 怪奇幻想の文学2 吸血鬼』（新紀元社）に、K・A・フォン・ヴァクスマンの「謎の男」（垂野創一郎訳）が収録された。同作の邦訳は二例目で、初邦訳はマイケル・パリー編『ドラキュラのライヴァルたち』（小倉多加志訳 早川書房 一九八〇）に収録された。これは英訳版の"The Mysterious Stranger"からの重訳で、独語原題は不明だった。同書の編者解説（牧原勝志）では『ドラキュラのライヴァルたち』に収録された際は、なぜか「作者不詳」とされていた」とあった。

なぜ「謎の男」は作者不詳であったのか。その理由は単純で、英語圏では長らく作者が分からなかったからだ。作者が明らかになったのは二〇一〇年と近年の話だ。

この作者判明の経緯は、中々に興味深いので、以下に紹介しよう。

そもそも英語圏で「謎の男」を知らしめたのは、怪奇文学の〝発掘者〟として有名だった、モンタギュー・サマーズ師である。彼は一九三四年に、「謎の男」は独語で書かれたが作者は不明で、その英訳版は一八六〇年の『オッズ・アンド・エンズ』誌（*Odds and Ends* 以下『O&E』）に収録された、と説明した。このサマーズ説が長年信じられることとなる。日本の吸血鬼解説書でも「一八六〇年に作られたドイツの吸血鬼物語」という説明しか見当たらない。

そんな「謎の男」の作者を突き止めたのが、米国の作家兼編集者のダグラス・A・アンダーソンである。作者の解明は、著名なホラー・アンソロジスト、ピーター・ヘイニングの不正を突き止めるという過程を経ている。荒俣宏氏の言葉をお借りすると、生前のヘイニングは、今まで誰も見たことがない怪奇小説を、サマーズ師以上に恐ろしい勢いで〝発掘〟したことで著名だった。

だが、彼が〝発掘〟したと称する作品の多くには捏造疑惑がある。例えば、『ヴァンパイア・コレクション』（角川文庫 一九九九）に収録されたエリザベス・グレイの「骸骨伯爵、あるいは女吸血鬼」や、荒俣氏が『怪奇文学大山脈1』(東京創元社　二〇一四)で紹介した「フランケンシュタインの古塔」は、今ではヘイニングによる創作と考えられている。これら以外にも多数の捏造疑惑があり、海外の論文やブログ、Wikipedia等で彼の不正が告発されている。

事の発端はM・R・ジェイムズの発言にある。

一九二九年に彼は「『ドラキュラ』という作品は、一八五〇年代に発行された『チェンバーズ・リポジトリ』*Chamber's Repository Of Instructive And Amusing Tracts*(以下『リポジトリ』)の第四巻に掲載された物語が元になっていると思う」と発言した。その作品が何であるのかも、そもそも吸血鬼の作品かどうかも言わなかった。

ヘイニングは一九七九年の『ドラキュラ・スクラップブック』*The Dracula Scrapbook*において、この言及を紹介した。このジェイムズの発言に最初に着目したのはヘイニングだという。この点だけに関して言えば、彼は「発掘者」らしい炯眼を発揮したことになる。

だが、ヘイニングはその三年後に出版した『M・R・ジェイムズの超自然の本』*M. R. James - Book of the Supernatural*において「謎を解いた」といい放ち、ジェイムズが言及した作品とは『リポジトリ』一八五六年一一月一四日号掲載の「クリングの吸血鬼」"The vampire of Kring"であると主張、同書に収録した。

それに対してアンダーソンは「ヘイニングが不正な情報源を提供しているという評判(特にストーカー関連の出版物で顕著な問題である)を知らなくても、彼の〝発見〟には注意が必要である」と前置きをして、ヘイニングのこの主張に反論する。

アンダーソンが実際の『リポジトリ』を調査した結果、「クリングの吸血鬼」なる作品はどこにもなく、そのかわりに見つけたのは一八五四年二月号に掲載された吸血鬼作品「謎の男」だった。そう、ジェイムズが言っていた作品とは、それだったのである。

つまり「謎の男」は一八六〇年の『O&E』誌よりも前に英訳が出版されていたことになり、これだけでもサマーズ説を覆した大発見だ。なお、この号でも「ドイツ語からの翻訳」とあるのみで、無記名で掲載されている。この一八五四年版は、Googleブックスなどの複数のアーカイブサイトで閲覧可能だ。

ここからは、サマーズ説の誤りに

ついて説明する。

「謎の男」の英訳版は一八六〇年の『O&E』誌に掲載された、と主張していたが、そもそもその『O&E』誌の創刊は一八六五年だという。このサマーズの間違いについてアンダーソンは、「サマーズの参考文献は、時にはヘイニングと同じくらいお粗末だが、彼の間違いは時に意図的かつ欺瞞的に作られるヘイニングのものよりも、ずさんさや情報源の乏しさによるもののようだ」と、もはやヘイニングを貶すのが目的と言わんばかりの補足をしている。この『O&E』誌は稀覯本なのか、アーカイブを発見することができなかった。

そしてアンダーソンは「謎の男」の原題は"Der Fremde"(見知らぬ人)、作者はドイツのカール・アドルフ・フォン・ヴァクスマンであったことを突き止める。彼は通常、K. von Wachsmann 名義を用いた。「謎の男」は一八四四年刊の作品集『物語と短編21　サンタンジェロ城からの脱出』*Erzählungen und Novellen. 21: Die Flucht aus der Engelsburg Standort* に収録された。その前に新聞等の定期刊行物で連載されていた可能性も高いというが、現在のところ証拠は見つかっていない。アンダーソンはそこでヴァクスマンの経歴なども説明している。なお、この独語原著もアーカイブサイトで閲覧が可能だ。

こうしてアンダーソンにより、英語圏では初めて「謎の男」の作者が突き止められたことになる。

さて残る問題は、ヘイニングは一体どこから「クリングの吸血鬼」なる作品を探してきたのか、だ。

その謎もアンダーソンは突き止めていた。『リポジトリ』誌の発行元であるW&R・チェンバーズ社は、『チェンバーズ・ジャーナル』*Chambers's Journal*(以下『ジャーナル』)なる報道紙も発行していた。その一八九六年二月一四日号に「吸血鬼について」"Concerning Vampires"という特集が掲載されており、ヘイニングはそこから一部を抜き出し「クリングの吸血鬼」と題名を変えて紹介していた。この『ジャーナル』のアーカイブも見つけたので、ヘイニングが再録したものと比較したが、引用元はまさしくここであった。

ジェイムズは、「『ドラキュラ』の元となった作品は『チェンバーズ・リポジトリ』の第四巻にある」と明言しており、そこに「クリングの吸血鬼」が掲載されていないと判明した以上、これは明らかにヘイニングによる捏造だ。

ヘイニングの数々の捏造疑惑は、そのほとんどに言い訳ができる逃げ道があり、「疑惑」止まりなのだが、この件は証拠を掴むことができた数少ない例となった。捏造の意思がなければ『リポジトリ』と、その四十二年後に発行された『ジャーナル』を間違えるなど、まずありえない。

ここで「クリングの吸血鬼」の内容を簡単に紹介しよう。

これは一六〇〇年代、ブランシュヴァイク公国の小さな町に住むドイツ人牧師による、当時の吸血鬼信仰に関する報告書を『ジャーナル』の読者に向けて紹介した記事だ。このドイツ人牧師は、当時国内で吸血鬼の迷信が広まっていることに心を痛め、それを批判するために報告書を作り上げた。

『ジャーナル』では他に何例か紹介しているが、ヘイニングが紹介したものは、最初に紹介されている公国のクリング地域で起きた吸血鬼事件だ。掲載誌の発行は一八九六年、『ドラキュラ』の出版が一八九七年で、直前に掲載されたものであるから、ストーカーには何の影響も与えなかったはずであると、アンダーソンはそうしめくくる。

以上が英語圏で「謎の男」の作者が判明した流れとなる。日本で作者を公にしたのは、私が二〇二二年四月に公開したブログ記事が最初だろう。数か月遅れて『怪奇幻想の文学2』でも、新訳を機に本来の作者が紹介されることとなった。

大まかな流れは以上だが、二点補足を。

「ドラキュラ」は「謎の男」が元になっているだろうというジェイムズの主張だが、複数の研究者も同様の主張をしている。『ドラキュラのライヴァルたち』では編者のマイケル・パリーも、「ドラキュラ」と類似する具体的な場面を挙げている。『M・R・ジェイムズの超自然の本』でヘイニングは、「クリングの吸血鬼」以外にも多くの虚言を放った為、海外のジェイムズ・ファン界隈で問題視されていた。アンダーソンもヘイニングの数々の不正が許せないようで、自身のブログでヘイニングの捏造疑惑特集の記事を上げたほどだ。その記事ではパリーがアンダーソンとコメント欄で会話し、ヘイニングの不正を知り愕然としていた様子がうかがえる。

こうしたヘイニングの数々の捏造疑惑や、今回の「謎の男」のより詳しい説明や、当時の書誌のアーカイブリンク等は、私の「吸血鬼の歴史に詳しくなるブログ」やニコニコ動画「ゆっくりと学ぶ吸血鬼」で公開しているので、よろしければ御覧いただきたい。

最後に、調査にあたり海外の掲示板や海外文学データベースをご教授してくださった中島晶也氏に、厚くお礼を申し上げる。

文豪と怪奇

東雅夫　KADOKAWA　一九〇〇円（税別）
〈評〉牧原勝志

装丁：原田郁麻　装画：北村紗希

世代によって印象も違うかと思うが、「文豪」という言葉には、中学や高校の国語の教科書に並んでいた、文学者のモノクロ写真のイメージがある。教科書で顔を見、名前を覚えて著作を読んだ――という十代の思い出をもつ人は、けっこう多いことだろう。だが、背伸びして触れる文豪の作品は、人生経験の浅い身には、きっかけを摑むまではよくわからないものだ。その「きっかけ」として、本書の主題である「怪奇」は最適ではないだろうか――これは怪奇を核とした、近現代の日本文学への恰好の入門書なのである。

どのように恰好であるかは、本書の「はじめに」の一説からうかがえる。著者は「文豪とは、自らを取り巻く世界の不思議さと真っ向から向き合い（中略）読者の眼にも明らかにしようと努めた人たち――ではなかったか」と述べ、「不思議」に「霊妙」「幻妖」と言葉を重ねて「怪奇」へと導いていく。踏みこむのに人生経験は必要ない。問われるのは怪奇を受け止め、向きあう想像力だ。

本書に取り上げられた文豪は、泉鏡花、芥川龍之介、夏目漱石、小泉八雲、小川未明、岡本綺堂、佐藤春夫、林芙美子、太宰治、澁澤龍彦の十名。文学にさして馴染みがなくても名に覚えがあるのが文豪の文豪たるところ。知ったつもりでいた彼らがどう怪奇と向きあい、それをどんな作品に遺したのか、著者は明快な文章と構成とで浮き彫りにしていく。それぞれの怪奇との関わり、怪奇を描いた作品の抜粋と解説、そして作者の為人《ひととなり》を簡潔にまとめた評伝。それぞれの章に添えられた副題も心憎い。たとえば小泉八雲は「幽霊《ゴースト》に憑かれ魅せられ、ぐるり地球をひとめぐり」、佐藤春夫は「化物屋敷のスペシャリスト!?」。興味を惹かれずにはいられない。若い読者、とくに中高生には付き合いやすく面白いだろうし、かつて若かった読者には、再読のための良いガイドブックとなるだろう。

読み終えるや、文豪が書いた「怪奇」を求めて図書館や書店に行きたくなる、そんな一冊である。幸い、みな（文豪なだけに）全集が出ており、さらに著者の編によるものはじめ、アンソロジーや作品集も数多い。作品に触れるのに労を要することはないだろう。文豪たちがどのように想像力を広げ、不思議に向きあったか、それを知るための手引きとして活用していただきたい。

兎の島

エルビラ・ナバロ　宮崎真紀訳　国書刊行会　三二〇〇円（税別）
〈Reader's Review〉ときのき

装丁：川名潤

本書所収の短編「後戻り」の語り手は十代の少女だ。彼女はある日、友達の家に招かれ、そこで友達の祖母に会う。おばあさんは椅子に座ったまま何故か宙に浮いている。語り手は驚くが、〝地球の中心からくるガス〟の影響だと友達は説明する。後日その話をすると友達は〝そんなことは起きなかった〟と怪訝な顔をする。語り手の記憶のなかでも、友達一家の夕食に同席したその日の思い出と、空中浮遊の記憶が上手く繋がらない。友達とはその後疎遠になり、再会はしない。まるで都市怪談のように、この不可思議な出来事に特に説明が追加されることが無いまま物語は終わる。

これは他の短編とも共通するところで、登場人物は何かあり得ないものに遭遇し、だがそれが人生を変えるとか何かに目覚める契機になるとかいうことはなく、割り切れない奇怪な経験として心の内に残る。神秘的といってもいいような経験が、何事もなかったかのように平凡な人生に取り込まれていく。だがそこにある人生は本当に凡庸なものだったのだろうか。

病や友人との不和、暴力、恋人との仲たがい。ナバロの作品で描かれるのは生きている限り逃れることのできない、当事者にとっては重大なイベントだ。しかし、当たり前の不幸やありふれた不安は、日常の中で誰に気を止められることもないままに流されていく。それが仮にどれほど突飛で不合理な現象であったとしても、例えば〝都市怪談のような〟という言葉で他者からまとめられてしまう。

ナバロは怪異を、恐怖ネタとしてピックアップしてみせるのではなく、誰かにとって重大なあの日のあの出来事が日々にとりとめなく埋もれていく喪失感や、やり過ごされてしまった事態の本来持つ異常性を描出するために用いる。ために幻想小説的な事象だけが筋から浮き上がることがない。優れて文芸的な手筋で、訳者が類似性を挙げた小山田浩子の作品とも通じる。語り手の意識がシームレスに幻想世界と接続される瞬間をそのまま写生したかのような奇妙な読み心地。物語が明快なオチに辿り着くことはなく、読み手の不安は落ち着く先を見つけることができない。物語が途切れた先に繋がっているのは、読者それぞれにとっての、語られざるあの日の記憶だからだ。

不安を手繰るうちやがて見失っていた時を発見し、読者はそこに置き去りにしてきた自分の一部を取り戻す。不思議なのだが、ここには癒しのようなものがある。

陽だまりの果て

大濱普美子
国書刊行会　二二〇〇円（税別）
〈Reader's Review〉　勝山海百合

装画：武田史子　装丁：大久保伸子

本書には六つの短編が収められている。幻想文学の棚に置かれる書物だが、匂いがするようなくっきりとした風景や、器物の手触りを感じられる描写で読者を物語の世界へ誘い、絡め取って逃さない。最初の一行から事件が起きたりはしないが、一行ごとに未知の街と、その街に暮らす人々の様子が明らかになり、登場人物が話し出すとその生き生きとした口跡《こうせき》とユーモアに楽しくなる。

「ツメタガイの記憶」は傾聴ボランティアの女性が、高齢女性の話を聞きに行くところから始まる。丁寧に着古したペイズリー柄のガウンを着た眼光鋭い婦人は、白磁のポットから茶碗に紅茶を注ぎ、ラム酒を入れ、これを入れるとおいしくなると氷砂糖を落とす……このご婦人が語る話が面白くないわけがないし、ラム入り紅茶の湯気でちょっと酔っぱったような気もなる。

親戚の家に預けられた女子小学生、綾の手記「鼎《かなえ》ヶ淵《ふち》」では、綾が近所の野原や池、家の中を探検したりして過ごすうちに、傷痕のような過去が顔を覗かせ、手招きをしてくる。

本書では死が日常に寄り添う形で書かれている。言葉を介して親しく交わった相手が、お先に失礼とばかりにひょいと向こう側に渡ってしまい、残された生者はそれを受け容れたり、傷つきながら暮らしを続けている。大学生の息子を失った男性は、悲しみがつけた傷のせいで妻との間に溝が出来る。幼い弟はある日突然姿を消すし、ペットの犬は寿命を迎える……。

死が避けられない運命と知っていることと、それが身近な人を奪ったり、自身に訪れることの悲しみや驚きは別だ。大濱は、不慮の事故、老い、病気、不運はめんどくさい身内のようなものだと優しく掻き口説く。

老衰にはまだ間がある独居女性、久美子が、スーパーで万引きを疑われたところを、パンチパーマのキヨコに助けられる「骨の行方」。真の窃盗犯はキヨコで、パンチパーマも変装の鬘《かつら》なのだが、これをきっかけに二人は親しくなり、キヨコは改心する。都会の片隅で倹《つま》しく暮らす、家族のいない女性たちのささやかな幸せ、矜持。キヨコは藍染の粋な浴衣を死装束に選ぶが、その模様は番傘に柳だろうか、秋草に蛇篭《じゃかご》か。鉋《かんな》と墨壺《すみつぼ》だったらずいぶん粋だと思う。

第五十回泉鏡花文学賞受賞作。

アホウドリの迷信

岸本佐知子・柴田元幸編訳

現代英語圏異色短篇コレクション

スイッチ・パブリッシング　二四〇〇円（税別）

〈Reader's Review〉石倉康司

装丁：宮古美智代　装画：小林紗織

見事に知らない作家ばかりである。現代英米文学の翻訳を手掛ける岸本佐知子と柴田元幸が、日本において比較的無名な現代作家を翻訳し持ち寄ったのが本書だ。元は文芸誌『MONKEY』二〇二二年春号に収録されたものだが、柴田訳、岸本訳でそれぞれ一篇が追加されている。作家の選出条件は「本邦初訳が望ましいが、古くて新しい人もOK」とのこと。収録されているのは殆どが二〇一〇年以降に発表された作品だ。

異色短篇コレクションと銘打たれるだけあり、収録されている作品は風変わりなものが多い。奇想といえば奇想であるが、戦争や性差別、人々の分断など、現代社会の歪みが背後に横たわっているのが分かる。柴田氏が「世界の根本的境目がなんとなく曖昧な雰囲気が多出し、ガチガチのリアリズムではないが、さりとて幻想へ行きっぱなしでもないような作品」と紹介しているが、幻想と現実を繋いでいるのは、前述のとおりの私たちが生きている世界の諸問題なのだ。

全ての作品を、と言いたいところだが、いくつか紹介を。柴田訳『大きな赤いスーツケースを持った女の子』は、ポーの『赤死病の仮面』の状況を引用し、他者の体験を語るというメタ的な視点があり、さらに信頼出来ない語り手というねじれた構造を持った、異彩を放つ短篇だ。本書の出だしに相応しい一篇と言えるだろう。

岸本訳『アホウドリの迷信』は夫不在の妊婦の内的不安が不穏な筆致で語られる。迷信にとらわれていく過程で徐々に水に関する言葉が増えていき、いやな湿気が満ちてくるのが面白い。そしてラストシーンの不気味さと言ったら。夢に出てきそうな強烈な印象を残す作品だ。

柴田訳『アガタの機械』は奇想成分が最も強い一篇。細部の書き込みや偏執的なガジェット趣味は、どことなくスティーヴン・ミルハウザーを思わせる。少女二人が引きこもる屋根裏部屋のおぞましくも美しい描写は圧巻だ。

収録作品の間に『翻訳余話』という編訳者二人の対談があり、これがまた読み応え十分。選評や作家の紹介だけでなく、英米の独立系出版社についても話しており、英語圏の文学シーンの一端を知ることができる。当たり前だが、大手出版社から発刊されるようなメジャー作家だけでなく、インディーズと呼べるような作家でも素晴らしい書き手はいるのだ。いち文学ファンとして、新しい作家の作品を扱うこのような取り組みがもっと増えることを願うばかりである。

アーモンドの木

ウォルター・デ・ラ・メア　**和爾桃子訳**　白水社　一八〇〇円（税別）

〈Reader's Review〉石倉康司

装画：エドワード・ゴーリー

ウォルター・デ・ラ・メアが日本で知られたのは、一九二〇年に西条八十が訳詩集『白孔雀』の中で詩『マアサ』を訳し、紹介したのが最初とされる。日本においてデ・ラ・メアの人気は高く、現代に至るまで数多くの作品が翻訳されてきた。本書はデ・ラ・メアの書いた短編の中でも幻想的な要素が色濃い作品を、和爾桃子が新たに訳した短篇集である。

児童文学の書き手として紹介されることの多いデ・ラ・メアであるが、彼の作品は子供に向けて書かれているのではなく、子供の視線を借りて書かれている、というように感じる。つまり闇や死に対する深い畏怖のまなざしや、空想を現実のように受け入れる心のありようを描いている、ということである。

収録されている最初の四篇、『シートンの伯母さん』までは一人称「ぼく」で書かれた、少年〜青年が主人公の短篇。どの作品も身近な存在の死について書かれており、読後にほろ苦い悲しみを誘うのが特徴だ。短い物語の中で長い時間の経過が巧みに描かれており、過去を俯瞰する視座が喪失感を一層かき立てる。四歳の頃に父を亡くしているデ・ラ・メアの自伝的要素の強い作品が並べられていると言えるだろう。

後半の三篇はぐっと怪奇色が濃くなり、美しくも恐怖を呼び起こす描写が頻出する。デ・ラ・メアの墓地好みが反映された『旅人と寄留者』、まるで怪談のような語り口の『クルー』は、朦朧法と呼ばれる文体によって読者に怪異を想像させ、より恐怖に没入できる作りになっている。

そして個人的にデ・ラ・メアの作品の中でも特に好きな『ルーシー』は、七〇年代に翻訳された脇明子の敬体の翻訳より本作のやや硬めで突き離すような翻訳の方が、作品に漂う寂寥感が引き立っていたように感じた。現実と空想が交錯し、長い時間の果てにそれらが重なり合う結末は、甘い郷愁と切ない余韻を残す。珠玉の名篇である。ちなみにルーシーという名前は実母の名前で、彼の詩や小説には何度もルーシーという存在が登場する。

デ・ラ・メアの著作には挿絵が収録されているものが多数あるが、本書ではエドワード・ゴーリーがドイツ語訳出版の際に描き下ろしたものを使用。不気味さや寂しさを帯びた暗い線は、デ・ラ・メアの物語世界と非常に相性が良い。朦朧法の文体で膨れ上がった想像力にゴーリーの絵が違和感なく重なり、豊かな読書体験を楽しめる一冊に仕上がっている。

寄稿者紹介（五十音順）

（括弧内の数字は掲載頁）

朝松健《あさまつけん》（140）
作家。主な著書に『血と炎の京』（文藝春秋）『邪神帝国』（早川書房）『東山殿御庭』（講談社）『妖臣蔵』（光文社）がある。近刊に『一休どくろ譚異聞』（行舟文化）。

荒俣宏《あらまたひろし》（55）
作家・博物学者。著書多数。近著に『平井呈一 生涯とその作品』（松籟社）、『妖怪は海にいる!? アラマタ式海の博物教室』（偕成社）など。紀田順一郎とともに《新編 怪奇幻想の文学》（新紀元社）を監修。

井上雅彦《いのうえまさひこ》（130）
小説家。星新一ショートショートコンテスト受賞を経てデビュー。主な著書に『夜会 吸血鬼作品集』（河出書房新社）、『ファーブル君の妖精図鑑』（講談社）など多数。企画監修をつとめる書き下ろしアンソロジー《異形コレクション》（光文社文庫）は、創刊26年目に突入。最新刊となる第55巻を、現在鋭意制作中。
クトゥルー神話では、朝松健編『秘神界 歴史編』に寄稿した短篇「夜の聲、夜の旅」の英訳“Night Voices, Night Journeys”が海外の神話読者の間でも高く評価されている。

岩田佳代子《いわたかよこ》（69）
翻訳者。主な訳書にジェーン・グドール『希望の教室』（海と月社）、『おうちでＳＴＥＡＭ教育 「なぜ?」「どうして?」がよくわかる わくわく科学実験図鑑』シリーズ（ディスカヴァー・トゥエンティワン）がある。本シリーズでの翻訳は『幻想と怪奇12 イギリス女性作家怪談集 メアリー・シェリーにはじまる』所収のシャーロット・リデル『胡桃屋敷』に続き十度目。

植草昌実《うえくさまさみ》（46、160）
翻訳者。主な訳書にランガン『フィッシャーマン 漁り人の伝説』、ランズデール『死人街道』。共訳書に、紀田順一郎・荒俣宏監修《新編 怪奇幻想の文学》（以上、新紀元社）、井上雅彦編《予期せぬ結末》（全三巻 扶桑社）などがある。

熊井ひろ美《くまいひろみ》（191）
翻訳者。主な訳書にシーバリー・クイン『グランダンの怪奇事件簿』、ルーパート・ペニー『密室殺人』（共に論創社）、コリン・ディッキー『ゴーストランド 幽霊のいるアメリカ史』（国書刊行会）がある。

黒史郎《くろしろう》（122）
作家。著書に「幽霊詐欺師ミチヲ」シリーズ（角川書店）、『ボギー 怪異考察士の憶測』（二見書房）、『川崎怪談』（竹書房）、『ムー民俗奇譚 妖怪補遺々々』（学研）、「かくされた意味に気がつけるか? 3分間ミステリー」シリーズ（ポプラ社）、『未完少女ラヴクラフト』（ＰＨＰ研究所）、『童提灯』（創土社）、『乱歩城』（光文社）など。任天堂switchゲーム『災難探偵サイガ～名状できない怪事件～』脚本・設定。

白沢圭《しらさわけい》（247）
ノセール名義で吸血鬼の啓蒙・解説活動を行う。オタク層向けのニコニコ動画「ゆっくりと学ぶ吸血鬼」と、一般向けの「吸血鬼の歴史に詳しくなるブログ」で活動中。

髙橋まり子《たかはしまりこ》（94）
英米文学翻訳家。主な訳書に、ジャニータ・シェリダン著『翡翠の家』『珊瑚の涙』『金の羽根の指輪』、ハル・ホワイト著『ディーン牧師の事件簿』、ジェーン・K・クリーランド著『出張鑑定にご用心』、『落札された死』（いずれも東京創元社刊）などがある。本シリーズでの翻訳は『幻想と怪奇11 ウィアードヒーローズ 冒険者、魔界を行く』所収のマンリー・ウェイド・ウェルマン「半分だけ憑かれた家」に続き五度目。

竹岡啓《たけおかひらく》（116）
クトゥルー神話研究家。東京工業大学卒。訳書にリン・カーター『クトゥルー神話全書』（東京創元社）がある。

田村美佐子《たむらみさこ》（33）
翻訳家。主な訳書にサックス・ローマー『魔女王の血脈』（アトリエサード／書苑新社）、エヴァンジェリン・ウォルトン《マビノギオン物語》シリーズ、ピーター・トレメイン《修道女フィデルマ・シリーズ》『憐れみをなす者』『修道女フィデルマの采配』（以上、東京創元社）がある。

野《の》村《むら》芳《よし》夫《お》（14）

英米文学翻訳家。主な訳書に、イアン・バンクス『蜂工場』、グレイ&モレーノ=ガルシア編『FUNGI――菌類小説選集』Ⅰ・Ⅱ（Pヴァイン）、W・H・ホジスン『〈グレン・キャリグ号〉のボート』（アトリエサード／書苑新社）がある。大橋渡『奇襲』（Pヴァイン）を編纂・解説した。

ひらいたかこ（表紙）

イラストレーター。ミステリの装画や挿絵を中心に制作を続ける。子供向け絵本や児童書の制作も。『アリス、アリス、アリス！』（東京創元社）始め画集の出版や原画展示でも活動。

平《ひら》戸《ど》懐《かい》古《こ》（8）

英米文学翻訳家。訳書にホレス・ウォルポール『象形文字譚集』（私家版）、共訳書に夏来健次との共編『吸血鬼ラスヴァン 英米古典吸血鬼小説傑作集』（東京創元社）、夏来健次編『英国クリスマス幽霊譚傑作集』（創元推理文庫）がある。

牧《まき》原《はら》勝《かつ》志《し》（251）

『幻想と怪奇』編集室長。編書に《新編　怪奇幻想の文学》（既刊1、2）がある。

宮《みや》崎《ざき》真《ま》紀《き》（176）

スペイン語圏文学および英米文学翻訳家。最近の訳書に、エルビラ・ナバロ『兎の島』（国書刊行会）、フェリクス・J・パルマ『怪物のゲーム』（ハーパーコリンズ・ジャパン）、スー・ブラック『骨は知っている』（亜紀書房）など多数。

安《やす》原《はら》和《かず》見《み》（85、107）

翻訳家。訳書にD・アダムス『銀河ヒッチハイク・ガイド』シリーズ（河出書房新社）、『フレドリック・ブラウンSF短編全集』（全四巻、東京創元社）、D・アイカー『死に山』（河出書房新社）など多数。

YOUCHAN（装丁）

イラストレーター。最近手掛けた主な装画に、ゾラン・ジヴコヴィチ ファンタスチカ『図書館』（書肆盛林堂）が、広告企画のイラストレーション制作に、日本ガイシ「Final Anchors」（日本経済新聞）がある。二月に開催した個展の図録『本を巡る冒険3』を盛林堂書房さんにて販売中です。

若《わか》島《しま》正《ただし》（214）

京都大学名誉教授。主な訳書に、ウラジーミル・ナボコフ『ロリータ』（新潮文庫）、著書に『乱視読者の英米短篇講義』（研究社）、『ロリータ、ロリータ、ロリータ』（作品社）がある。

《読者書評「Reader's Review」募集》

『幻想と怪奇』では常時「Reader's Review」のページを設け、愛読者による書評を募集しております。文字数は、八百字以上一千字以内。対象は、二〇二二年以降に日本で出版された怪奇幻想に関連する本。「幻想」や「怪奇」の意味は評者の解釈によります。小説に限定せず、復刊、文庫化、電子書籍も対象です。洋書の場合、未訳であれば二〇二二年以前のものも対象になります。

書評本文の前に、取り上げた本の情報の以下の情報を記載してください。

題名／著者・訳者・編者等／出版社／奥付記載の発行年月日／評者名

採用分には原稿料相当額の図書カードと『幻想と怪奇』収録巻を進呈いたします。なお、収録にあたり編集部で文章を調整させていただく場合があります。ご了解のほどをお願いいたします。

また、自由投稿も受け付けております。創作、評論、研究、エッセイなど、お気軽に御投稿ください。編集室での厳正な審査のうえ、優秀な投稿は『幻想と怪奇』に収録、投稿者には規定の原稿料をお支払いいたします。

「Reader's Review」、自由投稿共に、左記のアドレスにメール送信（テキストファイル添付でお願いいたします）、もしくは新紀元社編集部内『幻想と怪奇』編集室まで郵送でお送りください。宛先は奥付に記載してあります。

romanfantastique@shinkigensha.co.jp

第1回『幻想と怪奇』ショートショート・コンテスト

第一次選考通過作品一覧

初のコンテストに、予想を上まわる403編の御応募をいただき、編集室一同、驚きかつ喜んでおります。応募者の皆様に改めて御礼申し上げます。第一次選考の結果、以下の41名による44作品が通過いたしました。最優秀作品および入選作品の発表は、6月発売予定の『別冊・幻想と怪奇1』（仮）への収録をもって代えさせていただきます。

2023年2月　『幻想と怪奇』編集室長　牧原勝志

秋野童「あめをかう」

井川俊彦「藤の花が咲く頃に」

石岡博之「カミサマの運転手～津軽怪異譚～」

石原三日月「せせらぎの顔」

市野次和「魔術的」

瓜生カオリ「贄の鳥脚」

緒方えいと「幻視する癖」

オガワメイ「河童と雨合羽」

鹿島さくら「いつか出会う君の店」

金子月「桜颪の先に」

上終全「墓掘り人夫の死」

川野芽生「雪とその下」

犀川葉猶「めまい」

坂崎かおる「僕のタイプライター」

桜井かな「鬼の虫干し」

佐竹雀躍「まことのたま」

佐藤水月「夜桜を見に」

渋皮ヨロイ「おさめ字」

タタツシンイチ「なつやすみ」

橘とわこ「喝采」

津月あおい「鯨包丁の夜」

長尾竜之「アイスクリーム」

中川マルカ「いろくず」

苦草堅一「午後十時二十六分三河島駅停車中の常磐線四号車」

西聖「無色の幽霊」／「獣の骨」

野呂徹「虎のバター」

ピーター・モリソン「犬に見られて」

日比野心労「せん」

備仲臣道「桜の花の下で」

深田亨「幻想スケッチ」／「黄昏賦」

藤井佯「虹描く羽根」

松下洋祐「ハテリ」

見坂卓郎「ゆうえん」

水城瑞貴「印刷所の悪魔」／「湯守老人」

森青花「女優だった」

社容尊悟「黄昏に笑く花」

柳下亜旅「マイ・ググリー・ガール」

Yohクモハ「はらりそ」

吉美駿一郎「ベリーショート」

米山真由「樹洞」

藍廸「泥塑」

筆名五十音順

◆一九七四年一〇月、第一期『幻想と怪奇』は第十二号をもって休刊しました。最大の要因は、第四次中東戦争に端を発する石油価格の高騰と、それによる世界的な経済恐慌――通称「オイルショック」でした。用紙の製造にも石油は必要なため、価格高騰は紙不足を引き起こし、出版界も大きな打撃を受けました。この時代に『幻想と怪奇』と同じ理由で休廃刊した雑誌は、いったいどれくらいの数に及んだことか。『幻想と怪奇』第十二号は一二二ページ、創刊号の二五〇ページの半分に至らないもので、手にするたびに往事の苦境を偲ばずにはいられません。

　現在、やはり戦争を原因とする資材不足がさまざまなところで起こり、五十年前と同様に出版界にも影響を与えています。翻訳出版にとっては、円安に続く痛打です。この第二期『幻想と怪奇』も、第一期の巻数を超えた本巻で、約十パーセントの減ページをしました。もちろん、内容まで薄くしてはいないので、御安心のほどを。

◆アーカムハウス関連作家の企画は、第五巻『アメリカン・ゴシック』から続けてきた「アメリカ幻想文学史」の一テーマとして、発刊当時から構想していました。編集を終え、この一巻からさらに展開させていきたい、と思いを新たにしています。ラヴクラフトを核にしていますが（とはいえ、クトゥルー神話作品はほとんどが既訳なので類縁作を選びました）、当初の構想には一九八〇年代に出版したSFも候補に挙げていました。次回はJ・P・ブレイロックやルーシャス・シェパードなども取り上げたいものです。引き続きの御愛読をお願いいたします。

◆第一回『幻想と怪奇』ショートショートコンテストに、多数の御応募をいただきました。ありがとうございます。当初の予定では、最優秀作と入選作をこの巻で発表する予定でした。が、告知から締め切りまでの期間が短かったにもかかわらず、予想の二倍近い数の作品が寄せられ、選考に時間がかかっております。そのため、本巻では第一次選考通過作をお知らせいたします。御了解いただけますよう。

　編集室が『幻想と怪奇』第二期発刊から主張している「自由な想像力」、それも現在進行形のものに、応募作を通して触れることができました。世界は不穏さを隠さず、この先どう変わっていくかわかりません。が、ここに集まった「想像力の自由」だけは守っていきたいと、あらためて思います。

　なお、最優秀作と入選作は、次巻でお読みいただけるよう、第二次選考を進めております。なお、次巻は『幻想と怪奇』初の別冊となります。御期待ください。

（M）

次回配本

別冊　幻想と怪奇1
ショートショート・カーニヴァル
――一瞬の夢、つかのまの悪夢
二〇二三年六月初旬刊行予定

幻想と怪奇　13
H・P・ラヴクラフトと友人たち　アーカムハウスの残照

2023年3月13日　初版発行

企画・編集　牧原勝志（『幻想と怪奇』編集室）

発 行 人　福本皇祐
発 行 所　株式会社新紀元社
〒101-0054 東京都千代田区神田錦町1-7 錦町一丁目ビル2F
Tel.03-3219-0921　Fax.03-3219-0922
http://www.shinkigensha.co.jp/
郵便振替　00110-4-27618

協　　力　紀田順一郎　荒俣 宏

題　　字　原田 治
表 紙 絵　ひらい たかこ（Pen Studio）
デ ザ イ ン　YOUCHAN（トゴルアートワークス）

組　　版　株式会社明昌堂／『幻想と怪奇』編集室

印刷・製本　中央精版印刷株式会社

ISBN978-4-7753-2078-5
Printed in Japan
定価はカバーに表示してあります。